Acordei em woodstock

VIAGEM, MEMÓRIAS, PERPLEXIDADES

Acordei em woodstock

VIAGEM, MEMÓRIAS, PERPLEXIDADES

IGNÁCIO DE LOYOLA BRANDÃO

global
EDITORA

© Ignácio de Loyola Brandão, 2011

1ª edição, Global Editora, São Paulo 2011

Diretor-Editorial
JEFFERSON L. ALVES

Editor-Associado
A. P. QUARTIM DE MORAES

Gerente de Produção
FLÁVIO SAMUEL

Coordenadora-Editorial
ARLETE ZEBBER

Preparação
ANA CAROLINA RIBEIRO

Revisão
MARIA FERNANDA NEVES
AGNALDO ALVES

Imagem de Capa
BUREAU L.A. COLLECTION/CORBIS/LATINSTOCK

Capa
EDUARDO OKUNO/MAURICIO NEGRO

Projeto Gráfico
EDUARDO OKUNO

Dados Internacionais de Catalogação na Publicação (CIP)
(Câmara Brasileira do Livro, SP, Brasil)

Brandão, Ignácio de Loyola

Acordei em Woodstock : viagem, memórias, perplexidades / Ignácio de Loyola Brandão. – São Paulo : Global, 2011.

ISBN 978-85-260-1602-6

1. Memórias 2. Viagens – Narrativas pessoais I. Título

11-10339   CDD-910.4

Índices para catálogo sistemático:

1. Relatos de viagens   910.4
2. Viagens : Narrativas pessoais   910.4

Direitos Reservados

GLOBAL EDITORA E DISTRIBUIDORA LTDA.

Rua Pirapitingui, 111 – Liberdade
CEP: 01508-020 – São Paulo – SP
Tel.: (11) 3277-7999 – Fax: (11) 3277-8141
e-mail: global@globaleditora.com.br
www.globaleditora.com.br

Obra atualizada conforme o
Novo Acordo Ortográfico da Língua Portuguesa

Colabore com a produção científica e cultural.
Proibida a reprodução total ou parcial desta obra
sem a autorização do editor.

Nº de Catálogo: **3304**

ERRATA

O texto parcialmente reproduzido na página 161, sobre Peter Salinger e sua obra *O apanhador no campo de centeio*, originalmente publicado no jornal *O Estado de S. Paulo*, é de autoria de Eric Mitchell Sabinson, professor da Unicamp.

Para Márcia,
cuja viagem maior comigo começou há 25 anos.

E para Marilda e Zezé Brandão que adoram descobertas e sabem rir dos micos.

Nua na chuva,
entre milhares de pessoas
vestidas, aquela mulher linda
perturbou o mundo, marcou
uma geração.
Momento de desafio
dos que queriam paz e amor,
sexo total, drogas, rock,
liberdade.
Esta é a viagem
em que fui em busca dela,
de mim, de nós.
O que encontrei?

Que viagem foi essa?

Como esquecer aquela jovem linda e nua caminhando entre milhares de pessoas que vestiam jeans, usavam ponchos, protegiam-se da chuva? Aquela jovem foi um murro na nossa cara, um respiro naquele distante 1969. Havia liberdade no mundo, permissividade, gente transando, se drogando, cantando rock. Woodstock. Pela minha cabeça repassaram as cenas do festival que marcou uma geração, agitou o mundo, permaneceu como um marco libertário, alimentou nosso imaginário por décadas.

Woodstock, três dias de paz e música. A primeira grande exposição aquariana. Um espaço de liberdade como jamais haveria outro. Naquele momento vivíamos debaixo de uma ditadura militar, repressiva, com a censura a todo vapor. Havia oito meses o general Costa e Silva tinha implantado o AI-5, o Ato Institucional que cassou todas as liberdades no Brasil.

Naquele ano eu já tinha publicado três livros e era apenas um jornalista bem-relacionado, querendo ser escritor e sorver o mundo, viver tudo.

O festival da Era de Aquarius. Ah, Aquarius era tudo, o renascer livre e feliz. Utopias que me tomaram a vida inteira voltavam 31 anos depois, tanto no avião como na viagem de carro por dentro da Nova Inglaterra. A segunda cidade do trajeto seria Woodstock, só pensava em chegar lá e fui revendo imagens que tinham me marcado.

Aqueles 500 mil jovens amontoados sob a chuva que enlameou tudo e ninguém se importou, as mulheres nuas circulando entre homens de cabelos compridos, batas indianas, camisas coloridas, gente transando por toda parte. Da maconha que formou uma nuvem, do ácido, da cocaína, de tudo o que havia. E o rock que se ouviu?

Naquele remoto 1969, enquanto aqui havia uma ditadura, generais no poder, prisões e tortura, em Woodstock havia paz e amor, "podes crer, amizade". Um momento que eu tinha perdido. Assim como dez anos antes, em 1959, tentei e não consegui ir a Cuba cobrir a Revolução Cubana para o jornal em que trabalhava. Perdi Fidel, Che, Camilo Cienfuegos, ídolos da época.

Woodstock. Poderia recuperar? Embarquei pensando nisso. Ver, sentir o clima, respirar o ar que aquela gente tinha respirado. Onde estariam todos? E aquela mulher linda, nua entre milhares de pessoas sentadas, estará ainda viva? Aqui se narra a história desta breve viagem por uma parte da Nova Inglaterra. Empreendida entre 23 de setembro e 7 de outubro de 2000. Numa época em que as folhas outonais deveriam estar vermelhas, mas ainda não estavam.

Quando embarco, sei que farei algumas viagens simultâneas. A real, em que desfruto o que observo, me toca, me impressiona. A outra vem com a memória acionada por fotografias, palavras, situações, imagens, cheiros, músicas (ou o simples abrir de uma porta) me devolvendo fragmentos da vida. E a terceira em que misturo fantasia e imaginação. Eu, o que fui, o que sou, o que desejava, o que fomos, o que somos.

Daí as idas e vindas, os pensamentos esparsos, anotações soltas, pequenos incidentes, lembranças, pessoas que retornam, o cotidiano transfigurado. Um romance? Não. Memórias? Mais ou menos. Viagem? Pode ser que sim.

Nova Inglaterra, EUA. Passamos por Massachusetts, New Hampshire (suas eleições primárias geralmente indicavam o presidente vencedor), Vermont, Connecticut. Faltaram Rhode Island e Maine. Um dos trechos mais tradicionais dos Estados Unidos. Berço da política, dos puritanos, da independência, terra de Emily Dickinson, Robert Frost, Melville, Hawthorne, Mark Twain, Louisa May Alcott.

Relato de viagem antiliterário, despretensioso. Apreensão de momentos, fragmentos, anotações do dia a dia, memórias afetivas interligadas, brincadeiras, recordações particulares, lugares ligando-se a leituras ou filmes.

Desde 1996, quando superei o trauma da clipagem de um aneurisma na artéria cerebral direita que poderia ter me levado à morte, minha maneira de ver a vida mudou, cada minuto passou a ter o sentido de eternidade, não sei se estarei vivo no minuto seguinte. Ou no próximo segundo. Esta sensação de fragilidade aumentou após a morte de Moacyr Scliar, neste ano de 2011, sem esquecer amigos como João Antônio, Ricardo Ramos, Wander Piroli, Osvaldo França Júnior, Roberto Drummond. Fui buscar esse diário esquecido na gaveta. Quase memória (como diz Cony), ou memória dentro da memória. Reli e remexi, tirei e acrescentei.

Foram duas semanas de buscas e procuras. Além de Woodstock, do que mais? De quê? Do nada, do ir em frente para ver o que havia lá. Dias descontraídos, soltos. Ócio. E, no entanto, reencontros surpreendentes.

Agosto de 2011

Sábado, 23 de setembro de 2000

O sofrimento de viajar na classe econômica

Tentei o prosaico sonho:
— Acha possível um *upgrade*?

O funcionário do *check-in* me olhou, pensando: que ousadia a deste homem querendo passar para a classe executiva, ou *business*. Foi seco:
— Nem pensar!

O jeito foi a classe econômica mesmo, na qual viajei a vida inteira. Partida de São Paulo (Guarulhos) pelo voo 30 da Continental Airlines, 20h40. Poltronas de corredor para os quatro. Como o avião estava semivazio, um milagre nestes tempos, cada casal ficou com a fila inteira para quem quisesse se recostar mais. Pura sorte. Márcia, minha mulher, e Marilda, prima, deitaram. Zezé, meu primo, e eu dormimos sentados. As poltronas inclinavam-se pouco, recurso usado para ganhar espaço, ter mais assentos. Comida ruim, café da manhã pior. O filme foi *Meu vizinho mafioso*, comédia com Bruce Willis. Uma besteira. Chegamos em Nova York às 5h15 em ponto, no aeroporto de Newark. Gosto de chegar nos lugares com o dia nascendo. Ou naquele horário do começo da noite em que a luz é indefinida e, mal aterrissado, o avião se ilumina com os celulares sendo ligados. Todos ligam ao mesmo tempo, como se tivessem ensaiado.

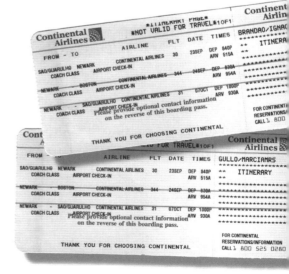

Fragmentos das viagens dos anos 1960 e 1970, quando entrávamos no avião torcendo para que ninguém viesse para a nossa fileira. Em geral, a classe econômica seguia semivazia, podíamos fazer leito das poltronas centrais, transformadas em "primeira classe". As comissárias, chamadas aeromoças, tornavam-se cúmplices, traziam mais travesseiros e cobertas. Tempos politicamente incorretos, as comissárias eram belíssimas, rivalizavam-se com as misses, com as garotas-propagandas, mais estrelas que as atrizes. Eram comuns as cantadas, principalmente de executivos assanhados que passavam cartão de visitas. A primeira vez que deparei com uma comissária mais velha, acima dos 45 anos, foi na Aerolíneas Argentinas, já nos anos 1980, entre Europa e Brasil. Era a pessoa que melhor servia.

A inclinação do assento era suficiente para nos sentirmos confortáveis, e entre as poltronas até um grandalhão podia acomodar suas pernas. Na Varig, mesmo "lá atrás", os pratos eram de louça, os talheres de inox. Diziam que na primeira eram de prata, os copos de cristal. Época de ouro. Uma comida digna, saborosa, micro-ondas não existiam, podíamos pedir vinho, uísque. Durante a noite, havia uma mesa posta com queijos, canapés, *appetizers*, *hors d'oeuvres*, águas, refrigerantes e vinhos. Nada de cinema, mas havia um sonzinho modesto. Nos toaletes da Air France havia várias colônias, foi ali que descobri *Farina*, de Roger & Gallet, que uso até hoje.

Depois, como as pessoas começaram a roubar os frascos, as colônias desapareceram. Roubavam garfos e facas e até mesmo cobertas. Quem viajou nessa época compreendeu melhor do que ninguém o significado daquela exposição que a artista plástica Jac Leirner fez, mais de uma década atrás, com objetos roubados dos aviões. Era o retrato de uma civilização, de uma sociedade que fazia dinheiro, se dizia em evolução, mas continuava mixa, pequena. Hoje, dentro de um avião, tudo é tão inferior, de segunda, que nem vale a pena roubar como *souvenir*.

Décadas atrás, quando as modelos brasileiras (dizia-se manequins) começaram a viajar para a Europa, uma delas, pessoa lindíssima, porém muito simples, fez sua primeira viagem. Subiu e desceu de aviões, mal comendo e guardando numa imensa bolsa tudo o que vinha: geleias, manteigas, patês, queijinhos (o *La vache qui rit* estava em todo avião francês), *grissinis*, bolachas diferenciadas, com sabores salgados, que ainda não se produziam por aqui, iogurtes, pistaches, amendoins confeitados. Meses depois desceu no Rio, correu para casa e entregou tudo à mãe. Manteigas, queijos, patês, tudo estava rançoso, mas a mãe, comovida, comeu; para ela significou viajar com a filha. Mais tarde, a moça se casou com um nobre italiano e deixou o Brasil.

Súbito, tive saudades da Panair, foi por ela que fiz minha primeira viagem à Europa, com passagem dada pelo Wallinho Simonsen, intermediada pelo cineasta Fernando de Barros. Nela descobri a Poire (mais tarde a bebida do Ulisses Guimarães) e o Calvados. A Panair espalhava-se pelo mundo, em suas agências encontrávamos os jornais brasileiros do mesmo dia, eram como que pequenos consulados, que funcionavam melhor que os consulados, ali não enfrentávamos a arrogância e a indiferença dos diplomatas. A ditadura e interesses esquisitos, porém transparentes (a concorrência tinha um *lobby* forte), passaram como um trator por cima da Panair.

Viajar era um momento importante; vestia-se para a viagem. As mulheres saíam da primeira classe perfumadas, de salto alto, chapéu, exibiam grifes. Mesmo na econômica, depois chamada turista, havia uma preocupação com o parecer bem. Sim, os preços democratizaram as viagens, elas são acessíveis a quase todos, as agências se multiplicaram, as prestações se estenderam, os grupos e os fretamentos explodiram. Explodiram também as bermudas, os chinelões, as camisetas regatas, o desconforto, a fome. É o nosso tempo.

24 DE SETEMBRO/ MADRUGADA/ DOMINGO/ 5H30

Jacqueline sonhou com a Broadway, acabou no bonde

Newark. Ao aterrissar, uma surpresa. Passamos rápido pela imigração, os funcionários eram gentis, diferentes dos grosseirões que trabalhavam no aeroporto Kennedy. Agora, voltaram todos a ser brutamontes. Quem chega depois do 11 de setembro é suspeito. Se até em recepção no Brasil a um chefe de Estado, Obama, os nossos ministros foram obrigados a tirar sapatos, revirar os bolsos...

Zezé e Marilda estavam demorando no guichê da polícia. Voltei, achando que era encrenca com o passaporte alemão de Marilda. Ela descende de alemães, é também Zedig de família, tem dupla nacionalidade, podia entrar nos Estados Unidos sem visto.

Uma agente da imigração, agressiva, me disse que não podia voltar, não devia ultrapassar a linha amarela no chão. Foi ríspida:

— O senhor saia já do setor. Cai fora, caia fora, *get out*.

Não havia problemas com Marilda e Zezé. Eles tinham deparado com um funcionário que falava português, ficaram no papo. Apanhamos as bagagens e

Folhas do jardim de Naomi, Boston.

17

quase fiz besteira, querendo arrancar as etiquetas. Tenho ojeriza por etiquetas em mala. Acontece que elas já estavam programadas para Boston, bastava recolher a mala, passar pela alfândega e entregar num balcão confuso. Pareceu que não havia ninguém na alfândega, entramos no corredor <u>nada a declarar</u> e nada declaramos.

Marilda e Márcia foram ao banheiro, Zezé e eu tentamos tomar café. Não tinha *espresso*, fiquei com o *regular* americano, água de batata, sem gosto. Zezé recusou. À nossa frente, um casal de sotaque carregado não se fazia entender quanto ao que queria. Tanto o casal quanto o funcionário eram latinos e o inglês de um não concordava com o inglês do outro. O casal saiu bufando, sem tomar nada. Mais tarde, entendi o que representa o inglês da gente não se ajustar ao do outro (aguardem segmento sobre Exeter). Saímos do aeroporto e Zezé fumou todos os cigarros que pôde, depois de ter resistido (com louvor) à abstinência da viagem. Todo fumante ia fumar fora, o lixo estava coalhado de bitucas. Mesmo fora, há setores em que não se fuma, como os dos *check-in* expressos. Funcionários proibiam, falando grosso. Limusines chegavam, a todo momento, para desespero do Zezé, que as odeia. Passaria a viagem inteira imprecando contra elas, que considera uma blasfêmia cafona da indústria automobilística.

O dia começava a amanhecer. Nos perguntávamos para que lado estaria Nova York, já que Newark é New Jersey. New Jersey, onde nasceu Frank Sinatra. E Hoboken, a cidade natal dele, seria perto? Tínhamos de mudar para o terminal C, de onde partia o voo 344 para Boston, às 8h30. O *monorail* não funcionava (aeroporto em obras) e tomamos um ônibus, que logo partiu. No terminal C esperamos duas horas. Marilda e Márcia descolaram um pãozinho com manteiga e Zezé descobriu um salgadinho de pizza. As tranqueiras americanas em matéria de comida (que herdamos – estamos transpondo todo o *junkie* para cá) começavam a se fazer sentir.

O voo, segundo a agência de São Paulo, estava programado para uma hora e meia, mas durou 38 minutos. Desembarcamos, desembaraçamos bagagens e fomos em busca da Avis. Guichê fechado, um letreiro avisava para apanhar o ônibus da locadora que nos levaria direto ao escritório. Dentro do ônibus vazio, um garotinho chato, filho do motorista – era domingo, ele talvez costumasse levar o menino para pentelhar os outros –, ia explicando coisas, falando sem parar, num forte sotaque americano, parecia dialeto. Sei lá que coisas explicava! Aqui em Boston, André, meu filho, morou anos, fez a universidade. A última vez que vim foi para a formatura dele, em 1997, com o Daniel.

Na Avis, enquanto eu fuçava a máquina de refrigerantes, tentando arrebanhar uma *Root beer* (fixação que vem dos filmes das matinês, acho que nos faroestes tomavam *Root beer*), esse estranho refrigerante americano (parece remédio, mas adoro), nos entregaram uma minivan Oldsmobile, magnífica. Recebemos mapas com orientação para chegar à Babcock street, em Brookline, onde mora Naomi Muniz (Naná, para Marilda, que foi sua colega de escola). Aprendemos a abrir as portas, o bagageiro, a ajustar os bancos, os espelhos. Aprendemos nada, só no segundo dia de viagem começamos a descobrir os truques.

Uma pergunta num pedágio. O homem falou tão rápido que Marilda pediu a ele que refizesse a informação. Uma rua errada (entramos à direita, na Commonwealth street, devíamos entrar à esquerda) e chegamos. Num dos túneis, maravilha, os faróis se acenderam sozinhos, aplaudimos a tecnologia. Márcia disse que nos anos 1970 o pai dela teve um carro americano com célula fotoelétrica lá em Araraquara. Quando a luz de outro carro batia, a célula abaixava a luz alta. Já estava portanto acostumada, crescera na tecnologia.

Arquivo pessoal

Marilda, Zezé e Márcia diante da casa centenária de Naomi.

A casa de Naomi fica numa esquina. Três andares, ático, salas e salas, quartos e quartos. E um só banheiro, como antigamente. De madeira. Até descobrirmos que a madeira é um revestimento de lata, na forma de tábuas superpostas, estilo da cidade. Fomos para a padaria, Clear Flour Bread, pequena, sortida. Compramos todos os tipos possíveis de pão, uma fogaça de cebola que durou dias e já fedia quando decidimos nos desembaraçar dela, em Exeter. Os pães com café e leite foram o nosso almoço.

Saímos para um tour. Apanhamos um bonde-metrô numa direção, vimos que estávamos errados, voltamos sobre nossos próprios trilhos até chegar ao centro, Park street. Ali, seguindo na calçada uma linha vermelha que indica os lugares históricos, fomos até o ponto de ônibus de onde partia um bonde sobre pneus que faz um longo giro, mostrando locais e a arquitetura. O bonde estava cheio de caipiras americanos. A motorneira era uma loira gordinha, chamada Jacqueline, que dirigia na maior animação, narrando, cantando, batendo sino, gritando, saudando as pessoas nas ruas, declamando junto com o *playback* dos discursos de gente famosa, largando o volante e sacudindo os braços. Uma *show-woman* que não passou pelos testes da Broadway. Tudo para incentivar as pessoas a obedecer o pedido de um letreiro atrás do banco dela: *gratuities are appreciated*. Quase ninguém deu. Demos 2 dólares.

O bondinho entrou por uma avenida, era a Beacon, lembrei-me de que foi ali que André, meu filho, morou durante todo seu curso no MIT, Massachusetts Institute of Technology, por cinco anos. Era pouco mais de um menino quando foi embora e enfrentou tudo sozinho. Eu tinha prometido que levaria o grupo até lá, no entanto o tempo era pouco. Alertei Márcia e ficamos olhando para o lado direito, até dar de cara com o número 460, a república. A fachada estava repintada. A rua é agradável, mais para o chique do que para uma rua de estudantes. Coisa de filme. Certa época, matei a saudade da cidade acompanhando a extinta série *Crossing Jordan*, no canal Universal. Conseguimos avistar o MIT do outro lado do rio, com a sua cúpula imponente. Anunciava-se a escola como parte do trajeto, mas os velhacos passaram ao largo, talvez porque houvesse poucos turistas caipiras no bondinho. Ou quem sabe o tour estivesse atrasado, Jacqueline queria ir embora logo, era domingo. Começava a anoitecer.

No ponto final, acosssados por um vento gelado, pagamos 23 dólares cada um por meia volta e decidimos que o melhor era

retornar. No fundo é uma chatice fazer tais percursos com guias pé no saco. Decidimos tentar um *espresso* numa cafeteria supertransada, em frente ao aquário, chamada Le Sel de la Terre, nome sugestivo. O café forte veio num copo de papel imenso e pedimos também um sanduíche de *sirloin*, tenro.

Terror e pânico em Hollywood

Le Sel de la Terre: O sal da terra. Expressão bíblica. Mas também um filme emblemático de Herbert Biberman, de 1954, importante como resistência às atrocidades cometidas pelo macarthismo no mundo do cinema, com a sua caça às bruxas, destruindo carreiras brilhantes. Biberman, o produtor Paul Jarrico e o roteirista Michael Wilson realizaram *Salt of the earth* no México, por meio de uma produtora independente. Foi um filme "socialista" que desafiou a intolerância do Comitê de Investigação de Atividades Antiamericanas que tanto estrago causou e revelou o mau-caratismo de parte de alguns que, para salvar a pele, denunciaram colegas, colocando-os na célebre "lista negra" que abortou a carreira de muita gente.

Ronald Reagan foi denunciante, assim como Robert Taylor, que era um dos atores mais bonitos de Hollywood; mas li recentemente que era gay e mantinha um casamento de conveniência com Bárbara Stanwyck, considerada uma das atrizes mais inteligentes de sua época, das poucas que conseguia entender os diálogos que devia dizer. Sterling Hayden foi outro, se bem que depois sofreu um terrível complexo de culpa que o deprimiu por anos e anos e quase o levou ao suicídio. Apaixonado pelo mar, ele abandonou o cinema, mas ainda participou de filmes importantes, *Dr. Strangelove*, de Kubrick, *O poderoso chefão III* (era o policial corrupto, assassinado num restaurante por Al Pacino), de Coppola, e *Novecento*, de Bertolucci.

O caso mais famoso de delação foi o de Elia Kazan. O fato de ser um imigrante que venceu e brilhou talvez o tenha amedrontado, levando-o a querer ser "patriota" além da conta. Depois, ele faria *Sindicato de ladrões*, em que tentou explicar, suavizar a delação. Uma grande interpretação de Marlon Brando. Quando a Academia concedeu a Kazan, em 1999, um Oscar honorário, viu-se uma cena constrangedora. Pequena parte da plateia – porque Hollywood vive cheia de reacionários como Charlton Heston – aplaudiu, enquanto a maioria da sala permaneceu de braços cruzados e vaiando o homem de 90 anos, que tinha sido um dos mais aclamados diretores do mundo, criador do Actors Studio, e que "vendera a alma" por uma ideologia barata. De todos os denunciantes, o mais abjeto foi Adolphe Menjou, que sempre fazia papéis de homem elegante.

A era macarthista é relembrada de tempos em tempos como um período negro da história das liberdades individuais. A designação macarthismo vem do nome do senador Joseph

McCarthy, direitista, reacionário, que se revelou anticomunista feroz – era tempo da Guerra Fria – e viu na perseguição aos esquerdistas uma maneira de fazer carreira política. Pretendia visibilidade ambicionando a presidência dos Estados Unidos. Aliado de McCarthy foi o então advogado Richard Nixon, mais tarde presidente e que teve que renunciar devido ao escândalo de Watergate. O macarthismo respinga ainda hoje. E durante a ditadura militar brasileira, a censura tinha a mesma ferocidade dele, suas idiossincrasias, métodos. Os mais jovens poderão reviver aquela atmosfera por meio do filme de George Clooney, *Boa noite e boa sorte* (*Good night, and good luck*), em que se retrata o poderoso âncora do rádio americano que lutou contra o senador e sua cruzada *tsunami*. A despedida de Edward Murrow no final de seu famoso programa da década de 1950 foi retomada no Brasil pelo jornalista Salomão Schvartzman, na TV Bandeirantes.

Na lista negra de Hollywood figuraram mais de 150 roteiristas e escritores, entre eles alguns nomes exponenciais da literatura como Dashiell Hammett, a quem devemos a revolução do romance policial, e Lillian Hellman, sua mulher. Ela escreveu um livro contundente sobre essa época, *Scoundrel time* (Tempo canalha), publicado no Brasil com o título *A caça às bruxas*, um bom documento sobre o que aconteceu. No filme *Julia*, sobre Lillian, dirigido por Fred Zinnemann, Dashiell foi vivido por Jason Robards. Dashiell recusou-se a denunciar colegas e foi condenado à prisão; passou seis meses na cadeia.

Arthur Miller, o dramaturgo, retratou a caça às bruxas na peça *As feiticeiras de Salem* e pagou por isso; assim como Clifford Odets, também teatrólogo, responsável pelo teatro social americano, com passagens pelo cinema e cujo teatro vem sendo revitalizado agora, ou seja, entrando em moda de novo. Os anos 1950 representaram para ele o conhecido "purgatório" dos autores. Sua peça *A vida impressa em dólar* marcou a primeira direção de Zé Celso Martinez no Teatro Oficina, em 1961.

Outros escritores exponenciais foram: Alvah Bessie, Garson Kanin e sua mulher, a atriz Ruth Gordon, Howard Koch – um dos autores de *Casablanca* –, Dorothy Parker – do célebre grupo do hotel Algonquin em Nova York –, William Shirer – autor de um volumoso trabalho sobre o Terceiro Reich –, Donald Ogden Stewart, Val Burton, Cy Endfield e até mesmo Langston Hughes, célebre escritor negro, autor de um clássico, *O homem invisível*, uma das peças de resistência do movimento negro americano. Os homens "invisíveis" no caso eram os negros. Entre alguns atores envolvidos estiveram Humphrey Bogart, Stella Adler, uma das professoras mais talentosas do teatro americano, Judy Holliday, a cantora Lena Horne, Marsha Hunt, Gale Sondergaard, Orson Welles, Lee Grant, Gypsy Rose Lee – uma das maiores estrelas do burlesco – e o músico Artie Shaw, que se casou com algumas das mulheres mais belas do cinema.

Entre os perseguidos esteve um criador do gabarito de Peter Viertel, filho de uma reputadíssima escritora alemã exilada nos Estados Unidos, roteirista dos filmes de Greta Garbo, e que aos domingos reunia em sua casa de Hollywood um grupo do qual faziam parte, além de Garbo, Charles Chaplin e sua mulher Oona – filha do dramaturgo Eugene O'Neill –, Thomas Mann e Bertold Brecht.

Peter Viertel teve uma vida interessante, começou a escrever aos 18, estudou em Dartmouth, universidade que será encontrada mais à frente, ligada a outro escritor fundamental. Peter conviveu com John Huston, Ernest Hemingway, Ava Gardner e Irwin Shaw. Este romancista estava no auge com o livro *The young lions* e era chamado de o "Tolstói do Brooklyn", e seu romance seria um moderno *Guerra e paz*. Exageros à parte, o livro foi *best-seller* e teve uma versão para a tela em 1958, dirigida por Edward Dmytryk, com Marlon Brando, Montgomery Clift e Hope Lange. Dmytryk, depois de sofrer com a Comissão de Investigação de Atividades Antiamericanas estava sendo reabilitado. Fico fascinado ao ver como os grupos reuniam pessoas de alto calibre, cada um em um segmento, todos de primeira categoria. Imagino o que seriam aquelas tardes na casa de Salka Viertel, semelhantes ao salões franceses dos século XVIII. Coisas que se acabaram neste século de internets, iPads, iPods, iPhones, laptops e livros digitais. Nada contra essa tecnologia que a ciência nos trouxe, apenas pergunto: a convivência, a conversação, a troca, o debate estimulante, onde se refugiaram? A rede social, a internet, o Twitter, o Facebook conseguem a proeza dos salões antigos? Por enquanto é tudo mera superficialidade, mas é tudo muito novo, veloz.

Viertel escreveu o roteiro de *O velho e o mar* e *O sol também se levanta*, baseados em Hemingway, e fez os diálogos do clássico *Uma aventura na África* (*The african queen*), adaptado por James Agee, também crítico de cinema e romancista. A estada na África ao lado de John Huston, o diretor, proporcionou a Viertel o tema de seu romance *White Hunter, Black Heart,* filmado por Clint Eastwood em 1990, com o título *Coração de caçador*, no qual se mostra o temperamento, a neura, quase esquizofrenia de Huston, obcecado por matar um elefante. O tema lembra *Moby Dick* e o capitão Ahab na caça à baleia-branca. Para mim, um dos livros mais interessantes de Viertel, nunca traduzido no Brasil, foi *Dangerous friends*. Em torno de todas suas explosivas amizades ao longo da vida, Viertel foi casado com a modelo Bettina, uma das paixões do príncipe Aly Khan, que se casou também com Rita Hayworth. Depois, aquietou-se com a atriz Deborah Kerr, com quem viveu por 47 anos. Quando ela morreu, ele se foi 19 dias depois, aos 87 anos.

Naquela tarde em Boston flutuei sobre um pedaço de meu passado aos 15, 16 anos, quando era crítico de cinema em Araraquara, lendo tudo o que me caía nas mãos. Eu misturava as teorias de Pudovkin com as críticas de André Bazin no *Cahiers du Cinéma*, a erudição do Almeida Salles no *Estado de S. Paulo*, bebia no historiador George Sadoul e nas fofocas de revistas como *Movieland*, *Photoplay*, ou *Cine Revue* e as brasileiras *Cinelândia* e *Filmelândia*, as quais pontificavam Lyba Fridman e Zenaide Andrea. Minha geração cresceu antenada no cinema americano. Fazer o quê? Era o que vinha.

Lei seca aos domingos em Massachusetts

Um cartaz enorme, na vitrine de um restaurante, anunciava: *Dancing lobsters*. Lagostas dançantes? O que seria? Apanhamos o bonde-metrô na direção Boston College. Pensamos que seria simpático levarmos vinho, já que Naomi pretendia fazer lagostas para o jantar. Entramos num supermercadinho, fomos atendidos por um caixa que demorou para entender nosso inglês. Se bem que o dele era pior.

— Vocês ser o quê?
— De que país?
— Sim, italianos, franceses, islandeses.
Só me faltava alguém achar que nasci na Islândia.
— Não... Brasil... brasileiros.
— Brasil? Pili, Pili, Pili.
— Pili? O que é isso.
— Jogador, Pili.
— Ah! Pelé!
— Isso, conhecem Pili?
— Conhecemos, amigo nosso.
— Eu do Paquistão, jogar futebol, Pili, Maradona.

Bem, queríamos bebidas, tínhamos pressa, Naomi devia estar aprontando as lagostas. Pedimos vinho, ele ficou sério.

— Não saber? Aqui não se vende bebida domingo.
— Por quê?
— É a lei.
— Lei? E nos outros dias?
— Nos outros dias vende, é normal.
— Não dá para arranjar por baixo do pano uma garrafa de vinho que seja?

Nosso inglês capenga tentava superar a barreira do inglês dele, pior do que o nosso. O homem não entendia os eufemismos, e estava firme, não ia vender. Imigrante, legal ou ilegal, devia ter medo. Apontou para o fundo da loja, as bebidas estavam num armário fechado por grossas correntes.

— O patrão leva a chave.

Lembrei-me de filmes em que as pessoas bebiam nas ruas, a garrafinha dentro de um saquinho de papel pardo. Abstinência aos domingos. Resquícios que ficaram da influência dos puritanos? Dos *pilgrims* do Mayflower?

Em casa, as lagostas foram atiradas semivivas dentro da água fervente, um ritual bárbaro, do qual fomos cúmplices. Preferimos acreditar que elas estavam anestesiadas. Comemos salada de batatas e seis lagostas na manteiga, cortando com tesouras, chupando perninhas e pinças. Carne macia e saborosa. Naomi nos ensinou que devíamos comer o fígado da lagosta, uma iguaria, coisa verde, esquisita, mas só ela teve coragem, se regalou. Acho que ainda não estamos preparados para "comidas finas".

Foram tomadas três garrafas de vinho da adega do genro de Naomi, um enólogo. Fomos olhar a adega, tinha vinhos incríveis, rótulos Margaux, Mouton Rothschild, Chateau Lafite e outros que não conhecíamos, mas cujos rótulos e dizeres nos pareciam atraentes. Bebi três doses de uma genebra cremosa, um tipo de *schnaps* comum nas noitadas no bar do Pedro, em Araraquara, década de 1950. Na época, não havia *steinhagen*, apenas a genebra, forte, oleosa, álcool de cereais. Numa noite em Boston, me revi aos 17 anos – quase meio século antes –, sentado no bar com minha turma, conduzido pelo *bouquê* e pela cremosidade da genebra.

Agora, pensamos todos, cansados, vamos dormir como anjos, embalados pela comida fina, pelo vinho excelente. Estávamos excitados, loucos para botar o pé na estrada, *easy riders* ou *beatniks* burgueses, para desfrutar aquele carro maravilhoso.

Cheiro de Prêmio Nobel emana das casas

Levantamos cedo, Naomi deveria partir para Georgetown, Washington, onde dá aulas. Estava para se aposentar, foi de um batalhão de professores que implantou a literatura brasileira em um mundo de universidades, gente como John Tholman (Novo México), Malcolm Silverman (San Diego), Nivea Parsons (Tucson), Elizabeth Lowe (Illinois). Muitos anos atrás, final dos anos 1970, vim para um Encontro de Professores de Português, ficamos todos hospedados em Georgetown, dentro da universidade. Dividi o apartamento com Carlinhos e Kate Lyra – estavam ainda casados. Simpáticos, divertidos, ele se ocupava do café da manhã, eu fazia as torradas. Foi nesse encontro que conheci José Saramago, nos tornamos amigos. Eu estava num corredor, buscando café, quando ele se aproximou, me apresentei, ele sorriu, disse logo:

— Li seu *Não verás país nenhum*, gostei.

— Pois li *Memorial do convento*, gostei muito.

Começou ali, com uma troca de gentilezas, ele sempre foi um homem cordial, uma relação que se estendeu intermitente pelos próximos quarenta anos. Não me esqueço da noite em Hamburgo, anos 1980, quando, após uma leitura, um livreiro chegou para Ray-Güde Mertin, agente e tradutora e sentenciou:

— Estamos diante de um futuro Prêmio Nobel.

Quinze anos depois Saramago foi à Suécia buscar o Nobel, o primeiro da língua portuguesa. Naquele encontro de Georgetown, Rubem Fonseca ficou alojado na ala feminina dos estudantes – eram férias escolares – e uma noite um motorista de táxi ficou desconfiado ao levá-lo, esperou até ele entrar. Rubem ficou nervoso porque errava a senha da porta (havia uma para cada porta) e o motorista começou a sair do táxi, indo em sua direção. A porta abriu, Rubem, mergulhou no corredor escuro, desapareceu. Outra vez, certa tarde, Naomi foi nos mostrar a casa onde tinham filmado *O exorcista*, era junto ao portão de entrada. O filme se passa na universidade. E a casa era ponto turístico, todos ficavam ali à espera do diabo aparecer.

(Rubem sempre foi grande companheiro de viagem, divertido, irônico, brincalhão, diferente daquela imagem que ele construiu no Brasil, evitando fotos e entrevistas. Em fevereiro de 2007 fomos a Israel num grande grupo, ali ficamos duas semanas. Em Cafarnaum, nas ruínas da sinagoga, foi feita uma foto que eu diria rara. Nela estavam Luis Fernando Verissimo, Affonso Romano de Sant'Anna, Rubem Fonseca e eu. Com exceção de Rubem, com 81 anos, os outros três estavam exatamente com 70 anos cada. Brincamos: aqui se tem quase trezentos anos de literatura brasileira. Quando uma turma desta vai se reunir de novo? Dessa viagem há um momento inesquecível. Foi a volta ao Brasil, por Londres, onde as normas alfandegárias e policiais são extremamente rudes.

Rubem Fonseca era imbatível fisicamente e isso ficou patente na escala em Londres. Tínhamos apenas cinquenta minutos para fazer uma escala, imaginamos que daria tempo suficiente, uma vez que desembarcaríamos no terminal 4 e partiríamos do mesmo terminal. Porém, o aeroporto Heathrow de Londres tem sua mecânica própria e implacável. É velho e anacrônico. O avião da British ficou parado na pista meia hora, esperando a abertura de um *finger*; uma tempestade tinha complicado a situação britânica tanto quanto nossos controladores de voo.

Quando a porta se abriu, nos lançamos desesperados em busca da porta de conexão, a 25. Letreiros amarelos indicavam *Flight connections*. Penetrávamos em salões desertos, virávamos à esquerda, à direita, surgia um corredor quilométrico com a esteira rolante parada (era domingo, quase dez da noite), e o letreiro *Flight connections*. Olhávamos o relógio, penetrávamos em novo corredor, também quilométrico, e nada do tal portão 25 aparecer, ouvíamos os anúncios de última chamada para nosso voo, e corríamos, éramos catorze pessoas a correr e suar, e a desembocar em novo corredor extensíssimo com a indicação amarela odiada, *Flight connections*.

Maratona que levava Rubem Fonseca, que se intitulava o decano do grupo com seus 81 anos, a imprecar, mas a continuar correndo, como se tivesse a idade dos jovens Daniel Galera ou do André Sant'Anna. Percorremos cerca de dois quilômetros, porque a porta 25 era a última do aeroporto. No caminho, rezávamos para que a inspeção antiterror nos poupasse. Tínhamos tido uma experiência maluca na ida. Todos os que fazem conexão passam por um sistema de revista rigoroso. Policiais gritando nos nossos ouvidos, "somente uma maleta, uma só maleta de mão, nenhum líquido, nenhum líquido". E iam tomando garrafas de água, de vinho, de refrigerantes, tirando das bolsas perfumes e cosméticos, atirando ao chão. Havia uma montanha que parecia lixo. Na minha frente, tomaram a mamadeira de um bebê árabe, mesmo o pai tendo feito o menino tomar o leite para mostrar que nem era explosivo nem veneno. "*No liquids, no liquids*", gritavam os insanos. Se a Polícia Federal aqui no Brasil tratasse alguém com a aspereza e arrogância daqueles ingleses, levariam manchetes contra. Tirávamos os sapatos, paletós, tudo. E a fila não andava. Se no domingo tivesse aquela fila, perderíamos o avião. Não havia. Do nosso grupo recolheram uma tesoura de unha, perigosíssima. O mundo está chato, viajar também.

Carregando sua maleta de mão, Rubem Fonseca, físico na ponta da agulha, entrou no avião, culminando uma viagem em que se mostrou bem-humorado, frasista, dono de uma gargalhada contagiante, mestre na ironia cortante, na definição rápida. Do frio foi salvo pelo paletó de *tweed* do Pedro Bandeira, que desafiava o vento cortante em mangas de camisa.)

Nessa manhã de 2000, Naomi, Marilda e eu fomos até a Harvard street, comprar *bagels*. Brookline é "cidadezinha" de judeus. Até existe comida chinesa *kosher*, na Ruth's Kitchen. Dois rapazes limpavam as vidraças de uma casa; pertencem a uma empresa limpadora, a camionete do trabalho (Window Cleaning) estava estacionada em frente. Todos esses serviços são terceirizados. Para consertar um vazamento na casa de Naomi, uma empresa especializada pediu 16 mil dólares. A reforma da casa dela, que tem quase cem anos, e vale 1 milhão de dólares, estava orçada em 200 mil dólares.

Disse Naomi que Brookline é refúgio de nobelizados ou nobelizáveis. Em cada rua, cada quadra, há um que ganhou, um que pode ganhar, um que gostaria de ganhar. Trata-se de uma das maiores concentrações de Prêmios Nobel por metro quadrado do mundo. Isso estabelece uma hierarquia, um *status*, competição. E discriminação? Os novos *yuppies*, gente de 25 a 30 anos, que fazem fortuna com internets e sites estão se mudando para a região. A cidade não tem prefeito e sim um administrador e vários conselheiros. Placas pediam o voto para uma mulher chamada Izmik. Há uma administração de tendência "socialista" (às vezes, fico perplexo), com escolas gratuitas para crianças problemáticas e deficientes (médicos, hospitais, escolas são pagos pela comunidade) e um bem organizado trabalho assistencial com velhos. Daí o apelido que Brookline ganhou de República Popular Chinesa. Naquela época. Agora, a China é capitalista.

Em um folheto que me passou pelas mãos, li que em 1970 a Suprema Corte de Massachusetts determinou que nenhum cidadão poderia ser obrigado a participar de uma guerra não declarada. Sinalizava-se, claramente, contra a guerra do Vietnã. O mesmo folheto dizia que os habitantes da Nova Inglaterra se consideravam a "consciência da nação" e eram conhecidos pelo seu *plain living and high thinking*. Ou seja, a elite do país.

Carros, bicicletas e motos estacionados na rua. E ninguém rouba. Ou roubam? Pessoas passando. Todo mundo se cumprimentando, fomos ouvindo e retribuindo *good mornings*. Vi uma bandeira hasteada, exclamei: "Acho que foi aqui que morou o Kennedy". Parecia a casa que tinha visitado em viagem anterior, nos anos 1980. Não era a do Kennedy. Muitas casas ostentam bandeiras, por toda a parte nos EUA. Vimos diversas reformas, Márcia, arquiteta, interessava-se, parava. Entre a alvenaria e a madeira exterior são colocadas umas mantas grossas, prateadas. Impermeabilização, isolante? Casas de madeira devem ser pintadas de tempos em tempos, a madeira respira e a tinta se vai. Cadeiras de balanço nas varandas. Flores, plantas. Atmosfera de antigo interior. Jardins, plantas. Cortinas rendilhadas nas janelas.

A paz enganadora

No entanto, as casas bucólicas e tanta paz, esse quase paraíso para alguém como eu, acostumado ao caos paulistano, ecoavam estranhamente em meus pensamentos. Fui recuando no tempo até bater na lembrança de um nome, Fall River, uma cidade de Massachusetts, com uma atmosfera talvez igual à de Brookline, com casas de madeira, varandas, árvores, o clima da Nova Inglaterra. Olhando o atlas na casa de Naomi, descobri que Fall River era perto dali, ao sul de Boston, perto de Warwick. Não há um filme com Jack Nicholson, *As bruxas de Warwick*? Um filme que comenta estranhos e violentos comportamentos em uma cidadezinha pacata? Não, não, o filme se chama na verdade *As bruxas de Eastwick*.

Em Fall River, em 1892, ocorreu um caso que ficou famoso no país inteiro, o assassinato de Abby e seu marido Andrew Borden, um milionário avarento, tão sovina que nem sequer usava eletricidade em casa, tinha uma latrina no porão e penicos nos quartos e chegava a comer carneiro estragado por vários dias, apenas para não jogar comida fora (lembranças de *O pai Goriot*, de Balzac, me afloraram). Abby e Andrew foram assassinados pela filha Lizzie com machadadas na cabeça. "Será possível que uma jovem de boa família, rica e bem-educada, uma antiga professora de catecismo, uma caridosa ativista religiosa ligada a sua igreja e membro proeminente da União das Mulheres Cristãs, fosse na verdade um monstro?", indagam John Douglas e Mark Olshaker em *Mentes criminosas & crimes assustadores* (*The Cases that Haunt us*) – Ediouro. Ao reler estes trechos, em 2011, para revisar o texto geral, me veio o caso de meu amigo Antonio Marcos Pimenta Neves, que matou a namorada Sandra. Como conciliar as duas imagens? A do Peru (apelido dele), doce, amigo, sonhador, namorador de nossas amigas de adolescência em Araraquara, com uma bela carreira jornalística e bancária, pai de duas filhas gêmeas lindas e na universidade, e a do homem que atirou duas vezes contra a mulher que o rejeitou? O segundo tiro foi de misericórdia, friamente, como se fosse execução. Desespero, alucinação, surto psicótico? Como saber da alma humana? Da mente e seus labirintos? Pimenta incutiu em mim extrema insegurança quanto aos nossos atos. Não somos donos deles? Há uma outra pessoa embutida dentro de mim, de nós, que nos conduz à ciclotimia, aos altos e baixos? O caso Pimenta talvez tenha sido a tragédia mais forte de toda a minha geração, mesmo lembrando a ditadura, os medos, as mortes de amigos (como Dedeto – Luiz Roberto Salinas Fortes –, que foi torturado e cujo coração não resistiu, morreu uma noite, em uma festa, com um copo de vinho na mão), as prisões de outros, os que se mataram, os que fracassaram (e o que é fracasso?).

O vidrinho para Zezé beber café

Postal da felicidade? Jacqueline e John Kennedy, em um antigo postal americano.

Passamos pela Beale street. Aqui sim! Aqui morou Joe Kennedy. Finalmente. A bandeira americana hasteada. Perdemos o horário de visitação, só olhamos por fora. Certa vez, quando passei por aqui, entrei na casa, lembro-me de uma geladeira branca que era abastecida com gelo. Apanhei uma folha do jardim, agora não me lembro qual é, preciso rever envelopes. Outra casa tranquila, classe média, sem nada que a distinga das outras à sua volta. Modesta até. Talvez o velho Joe Kennedy ainda não tivesse feito (como contrabandista) a fortuna que o tornou o quarto homem mais rico da América, na década de 1930. O pai do presidente assassinado em Dallas, em 1963, foi descrito por Edward Klein no livro *A maldição dos Kennedy* (Ediouro) como um "bruto magnata, com a sua amante Gloria Swanson, a estrela de cinema, a fortuna amealhada com contrabando de bebida alcoólica e a perseguida respeitabilidade política".

37

Os Kennedy, cujo *glamour* o mundo invejava, desenvolveram um código de ética particular, sem "senso de limites ou comedimentos, livres para ignorar as regras da sociedade e criar seu próprio estilo de vida". Era uma família em que todos se viam como "seres superiores que residiam acima do rebanho comum. Como pequenos deuses, sentiam-se imunes às leis mortais e às consequências de seus atos". Uma família bem-sucedida, bonita, adorada, cheia de vassalos, porém um clã marcado por contínuas "maldições" que começaram com a morte por tuberculose, aos 35 anos, do primeiro Kennedy, Patrick, um irlandês, que chegou aos Estados Unidos em 1848. Depois, o que se vê é uma longa lista de tragédias. A irmã de Rose, matriarca do clã, casada com Joe, foi encontrada morta pelo filho de 6 anos. A lobotomia em Rosemary, irmã do presidente que era louca e ordenada pelo pai, o velho Joe. Um avião explodiu durante a Segunda Guerra, matando Joe Jr., irmão do futuro presidente. Outra irmã deste, Kathleen, morreu em desastre de avião. O velho Joe sofreu um derrame e ficou mudo. Uma filha de Jacqueline e John nasceu prematura e morreu. Kennedy foi assassinado em Dallas. Ted Kennedy sofreu um desastre de avião e ficou ferido gravemente; depois, seu carro cairia num rio matando sua secretária e amante. Robert Kennedy foi assassinado. Joan Bennet Kennedy, mulher de Ted, tornou-se alcoólatra. David, filho de Robert, morreu de overdose em um hotel. Patrick, filho de Ted, internou-se como dependente de cocaína. William Kennedy foi acusado de tentar estuprar uma jovem. Jacqueline morreu de câncer aos 64 anos. Michael, filho de Robert, morreu em uma estação de esqui. O belo John-John morreu em desastre de aviação ao lado da mulher, a elegante e sofisticada e neurótica Carolyn Bassette. Kara Kennedy, filha de Ted, diagnosticou um câncer no pulmão.

Miasmas rondam esta casa limpa, asséptica, um museu histórico envolvido por estranhas manifestações. Quietude, o cheiro

Eu nos fundos da casa dos Kennedy em Boston. A fachada da casa. A geladeira era um armário de madeira onde se colocavam barras de gelo.

das flores dos jardins, a sombra das árvores. Uma tranquilidade enganadora, sufocante, quando se conhece bastidores da história.

Depois do café, Naomi foi para Georgetown, seguimos para o *mall* para comprar uma mala, no carro da Rose, cunhada dela. Nesse trajeto descobri a imensa extensão da Beacon street, onde morou o André. Ela percorre quilômetros e quilômetros, sai da cidade. Excitado, corri a procurar uma livraria, querendo material sobre Woodstock e o festival, e tudo o mais, porque dentro de dois ou três dias estaria lá. Encontrei, fechada, só abria à tarde, era segunda-feira. Zezé comprou um tênis, o primeiro sapato da viagem, e eu alguns postais, também os primeiros, para não perder o hábito. Bati em qualquer cidade, corro a papelarias, livrarias, me entupo de postais diferentes, curiosos, engraçados, dramáticos. Não encontrei um sapato com meu número, americanos têm pés grandes.

Na volta, Zezé vasculhou a cozinha inteira em busca de um vidrinho para transportar seu café. Ele precisa beber café, bebe frio, quente, gelado, morno, forte, fraco. É um Brandão. O pai dele, a vida inteira, deixava o bule em cima do fogão frio, e ia tomando. Finalmente, Zezé achou uma garrafinha com baunilha para doces, esvaziou na pia, encheu de café. Tudo pronto para a viagem que estava começando. Eu, claro, imaginando que não encontraríamos a estrada, íamos ficar dando voltas por dentro de Boston.

Um dólar por todos, todos dólares para um

Uma das vantagens de ir para os Estados Unidos era não precisar ficar atento à cotação do dólar nem às suas variações, nem procurar casas de câmbio que ofereçam melhores condições (leia-se casas que não cobram comissões). O dólar é o dólar, uma unidade em si, válida para todos os estados. Com o euro, a Europa também facilitou. Agora, a grande evolução foi o cartão de crédito. Pouca gente leva dinheiro no bolso, na cueca, naquelas bolsinhas de pano que ficavam amarradas na cintura, por dentro da roupa, e incomodavam. O mundo está mais prático.

Nessa viagem, onze anos atrás, pré-moderna, para não ficar todo mundo, toda hora, tirando dinheiro em despesas comunitárias, decidiu-se estabelecer uma caixinha, cada um contribuindo com 100 dólares. Atingido o zero, a caixinha se renovava, com outro tomando conta. Cruzamos as mãos em cima dos dólares e *traveler's check* e gritamos: "Um por todos e todos por um!". Fiquei vários dias como "tesoureiro", logo eu que nunca consegui controlar o borderô da revista *Vogue* que dirigi por quatorze anos.

Quanto dar de gorjeta?

Importante foi a questão: quanto dar de gorjeta? Dados levantados concluíram pelos 15%. Como existem as taxas e nos estados em que viajamos elas eram na base de 7% a 8%, acertamos que para se determinar a gorjeta bastava multiplicar as taxas por dois. Até hoje os viajantes brasileiros não sabem por que tudo isso não vem *embutido* na conta. Dizem os americanos que é para você saber o que custa o produto e o que o governo leva.

Após deliberações econômicas, o grupo partiu pela Route 1A, em direção ao Norte. Curioso, a palavra *route* é francesa. Em inglês significa rota, diretriz, rumo, curso, roteiro, estrada. No dicionário encontrei, em inglês, *rout* como fuga desordenada, expulsar. Brincamos, já que nossa geração, seguindo o seriado *Route 66*, enxergava as estradas como libertação, desenraizamento: uma das metas seria, se possível, encontrar a Route 66... Ah, essa nostalgia!

On the road

Às 12h15 entramos no túnel em direção ao Logan Airport. Vendo bandeiras em uma e outra casa, para me gozar, o Zezé exclamava:

Veja, aqui morou o Kennedy.
Ali ele tinha uma amante.
Aqui comeu uma empregada.

Estranhamos, como brasileiros, não ver em parte alguma sinais típicos de campanha eleitoral: santinhos de políticos esparramados pelo chão emporcalhando tudo, *outdoors*, bandeirinhas, flâmulas, faixas penduradas em postes, cartazes sobre cartazes pregados nos muros, cola escorrida. Que muros? A América não tem muros! Bem, digo muros de tijolos, entre as casas.

Até formaturas são organizadíssimas

Esta foi a crônica que escrevi no jornal *O Estado de S. Paulo* sobre a formatura de meu filho André no MIT, em Boston, em junho de 1997. Fiquei impressionado com o roteiro, tudo funcionando. Talvez seja o olhar de um provinciano. Fazer o quê? Ainda tenho este olhar simples. Aspas para mim mesmo:

"A Harvard Bridge sobre o rio Charles, que separa Boston de Cambridge, mede 364 *smoots* mais uma orelha. Atravessando-a, chegamos ao MIT, a universidade mais poderosa da cidade, ainda que Harvard receba melhores holofotes. Apesar de o MIT ser o maior centro de tecnologia dos Estados Unidos, a medida não foi criada em laboratórios sofisticados e existiu somente para medir a ponte. Ela nasceu em uma das muitas repúblicas da cidade (ali existem oitenta universidades e colégios), há cinquenta anos, quando um grupo de veteranos criou um trote original.

Escolheram um grandão, de nome Smoot, e obrigaram os calouros a medir a ponte, tendo Smoot como padrão. Dessa maneira, o pobre sujeito foi sendo deitado sobre a calçada, enquanto se faziam as marcas. Deu 364, mais uma orelha. Exatamente no meio há uma inscrição: *Halfway to hell* (Meio caminho para o inferno). Todos os anos, as medidas são repintadas. Lá, até estudantes conservam medidas tradicionais; aqui no Brasil, não se cuida nem das estruturas das pontes! Conselho de amigo: não tentem atravessar a ponte a pé, em dia frio. Bate um vento encanado que congela. Paralisa. Nada mais louco que a temperatura em Boston/Cambridge. Existe um ditado: *Se não gostou do clima, espere um minuto*. Frio, calor, vento, chuva, gelo, garoa, há de tudo.

Senti isso, sentado numa das 7 mil cadeiras que o MIT dispôs no Killian Court para os convidados à formatura das turmas de 1997. O Killian é um gramado imenso, entre árvores e os prédios principais do instituto. Chegamos às 7h15. O grande dia para André, meu filho. Formou-se engenheiro mecânico, após seis anos de Estados Unidos. Às 8 horas, cinco filas se estendiam ao sol, organizadas. Gente bem-vestida. Gente chique e gente simples. Cada família recebe apenas quatro convites. As caras eram pequenas para risos que extrapolavam limites. Atrás de mim, um casal simplérrimo, bem interiorano, arrebentava-se de orgulho. Quarenta minutos depois, a fome bateu, a maioria tinha deixado os hotéis sem o *breakfast*. Fosse Brasil, ali estariam os vendedores de cachorro-quente, churrasquinho, águas. Alguns arriscavam um pulo à cafeteria do campus, mas era preciso andar um bocado e, se a fila andasse, perdia-se o lugar. Nove horas, nos instalamos. Agora, o sol tinha desaparecido e um friozinho dolorido penetrava pelo terno leve de microfibra. Cada um de nós com o programa nas mãos. Duzentas e trinta e cinco páginas, sendo 212 com o nome dos 2.300 formandos, pós-graduandos e mestres em arquitetura, engenharias, administração, humanas, ciências. Preparei-

-me para longa cerimônia. No ano anterior, Daniel, irmão de André, tinha se formado agrônomo na Esalq, em Piracicaba. Foi uma cerimônia num final de tarde. Eram 150 alunos e durou três horas. Cada aluno cumprimentava a mesa inteira, demorava-se com o professor favorito. Coisa bem brasileira, emotiva. Quando a noite caiu, havia um orador falando e, no meio de uma frase, ele disse: 'Faça-se a luz'. Acenderam todas as luzes do prédio centenário que ficava ao fundo, como um cenário de ópera. Curioso, as formaturas de dois filhos foram simbolicamente entre árvores. Em Boston, naquela manhã, o sol reapareceu, a temperatura subiu. O conjunto *The MIT Brass Ensemble* tocava Hindemith, Mendelssohn, Converse, Bonelli.

  O presidente do MIT, Charles M. Vest, liderou a 'procissão' de professores, ex-alunos e alunos, enquanto ouvíamos Purcell, Haendel, Gabrieli, Bach, Mouret. O patrono dessa turma foi Kofi A. Annan, secretário-geral da ONU. Falaram os representantes dos alunos e então os *speakers* começaram a chamar os alunos. Tudo corria natural, descontraído e em absoluta organização. Nada de receber o diploma, cumprimentar este, aquele, beijar uma professora, ir até a ponta da mesa, dar um abraço e se retirar. Uma coisa bonita, mas fria, racional, organizada. Também, 2.300 formandos! Fosse como é aqui, teríamos 24 horas de ritual. Ali, ouvido o nome, o estudante apanhava o diploma e caía fora, rápido. O brasileiro estranha a falta de aplausos, os gritos da torcida organizada. Em poucas horas, sem que percebêssemos, suavemente, os 2.300 tinham recebido os diplomas. Os verdadeiros. Quando André nos reencontrou, exibiu: cada qual recebe o definitivo, com nome e tudo, não tem aquela de pegar um canudo vazio, para buscar o verdadeiro seis meses ou um ano depois porque o papel vai para o ministério, recebe carimbos, assinaturas, fica na gaveta de um burocrata e um dia, se tiver sorte, o diplomando recebe o diploma.

  O dia esquentou. O céu claríssimo, azul, contrastava com o verde que nos rodeava e com as becas pretas de uma turma excitada e feliz. Ao meu lado, um casal da Tanzânia, à frente, dois chineses. Entre os formandos, incontáveis negros, hispânicos, brasileiros, asiáticos, africanos. Graduados e pós-graduados. E me lembrei do discurso do presidente Vest, dizendo que a democracia americana se solidifica por meio da educação. Que a nova sociedade é constituída por essa mistura de povos se integrando, e a universidade não pode dar as costas a esse fato. Se der, vai criar problemas no futuro, ameaçando a democracia.

André, por sua conta, ao terminar um intercâmbio, fez a *high school*, tentou o MIT, um sonho. Ganhou a vaga, conseguiu bolsa, trabalhou para pagar uma parte, emprestou outra, ajudei com uma quantia semelhante à que despenderia para mantê-lo aqui. Fica difícil definir a emoção ao ver um filho de 22 anos descendo com o diploma na mão após seis anos em que estudou entre dez e dezoito horas por dia. Circulamos pelos departamentos. Nenhuma parede grafitada. Visitamos duas das doze bibliotecas, passamos pelo prédio em que o radar foi desenvolvido durante a guerra. São milhões de livros. São dezenas de Prêmios Nobel. No corredor infinito, que secciona o prédio principal e é inteiramente tomado pelo sol dois dias por ano, cruzamos com os veteranos de 1947. O passado apontando sempre em direção ao futuro. Voltamos ao Brasil no dia seguinte. André quis, e já está trabalhando. Aqui! No país dele!"

Sempre me encantou a solidão noturna neste postal reproduzindo o quadro de Grant Wood, *The midnight ride of Paul Revere*. Madrugadas de Araraquara na adolescência.

Cavaleiro solitário na madrugada

Subimos, acompanhando o mar, e chegamos a Revere. Homenagem a Paul Revere? Lembrei-me do quadro de Grant Wood, *The midnight ride of Paul Revere*, que me fascinou. Uma aldeia deserta na madrugada, algumas luzes acesas dentro das casas se projetando para a rua, amareladas, uma estrada igualmente amarela e um homem a cavalo passando em frente à igreja. Apenas cinco pessoas insones, em pontos diferentes, observam a passagem de Revere. Há um luar intenso, a sombra do cavalo se desenha forte no chão. Revere foi um patriota revolucionário que cavalgou de Charleston a Lexington para avisar as tropas coloniais do avanço dos britânicos em 1775. Descobri em Woodstock a igreja de uma seita religiosa, chamada Paul Revere Bell Congregational Church. Ruas desertas, madrugadas de lua me impressionam.

Passamos por Swampscott, Marblehead, nada de excepcional. Em Salem, a fome se manifestou, procuramos um lugar simpático. Optamos pela Tavern on the Green, no Hawthorne Hotel, na Washington Square West, junto ao gramado do Salem Common. A taverna prometia *lighter fare pub style food*. Comida ligeira, média, regada por uma garrafa de vinho branco do vale do Napa, Califórnia, um Markham, Chardonnay, 1997. Bom. A *chowder* de entrada (sopa de frutos do mar com batatas, acompanhadas de um pacotinho de biscoitos salgados – *Westminster crackers old fashioned oyster crackers*) esteve a gosto. Comi um bolinho de bacalhau em cima de *focaccia* com mostarda de Dijon. Zezé preferiu *meatballs* com cenoura, Marilda e Márcia comeram igual, massa. Custou 86,40 dólares, paguei com um *traveler* de 100 dólares. O primeiro *traveler's check* que troquei.

A solidão de Nathaniel Hawthorne

Houve certa pressa em partir, não sei bem por quê, de maneira que tive a primeira perda da viagem. Adoraria ter ido visitar a Casa das Sete Torres (House of the seven gables), que inspirou Nathaniel Hawthorne em um dos romances mais célebres da literatura americana, publicado em 1851, quando ele tinha 47 anos. Pelo que tenho acompanhado, os melhores períodos dos escritores são entre os 30 e os 55 anos. Hawthorne nasceu em Salem em 1804, perdeu o pai aos 4 anos e morou algum tempo em uma edícula nos fundos da casa que pertencia a uma prima dele, enquanto trabalhou na alfândega.

Era introvertido, meditativo, sonhador e solitário apesar de ter se casado com Sophia Peabody e ter tido filhos e netos. O que é a solidão senão um sentimento interior, avassalador e sem remédio?

"Hawthorne foi pobre durante a maior parte de sua vida, mas enfrentou corajosamente todas as crises, e, quando se tornava necessário deixar de lado o trabalho de sua escolha e labutar pela manutenção da família, jamais hesitou em fazê-lo... Ele se abandonava à solidão mais do que a maioria dos homens, mas percebia claramente os seus perigos." (*Panorama do romance americano*, de Edward Wagenknecht, Ed. Itatiaia, 1960.) Tem alguma coisa de mim nisso!

Ele costumava dizer coisas que, às vezes, surpreendo como se fossem frases minhas:

"Nestes últimos dez anos não vivi, apenas sonhei que vivi".

A diferença é que eu não diria dez anos. Diria nesta vida. Há outra frase dele, fundamental, como que tirada de dentro de mim, daquele fundo que ninguém conhece e que eu mesmo não percorro, para não me ver claramente:

Sou um homem condenado e devo caminhar.

Dia desses (e retrabalho este texto em 2011 acrescentando detalhes, aqui e ali), assistindo *Sunshine*, filme de István Szabó – o mesmo de *Mephisto*, que é um filme *cult* para mim, o primeiro que vi em Berlim, quando cheguei, em 1982 – anotei:

Não queremos ver claramente, para não sermos vistos claramente.

Ali em Salem, naquela hora, não prestei atenção – e isso me enfurece muitas vezes – porque a Washington street, onde estava a taverna, fazia esquina com a Hawthorne street. Se eu andasse sete quadras, bateria na Casa das Sete Torres. Ao chegar com fome e ao partir saciado, abandonei o olhar vigilante. Ah! Não me esqueço que Hawthorne escreveu outro clássico, *A letra escarlate* (*The scarlat letter*).

Intolerância vira máquina de dinheiro

Passamos pelo Museu das Bruxas (ingressos a 6 dólares, menos para mim que, tendo 64 anos, recebi desconto de 10%). Sala escura e um espetáculo com luzes vermelhas, som tétrico e uma voz soturna que procurava sintetizar dramaticamente o famoso processo de 1692 sobre a intolerância, que já rendeu dois filmes – o último com Daniel Day Lewis e Winona Ryder – e uma peça teatral célebre *The crucible*, por Arthur Miller. A peça foi escrita para denunciar o macarthismo dos anos 1950, que perseguiu e destruiu a carreira de pessoas tidas como "comunistas".

Uma das versões para o cinema trazia Yves Montand e Mylène Demongeot, que foi, na época, rival de Brigitte Bardot. Corpo escultural, loirinha, ousada, uma boca sensual, cheia de ironia, precursora das mulheres modernas. Mylène veio ao Brasil, na década de 1960, participar das filmagens de *Copacabana Palace*, coprodução montada por Fernando de Barros e dirigida por Steno, diretor de comédias de costume imensamente populares, por satirizar o cotidiano italiano com acidez. Por décadas ele fez dupla com Monicelli, até cada um seguir sua carreira-solo. Louvemos Steno por ter dado a primeira chance a um jovem ambicioso, um caricaturista que queria fazer cinema, Federico Fellini.

Mylène veio a São Paulo para rodar os interiores na Vera Cruz. Acabei sendo seu acompanhante por dias e dias. Fernando de Barros levou-a ao *Última Hora*. Fiz uma entrevista enorme. Como ela tinha alguns dias de folga e Fernando não podia ficar por conta dela, deu-me a incumbência. Deslumbrado, lá fui eu a circular com Mylène pela cidade, pelos bares, pelas livrarias. Descobrimos uma paixão comum, a novela *O urso*, de William Faulkner. Consegui um exemplar em inglês, dei de presente. Uma tarde fomos ao Butantã. Mostrar cobras aos estrangeiros era uma atração, necessidade. Um jovem cientista nos acompanhou e ela, por ironia ou sacanagem, fez uma única pergunta ao mocinho de cabelo curto e bem penteado, jaleco branco impecável, colocado à disposição da estrela de cinema para falar de serpentes.

— Como é que as cobras fazem amor?

O cientista encabulou, ficou vermelho, era tímido e estava nervoso com a presença daquela loira tão excitante e famosa. E hoje tão poucos se lembram dela. Deixou escapar:

— Igual a nós.

— Igual? Como assim?

— Ora, um em cima, outro em baixo.

— Quem em cima, quem em baixo?

— Ah... é... é... é...

E ela, provocando claramente:

— Mas, pode ser de lado também?

— Pode...

O jovem foi salvo por um técnico que chegou com uma cobra nas mãos para demonstrar como se tirava veneno das presas, outro momento emocionante da visita. Olhamos para o jovem, ele suava. Rimos. Ela ainda deu uma última estocada:

— A língua dela, veja como é ágil, veja como é rápida...

Eu estava orgulhosíssimo de circular com Mylène. Tenho várias fotos com ela e em uma delas com meu melhor terno, um príncipe de Gales, subo as escadas do

Cine Olido, então recém-inaugurado e dos mais luxuosos da cidade. O Olido teve esplendor, glória e decadência e foi reativado em 2004 como centro cultural. Mylène se casou com o filho do escritor George Simenon e desapareceu. Ficou viúva e em suas memórias contou que o marido era ciumentíssimo. Acabou com sua carreira.

A encenação da caça às bruxas, hoje, em Salem, é de envergonhar, com personagens de museu de cera e um clima de Zé do Caixão piorado. Cata-turista desprevenido. Terminado o show, a saída é por dentro de uma loja, porque há uma loja para tudo, vendendo de camisetas com morcegos estampados a anéis com aranhas. Para aplacar a consciência e dar um ar menos truqueiro, um cartaz explicava:

Preconceitos e discriminações, século 17:
Contra religião.

Durante a guerra: Contra japoneses.

Anos 50: Contra comunistas.

Atualidade: Contra homossexuais e aidéticos.

Passa uma aparência de seriedade intelectual. Mas, por favor, comprem uma poção contra bruxas! E pensar que esta indução ao consumismo se baseia em um processo que resultou na morte de catorze mulheres e cinco homens, além de centenas de prisões, em nome de Deus e da fé.

Informações inúteis: em Salem foi produzido o primeiro lápis grafite dos EUA. Se diz também que em 1662 uma jovem correu nua pelas ruas, protestando contra o puritanismo dos Quakers: a primeira *streaker* da América.

Dancing lobsters a todo momento

Seguimos para Beverley (o mar à nossa direita), rumo a Essex. Teriam vindo por este caminho os jovens que demandavam Woodstock? Farmácias, lojas e lojas de móveis, com o Zezé brincando em cima da palavra *furniture*. Encatiçamos com essa palavra. Por que ela significa mobiliário? De repente, surgiu um salão de barbeiro, como aqueles de filmes, com a coluna listada de branco e vermelho, girando na porta. Nas estradas e nas vendas de automóveis, vimos que os carros voltaram a ser grandes nos EUA, depois da crise com os pequenos carros europeus. As velhas "banheiras" retornaram. Na verdade, tudo é grande na América: o hambúrguer, o prato de comida, o sorvete, o refrigerante, a pipoca no cinema, as abóboras, os estacionamentos e a literatura *best-seller* com romanções de seiscentas páginas. Uma casa com bandeira. Zezé: "Também aqui morou o Kennedy?".

Quando passamos por Ipswich e vimos, outra vez, à margem da estrada, a tabuleta indicando *dancing lobsters*, não sabíamos ainda que a cidadezinha é célebre pela excelente qualidade dos mariscos e mexilhões. Teria sido o local ideal para almoçar, principalmente para Marilda e Márcia, que adoram frutos do mar. Em busca de um *espresso*, entramos em Newburyport, cidade que me marcou pelos edifícios de tijolinhos vermelhos. Compramos discos de Mildred Bailey (apelidada *the rocking chair lady*, cantora dos anos 1920-1930), que na hora nos pareceu monótono – ainda não sabíamos da importância dela –, ouvimos pouco, tiramos. Foi abandonado em Nova York. Uma pena!

No CD *Miss Kitt to you*, de Eartha Kitt, a faixa 7 anunciava "Avril au Portugal", mas no lugar estava "Angelitos negros" e Zezé e eu adoramos. Talvez disco pirata, o índice de canções estava errado. Nos EUA não tem disso? Quem disse? Ótimo o espanhol de Eartha. Ainda que pronuncie *inglesias* (igrejas) em lugar de *iglesias*. Sem o N, Zezé brincava: Julio Iglesias? Ouvimos e repetimos até Marilda se irritar e mandar tirar. Compramos o CD antologia *Divas*, com grandes cantoras e estrelas de todos os tempos, tipo Brigitte Bardot, Mamie Van Doren, Jayne Mansfield, April Stevens, Maya Angelou, Yma Sumac, Marlene Dietrich. Sophia Loren supostamente cantando "Bizu Bizu Bizu". Inglês perfeito demais, devia ser outra. Qual? Não identificamos. Onde andará gente como April Stevens, Mamie Van Doren (loiraça peitudona) e Yma Sumac?

Li recentemente em um *blog* de Antonio Ahuad que Mamie Van Doren, provável rival de Marilyn Monroe (como se isso fosse possível), estava escalada para trabalhar em *Um lugar ao sol* (*A place in the sun*), de George Stevens, ao lado de Liz Taylor e Montgomery Clift. Uma obra-prima que se sustenta incólume até hoje, o que é raro. Porém Louella Parsons, colunista fofoqueira de grande poder de fogo em Hollywood, mulher do mal, que fazia ou destruía carreiras, implicou com ela por questões morais. E fez uma campanha, ameaçando a Paramount de nunca mais dar uma só notícia sobre os filmes daquele estúdio. Resultado, Mamie foi substituída por Shelley Winters, o que aqui entre nós foi uma benfeitoria. Mamie era canastrona, Shelley uma grande atriz. Mas não era isso que Louella enxergava. Sua visão era estreita, mas o acaso contribuiu para uma bela carreira, a de Winters.

Na saída de Newburyport, deixamos a Route 1A para entrar na 1. Márcia tomou informações numa lavanderia. A tarde escorria lenta, a estrada estava boa. Podíamos ter ido pela 95, mas era *highway*, monótona, preferimos caminhos menores. Sempre pensamos que um país se conhece por dentro, pelas estradas chamadas provinciais, na Itália, ou vicinais, no Brasil. Rodar devagar, parar em pequenas vendas, lanchonetes, lojas de velhos casais que parecem ter cem anos sem nunca ter saído do lugar, caminhos floridos, perfumados, vinhedos. E, de repente, um assombroso *supermarket*, com um estacionamento gigantesco em torno, marca registrada dos americanos.

Algumas mansões de frente para o mar ostentam um pequeno terraço, muito curto, no telhado. Descobri depois que esses terracinhos se chamam *widow's walk*. Eram os postos de observação das mulheres dos capitães de navios. Ali elas se postavam para vê-los chegar, ali estavam quando eles partiam, contemplando os navios até desaparecerem no horizonte. Muitas viúvas ali permaneciam por anos, contemplando o mar de onde os maridos jamais voltariam.

Olhar além do terraço das viúvas

Na minha infância e adolescência tive vários "terraços", nos quais ficava sozinho durante horas. Um foi o muro lateral de minha casa, que fechava um galinheiro. Subia nele à noite, tarde, muito tarde. Depois de pular a janela do quarto, tirava toda a roupa e ficava esperando alguma mulher passar e me ver ali. Tinha medo que meu pai aparecesse, porém ele dormia cedo, levantava cedo. Queria que a vizinha em frente, a Nena, que tinha um ar safado (eu achava), me olhasse e me chamasse, mas as janelas continuavam fechadas.

Boca seca, ansiava para que Rosiclér, loirinha que era a mais linda da rua, peitinhos que sacudiam dentro da blusa (não usava sutiã?), saísse da casa dela e passasse em frente e subisse no muro comigo. Por que sairia e subiria? Subir para onde?

No cinema, subia ao balcão do Paratodos, o cinema dos pobres, e lá de cima olhava a plateia lotada querendo ver o que cada um estava fazendo. Querendo descobrir com qual daquelas meninas eu me casaria. Quem iria morrer logo. Na igreja, ficava no coro, nas missas e rezas solenes, observando os fiéis, querendo ter certeza que oravam concentrados, querendo descobrir se acreditavam, tinham fé. A fé me agoniava. Será que eu tinha ou fingia?

Subia à torre da Matriz, era dos poucos que podia apanhar a chave e subir, ficava no alto, protegido por uma grade de ferro, olhando a cidade, a rodovia e os trilhos que iam para São Paulo, desesperado, pensando quando iria, se iria, se teria coragem, se não era melhor ficar e levar aquela vida tranquila, ter um emprego, casar, ter filhos, não ter sustos nem sobressaltos. Serão felizes os que nunca saem do lugar, nunca ousaram além de limites estreitos? A torre da Matriz era meu terraço predileto, minha vista se perdia. Para mim aquilo era olhar para o vazio e querer saber o que viria, quem viria, como minha vida seria, o que era a vida, se tinha sentido. Lembrava-me do menino Robinson Crusoé (outro livro fundamental para mim) sentado no porto olhando os navios que partiam e desejando ir num deles, para longe daquela terra que era imóvel e conhecida. Eu naufragaria um dia e me veria só, desafiado a não morrer na solidão?

Muitas vezes sentia um sobressalto de horror, pensando na mesmice que seriam os dias, um igual ao outro, hoje e amanhã e depois de amanhã, e depois do depois de amanhã, e no dia seguinte ao depois do depois de amanhã, e assim sucessivamente, velozmente, e quinta-feira, sexta, sábado, domingo, julho, agosto, setembro, dezembro, réveillon, Semana Santa, Páscoa, 1956, 1957, 1958, 1959, 1984, 1987, 1989, 2000, 2010, 2011, 2012. Seria melhor me atirar daquela torre, terraço de onde eu não enxergava nada, esperando minha vida que não vinha (viria?), como as viúvas deste lugar do litoral americano por onde passo tantos anos depois (esperavam a volta de maridos que não voltariam?).

Eu estaria vivo em 2012?

Como eu seria no futuro?

Quem eu seria?

Isso me angustiava. Quem eu seria? Quem? Como?

Tinha tanto medo de não ser nada, nada, nada, nada. Qual é meu terraço hoje? O que espero? Por que sempre quis olhar lá na frente para enxergar por onde vou passar? E como justificar estar onde hoje estou, e por que estou?

Olhar dos terraços me conduz a olhar pelas janelas e me vejo sentado no bar do Pedro entre os 17 e os 20 anos, reunido com minha turma, aquela que estava indo embora da cidade para as faculdades. Todas as noites, cerveja e genebra, gorgonzola (era caro) e pão, azeitonas, Fogo Paulista e Kümmel, licor de ovos e gim. Conversando, mudando o mundo, indignados com os burgueses da cidade, ah, como se condenava a burguesia de tudo, como a palavra nos repugnava. Pitigrilli, Hermann Hesse, Henry Miller, Sartre, Elias Davidovich (quem sabe que existiu?), Nietzsche mal-entendido, não compreendido (agora, leio um livro de Rosa Dias sobre ele – *Nietzsche, vida como obra de arte* – e pela primeira vez vejo claro o que nunca vi). Sabíamos que pela meia-noite, quando a cidade estivesse aquietada, vazia, ele, retardatário, chegaria excitado, porque tinha passado horas e horas percorrendo as ruas sombrias, tentando olhar pelas venezianas, querendo surpreender alguma mulher se trocando, alguma mulher nua, ou um casal trepando, ouvia sons abafados, roncos, respirações pesadas e transformava tudo em gemidos de amor. Para ele Araraquara nos anos 1950 era Sodoma e Gomorra. Ainda não tínhamos lido Sade, nem visto os filmes de Pasolini.

Janeleiro, o amigo nosso, ex-seminarista, era um janeleiro, e chegava contando coisas que não sabíamos se verdades ou se inventadas, mas nos excitavam, mesmo imaginando que podiam ser fantasias, ou pura imaginação. Ele lia livros pornográficos, escondidos debaixo do colchão durante o dia, e misturava tudo, a vida real da cidade com as páginas que nos deliciavam e alguns raros filmes que mostravam os seios das estrelas. Para ele, o ex-seminarista, as janelas fechadas eram os terraços inacessíveis, a sociedade cerrada, o mundo inacessível.

Meu fim de vida apavorante

Pensei em Nantucket, tão próxima, e sua relação com Melville e a baleia-branca. A certa altura da estrada havia placas indicativas, mas ficavam abaixo de Boston, na direção contrária, sul. Mudaria muito o roteiro a ser seguido e nem me atrevi a dizer deste breve sonho. Nantucket está também ligada a Edgar Allan Poe e seu único romance *A narrativa de A. Gordon Pym*. Um livro que fala da aniquilação do indivíduo e que, portanto, sempre me interessou sobremaneira (estranha palavra), dado o meu medo de minha aniquilação, minha decadência, para a qual sempre tendo, me vejo fascinado.

Sempre me vejo terminando a vida num apartamento pequeno e escuro, em ruas como a Aurora, a Vitória, a Guaianases, no centro da cidade. Quando cheguei a São Paulo e ia entrevistar alguém mais velho em um apartamentinho sufocante, me arrepiava, me incomodava e assustava.

Dias atrás, lendo a *Trip*, dei com uma reportagem sobre Hélio Santos, que foi repórter do *Última Hora,* depois do *Notícias Populares*, um jornal sensacionalista que nasceu dentro do *UH* e depois dele se desligou. Hélio era excelente repórter, mas um sujeito caladão, ensimesmado, que ia atrás da notícia e cavava tudo. Uma vez, ao fazer uma reportagem policial – porque Samuel Wainer nos obrigava a passar por todos os setores do jornal –, fui ver uma mulher esfaqueada. Dezenas de facadas. Um dos policiais pediu para ajudar a puxar o corpo e o braço da assassinada saiu em minha mão.

Outra vez, tive de conseguir o retrato do morto (chamava-se boneco), morto a tiros. A família chorava e gritava. Era preciso arranjar a foto, não tinha jeito, e também não tive coragem. Na matéria da *Trip* vi que o Hélio tinha morrido aos 68 anos, só e pobre. Morava num quarto e sala da rua Vitória, onde antigamente era puteiro. Na noite de Natal ele chegou em casa com um frango de televisão de cachorro e algumas bananas. Seria a sua ceia de Natal. Foi encontrado morto, infarto fulminante, semanas depois. Totalmente decomposto.

A grande baleia-branca, *Moby Dick*

Foi uma pena que um livro maravilhoso, *No coração do mar*, de Nathaniel Philbrick, só tenha sido publicado no Brasil meses depois que voltamos da viagem. Ele conta a história do navio baleeiro *Essex* que foi abalroado por um cachalote enfurecido e afundou. Esta história verídica inspirou Melville a escrever *Moby Dick*. Um de meus livros favoritos. O livro de Philbrick estava exposto no estande da calçada, diante de uma pequena livraria em Newburyport. Tipo do relato que eu deveria ter lido para chegar a Nova Inglaterra com mais atmosfera dentro de mim (o livro foi publicado no Brasil em 2001). Aliás, Melville morou em Massachusetts e escreveu *Moby Dick* em Arrowhead, mais ou menos próximo a Deerfield, que visitaríamos quase no final da viagem.

Lewis Mumford em seu livro *Herman Melville*, de 1929, escreveu:

> "Em 1891, quando Herman Melville faleceu, a revista literária da época, *The Critic*, nem sequer lhe sabia o nome... A geração mais velha lembrava-se de que Herman Melville já fora famoso. Aventurara-se pelos mares do sul num baleeiro; vivera entre canibais e de suas experiências fizera uma caricatura em *Typee e Omo*. A fama de Melville fundamentara-se nesses dois livros. Era lastimável que não tivesse feito mais nada nessa linha, já que seus livros posteriores, obscuros, compactos, que não podiam ser considerados ficção, poesia, filosofia ou simples informação útil, contrariavam os interesses de um público que apreciava prazeres metódicos... concordavam os críticos de Melville em que tanto a fama quanto a posterior falta de reconhecimento eram merecidas. Devido ao seu interesse pela metafísica, Melville levava seus leitores por regiões remotas e de ar extremamente rarefeito. Um encontro amoroso com uma jovem dos mares do sul, morena, ardorosa, palpável – era uma coisa, mas daí à baleia-branca que deslizava sua brancura pelas águas de um mar sulforoso vai

enorme distância. Melville, continuavam os críticos, tornara-se obscuro em *Moby Dick*: tal fracasso literário o condenara à obscuridade."

Ah, a obscuridade do olhar crítico! Quando o escritor mergulha no purgatório, pode sair. Mas o mais comum é saltar para o inferno. Para, por acaso (coincidência, necessidade, fortuidade), ressurgir dos mortos, um dia, nem que seja séculos depois. *Moby Dick* é considerado hoje um dos livros fundamentais da moderna literatura, da estatura de *Dom Quixote*, *Guerra e paz*, *Madame Bovary*, *O vermelho e o negro* e outros.

Levou anos para termos no Brasil edição digna. E olhem que tivemos nada menos de 21 edições do livro, a maior parte adaptações, sendo que a de minha infância foi traduzida por Monteiro Lobato para a Editora Nacional. Quando fiz 13 anos, meu pai me deu a edição em quadrinhos da EBAL, que guardei por décadas. Finalmente, uma tradução completa, integral, surgiu em 2008 pela Cosac Naify. Um grosso volume, de 650 páginas, edição de luxo, tradução de Irene Hirsch e Alexandre Barbosa de Souza, ilustrações que retratam a atmosfera da época, incluindo glossário e projetos do navio e dos barcos que levavam os arpoadores às baleias. Neste entramos fundo no espírito de Melville, de Ahab, de Queequeg. Um de meus colegas, Raphael Luiz, apelidado Dedão, gênio e meu inspirador na adolescência, morto prematuramente aos 45 anos, um dia me disse: "Esse Ismael e esse Queequeg não me enganam, são bichonas os dois". Não é que já li mais de um ensaio abordando esse lado gay das baleeiras? Este *Moby Dick* da Cosac deve ser lido devagar, o livro sobre a mesa, a pessoa bem descansada, despreocupada do tempo. Quando abrimos o livro, deparamos com a dedicatória de Melville, na qual se vê que um grande sabia reconhecer o outro. Os críticos é que patinaram.

> "Em sinal de minha
> admiração por seu gênio
> este livro é dedicado a
> Nathaniel Hawthorne"

A obsessão do capitão Ahab por sua baleia-branca sempre me fascinou. Pessoas que se fixam em um objetivo, um sonho e o perseguem contra tudo e contra todos. Fixação. Sempre quis ser assim, mas me vejo fraco e inerte, não lutador. Obstinação é o que me falta. Se bem que na verdade não tenho essa obstinação para a revista, para a imprensa. Para o resto ainda encontro algumas forças. Muitas vezes, lendo *Moby Dick* me vinha a sensação de que a baleia existia apenas na imaginação de Ahab, era um delírio pessoal. A cena de sua morte no filme de John Huston emociona. Gostaria de ter passado à noite por essa região, para imaginar as tavernas nas quais os marinheiros bebiam rum e cantavam.

As baleias me impressionaram desde a infância, eu imaginava Jonas, o homem da Bíblia, mergulhado na escuridão do ventre da baleia. Minha mãe repetia a propósito das contínuas protelações, dos adiamentos ano a ano, das promoções do meu pai na ferrovia, a EFA: É preciso uma paciência maior do que a de Jó.

Depois, foi a vez de Pinóquio passar sua temporada no estômago de uma. Numa das primeiras vezes que fui ao Arraial do Cabo, em meados dos anos 1980, Márcia me levou a um canto da Praia dos Anjos. Ali, na infância dela, havia ossos e mais ossos das baleias mortas pelos japoneses. Ossos imensos com os quais as pessoas faziam banquetas ou outros móveis, decoravam as casas. Em meu romance *Noite inclinada*, o novo título de *O ganhador*, há uma cena com uma baleia gigante exibida em um parque de diversões.

Os nove que atirei ao mar

Aquela *Edição maravilhosa* (a Editora Brasil América, do pioneiro Adolfo Aizen, publicou em quadrinhos grandes romances) me lançou ao mar. Desenhos incríveis, quem será o autor?

Estimulado pelo gibi, montei um arpão com um cabo de vassoura velha com a ajuda de meu avô José Maria, marceneiro de mão cheia. Pedi que fizesse uma ponta de latão, ele recusou: "Você vai acabar furando a barriga de alguém nessas brigas de quadrilhas entre bairros". As quadrilhas eram as gangues do cinema, mas nas brigas ralavam-se braços e pernas, levávamos estilingada na cabeça e na bunda, doía pra chuchu.

Meu avô fez a ponta com a borracha de um rodinho de cozinha e banheiro. Ficou bacana, gíria de minha infância que retornou décadas depois.

Meu pai tinha aposentado uma banheira de zinco verde que estava enferrujando e já tinha machucado o pé de muita gente. A banheira ficou largada no quintal, fiz um fundo com tábuas catadas na serraria Negrini, arranjei um banco e, com cordas, amarrei a banheira entre o abacateiro e a ameixeira. Ficava balançando para lá e para cá, como se fossem ondas a sacudir meu barco, e quando "avistava" alguma baleia gritava bem alto

baleia, baleia, baleia, baleia, baleia, baleia, Baleia

Minha tripulação se agitava, os arpoadores pulavam em meu barco e seguíamos para ferroar o bicho. Era a única tripulação invisível do mundo, eu mandava em todos, tinham medo de mim, eu amarrava uma tábua na perna, era a perna de marfim do capitão Ahab. Aquilo impressionava. Uma perna de marfim branca que Melville descrevia como um "osso morto sobre o qual parte de seu corpo se apoiava". Eu ficava de pé na proa do barco procurando uma posição boa, porque a baleia ia para lá e para cá, desviava, esguichava água na gente, e quando tinha certeza, arpoava. Nunca perdi uma só baleia, matei 313, era um herói. Tenho todas anotadas em um caderno, cada um tinha um nome, eram os nomes das meninas de quem eu gostava. Neuce, Ita, Odete, Wanda, Lena, Teresa, Maria Luzia, Daisi, Marilu, os nomes não acabavam mais, meu pai me dava broncas enormes por gastar caderno. Outro caderno trazia peças dos navios, como roldanas, cavilhas, remos, mastros, leme, bujarrona.

Uma tarde de chuva, indiferente à minha mãe que gritava *venha para dentro*, Nerevaldo e eu descobrimos nove clandestinos no porão de minha baleeira.

— O que fazer com eles?
— A lei do mar mande que joguemos ao mar.
— Matando?
— Devem saber nadar.
— Mas estamos longe da terra.
— Ao mar, capitão.

Tive dó, entre os clandestinos tinha uma menina muito bonita de olhos verdes, parecida com minha prima Maria Luzia. Ao menos devia salvar aquela menina, mas não podia infringir (gostava dessa palavra) a lei do mar. E se ela não soubesse nadar? Se não jogasse todos na água, a tripulação nunca mais me obedeceria, haveria um motim, eu poderia perder meu barco.

Mandei que estendessem uma tábua, Nerevaldo não achou nenhuma, então apanhei meu arpão e gritei:

— Ao mar, todos.

A menina chorava e gritava quando caiu nas ondas. Nunca conheci oceano mais furioso do que o Índico (que eu tinha aprendido naquela manhã). Eu na verdade estava confuso. Não eram os arpoadores nem os baleeiros que se mostravam cruéis e impiedosos. Eram os piratas. Eu vivia com a cabeça cheia deles, depois dos livros de Emilio Salgari. O Barba Negra, o Barba Ruiva, Capitão Blood, Morgan, Bart, o Negro, Calico Jack, gente sanguinária, assassina. O Caribe, os tesouros escondidos em ilhas, Long John Silver, Laffite, eu nem sabia o que era real, o que era ficção, sempre misturei tudo, até hoje. Fraco, tímido, medroso, sonhava lutar no mar, decepar corpos, braços, abordar navios. Meu medo era cometer uma infração ao Código dos Piratas e ser abandonado numa ilha deserta com uma pistola contendo uma única bala. Quem tentasse fugir era deixado numa ilha com uma garrafa de pólvora, uma de água, uma pequena arma e pouca munição.

Naquela tarde, a tempestade piorou e meu pai, que tinha chegado do trabalho, foi me buscar:

— O que está fazendo aí sozinho na chuva? Para dentro, quer pegar pneumonia?

Ele não via meus amigos, minha tripulação se afogando, a menina já no fundo, adultos não têm olhos para essas coisas. Tudo na infância era pneumonia, tétano, apendicite, bicho-de-pé. Eu preferia as tempestades e os ventos, senão eram viagens chatas. Naquela noite, assim que todo mundo se deitou, pulei da cama, a chuva tinha parado, havia uma lua cheia e muita lama no quintal, mas fui até perto de uma baleeira que estava bem ancorada e procurei pela menina que tinha jogado ao mar. Não encontrei. Até hoje penso nela. Pensará em mim ou está no fundo do oceano? Por que joguei aquelas nove pessoas ao mar? Isso me atormentou por anos.

Inventei o esguicho da baleia, usando a mangueira do jardim. Estendia até perto do barco e um vizinho, o Nerevaldo, ficava lá. Quando eu gritava *baleia*, ele abria a torneira e a água do esguicho vinha para cima de mim. Ele gostava da brincadeira e esguichava toda hora, precisava mandar parar, mas ele gostava, e esguichava água para o quintal vizinho, as mulheres reclamavam. Apanhava de minha mãe depois de cada dia de pesca, porque ficava ensopado, a roupa molhada, ela tinha medo de gripe e pneumonia. As pessoas tinham medo de tudo, não podia mexer com água debaixo do sol quente, não podia comer manga verde com sal, nem banana com leite, uma chatice ser criança. Meu sonho era experimentar melancia com pinga para ver se realmente cortava o sangue ou dava nó nas tripas ou produzia sangue sujo. Nunca nenhum médico me explicou o que é nó nas tripas, cortar o sangue ou sangue sujo.

Os meninos queriam vir brincar, mas foram três ou quatro vezes apenas. Todos queriam ser arpoadores ou esguichar água. Nenhum prestava atenção nas baleias, na minha baleeira não cabia tanta gente, os meninos grandes me tiravam do barco, diziam que eles é que mandavam, até o dia que não deixei ninguém mais entrar, brincava sozinho melhor do que todos. Sozinho fazia do meu jeito, eles não tinham lido *Moby Dick*, nada sabiam da baleia-branca que eu capturaria um dia. Eu e o Valdo, que nunca quis ser arpoador e gostava mesmo é de esguichar água em mim. Nunca me esqueço do dia em que arpoei tanta baleia que o mar ficou cheio, lotado, tive até medo de que meu pai ficasse bravo, ele não via o mar, via apenas o quintal, e não havia um só lugar que não tivesse baleia. O que fiz? Devolvi todas ao mar, mesmo feridas, elas haveriam de se recuperar.

Sem destino

Viagens devem ser feitas com uma programação suscetível de ser alterada/adulterada a qualquer momento (mas por que não altero minha vida, não adultero os acontecimentos, não salto em estações inesperadas e fora do roteiro? Indício de minha mediocridade, meus medos?). Lembro-me de momentos na Alemanha, (onde vivi com bolsa do DAAD por um ano e sete meses, entre 1982 e 1983), quando eu apanhava um trem em um sentido, depois saltava, mudava, invertia, e ia mergulhando pelo país afora, preferindo pequenas aldeias, trechos onde podia ver campo e montanhas. Ou da vez que fui a Hamburgo. Dali para Bremen. Súbito estava em um trem que entrou inteiro em um navio e desembarquei na Dinamarca, fiquei em Copenhague. Algumas páginas de O beijo não vem da boca foram ali escritas. Aí, outro trem e fui para a Suécia. Nenhum compromisso com nada, o tempo inteiro meu. Não me deixava ansioso andar sem ter destino, sem fazer nada. Hoje, não posso ficar um minuto sem fazer nada. Sem escrever, enlouqueço.

Continuamos, passamos por Salisbury, Salisbury Beach, Seabrook Beach. Na altura de Hampton (onde ficam os grã-finos americanos) entramos à esquerda, orientados pela placa de Exeter, fazendo um curto trecho pela 108.

Chegamos nos limites de Exeter no final da tarde. Aqui me reencontraria duas ou três vezes.

Percalços de quem não tem pronúncia impecável

Onde é Exeter?

Tínhamos dirigido quase o dia todo, sem pressa, com paradas aqui e ali, obedecendo ao processo de descontração que pede um tempo para relaxar. Tínhamos? Quem dirigia alternadamente eram Márcia e Marilda. Sabíamos que Exeter estava perto, só não víamos placas indicativas e, sabe-se lá por que razão, achávamos que seria bom chegar antes da noite. Vai ver era a minha ansiedade, meu medo que cancelassem as reservas no hotel.

Então apareceu um caipira saído dos filmes *Ma & Pa Kettle* (o Telecine Classic reapresentou a série em 2004) ou das histórias em quadrinhos do *Ferdinando*, de Al Capp (*A família Buscapé*, em português). Pedimos uma explicação. O homem, cigarro no canto da boca, ouvia um radinho de pilha, engrolou uma explicação, seu inglês era impenetrável, percebemos a palavra hospital no meio. Entramos em Exeter, procuramos a Front street, 90.

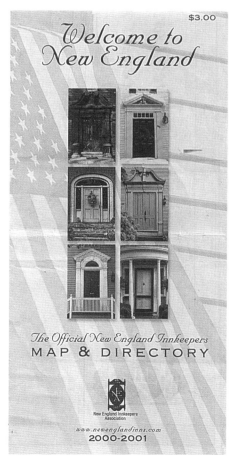

Exeter Inn. Nossos apartamentos estavam reservados em nome de Gose Luis Brandão, assim, com G e sem o acento. Foi o que entenderam pelo telefone. As

Water Street, a rua principal de Exeter como era em 1880. Continua igualzinha hoje.

Material de divulgação

camas no apartamento de Zezé e Marilda tinham dosséis, leitos de príncipes. Fomos dar uma volta pela cidade. Considerada uma das quatro primeiras cidades de New Hampshire, Exeter, fundada em 1638, repousa em terras férteis e muito tempo atrás era rodeada por florestas densas e bem servida por água, o que facilitou o desenvolvimento de indústrias, fábrica e comércio. O rio que a banha, o Squamscott, com suas docas, cais, píers, pequenos portos (tudo desapareceu) era uma via natural de escoamento de produtos e sua água alimentava os muitos moinhos existentes.

Sempre foi tida como lugar de alta qualidade de vida. "Uma das características dos puritanos que criaram a Nova Inglaterra era essa, a qualidade de vida. Para eles, o trabalho árduo e a disciplina regulavam a vida e orientavam para a maior glória de Deus. Era uma fé que não concedia espaço para os prazeres e a suavidade. Descartavam símbolos como o bem vestir ou o possuir belas carruagens, uma vez que para eles existiam outros meios de indicar a classe social. Educação era a meta principal. Máster, este sim era um título, orgulho. Eles vieram da Inglaterra para fundar na América uma sociedade ideal." (Breves informações úteis, ainda que nada profundas, extraídas do guia *New England* – Discovery Channel e APA Publications.)

Segundo o livrinho *Images of America: Exeter*, de Carol Walker Aten (Arcadia Publishing, 1996), a cidade em alguns casos mudou muito, em outros quase nada. Uma foto da Water street de 1880 – nada menos de 130 anos atrás – mostra a rua como se tivesse sido fotografada hoje. Ali estão os mesmos prédios de agora. Ao compararmos as coisas, Márcia, Zezé e eu, tivemos um momento de desalento, ao pensarmos em Araraquara, nossa cidade natal, e como ela foi desfigurada, arquitetonicamente arrasada. O mesmo vem acontecendo em todas as cidades do interior brasileiro. Em São Paulo, cuja dinâmica é a da mutação, cinemas se tornam igrejas ou estacionamentos, galpões viram supermercados, lojas abrem e fecham.

Significa que nossas memórias e lembranças perderam os pontos de apoio. Quando eles continuam existindo, ao passar por eles reafirmamos: aquilo aconteceu em determinado instante, neste lugar. Se os lugares se tornam não lugares e passam a existir apenas em nossa imaginação, é como se fossem uma gelatina duvidosa, desconfiamos, porque sabemos que a memória é traiçoeira.

Há fatos que criamos em nossa mente ao longo dos anos, coisas que gostaríamos que tivessem acontecido. São como sonhos nos quais passamos a acreditar. Por anos e anos tive uma recordação que

Atrás de nosso hotel em Exeter havia uma bela casa, um lindo jardim desenhado, imaginávamos, pelo Edward Mãos de Tesoura. Era uma funerária. Os mortos são um bom negócio.

me aquecia, me liberava daquela solidão de adolescência. Uma noite, saí do cinema e segui uma mulher morena, quase mulata, até a casa de um amigo meu, o Wallace Leal. Ela se viu seguida e me esperou no portão. Mesmo com toda a minha timidez me aproximei, ela sorriu e se deixou abraçar. Pedia o tempo inteiro: "Não me beije na boca, não faça barulho, não me beije na boca". Contou que se chamava Sidneia, era de Boa Esperança, tinha começado a trabalhar há pouco, não queria perder o emprego. Em silêncio, se deixava abraçar, ficava arfante, levantou o vestido, deixou que eu passasse a mão nas coxas. Continuei, ela abriu as pernas e tirou a calcinha, uma calçona, daquelas antigas, de algodão. Gozei e ela também, ao menos gemeu prolongado, me empurrou e correu para dentro. Durante a semana, eu não a via, apenas às segundas-feiras, quando ia ao cinema e saía, esperando ser seguida. Repetíamos tudo.

Arquivo pessoal

Essa lembrança me ocorreu em São Paulo já, quando me mudei para o primeiro apartamento na praça Roosevelt, 128. Ela me alimentou por um tempo, era uma memória agradável da cidade. Um dia, ao voltar para Araraquara, procurei Sidneia, não encontrei. Fui ao cinema na segunda-feira e não a vi. Em uma conversa com Wallace, perguntei dela. "Nunca tivemos uma empregada chamada Sidneia", respondeu. "Uma morena, quase mulatinha." Ele sorriu: "A vida inteira tivemos a mesma empregada e não era morena". Então, quem foi Sidneia? Durante semanas eu a levei àquele portão protegido por árvores. Criei esta memória ou há um mistério escondido naquelas segundas-feiras que jamais será solucionado? E se esta mulher existe em algum lugar, e deve ter uns 70 anos, se lembrará daquelas noites depois do cinema? E de que maneira essas memórias chegam e a envolvem?

Inventei esta Sidneia? Queria tanto encontrar alguém ao deixar a sessão das segundas-feiras, melancólica e vazia? Foi um filme que vi e misturei com a realidade? Foi um sonho na minha solidão paulistana nos primeiros anos? Aquela casa do Wallace Leal na avenida 15 não existe mais, com um portão de madeira marrom.

Agora, era Exeter, silenciosa, ruas mal iluminadas. Atrás do hotel, uma casa linda, com grandes arbustos esculpidos, parece que o Edward Mãos de Tesoura tinha passado por ali. Era uma empresa funerária. A morte é um belo negócio. Um culto, cerimonial. Nos filmes, vemos sempre as pessoas comendo e bebendo durante o velório. A morte para os americanos foi esplendidamente mostrada por Evelyn Waugh no romance *The loved one*, que deu o filme *O queridinho*, com Rod Steiger, perfeito.

Circulamos pela Front street, passamos por uma igreja de filme americano, por uma Academia imponente – seria militar? – o meio de enorme gramado – e nos vieram à mente cenas de *Perfume de mulher*, com Al Pacino. A Academia foi fundada pelo doutor John Phillips no século XVIII com o propósito puritano de "promover a piedade e a virtude e a ensinar o verdadeiro, o real sentido da vida" (Olha o Guia de novo). O doutor Phillips e seu sobrinho Samuel foram igualmente os criadores de uma Academia semelhante em Andover, em 1778. Andover, Exeter, academias de ensino. Por que essas palavras ressoam em minha mente?

Descobrimos uma padaria e café, a Me & Ollie, com um *espresso* perfeito – necessidade do Zezé. Ao lado, em frente ao Town Hall, uma lojinha com vestidos muito engraçados, de época alguns, anos 1940, outros, à Friends & Daughters.

Entramos na livraria e papelaria Water Street Bookstore, comprei cadernos e cartões. Márcia e Marilda descobriram uma lojinha onde havia o livro de Joan Steiner, *Look alikes Jr.*, em que a autora mostra como fazer brinquedos, casinhas, lanchonetes, foguetes, cozinhas, utilizando pequenos objetos do cotidiano, tipo lápis, botões, bolachas, carretéis, amendoins, pães, peças de jogo de xadrez etc. Estava marcada uma sessão de autógrafos para a noite seguinte com Jim Landis, autor nascido em Exeter. O livro se chama *Longing*. Havia uma prateleira destinada ao "local authors". Por toda parte, no interior, as livrarias mantêm uma seção para os locais. No Brasil, encontrei isso somente no Rio Grande do Sul e em Santa Catarina e no Nordeste. Em Teresina, inclusive, a editora Corisco dedicou-se por anos e anos, somente aos locais, aos que não encontram guarida no sul.

Numa das prateleiras, romances de F. Scott Fitzgerald. Ali estava *This side of paradise*, publicado em 1920, e que tornou Scott imediatamente famoso aos 24 anos. A crítica profetizou que "a sua superficialidade faria dele um sucesso popular". Então, me lembrei de que tinha começado a ler o livro no ônibus da Cometa, na viagem de fim de ano para Araraquara, em 1957. Voltávamos todos para a cidade: Zé Celso, Dedeto, Peru (Antonio Marcos Pimenta Neves), Plinio Pimenta, Marco Antônio Rocha, as Meari, Dora e Clélia, Luis Ernesto do Vale Gadelha. Todos. Por anos foi um ritual.

Exeter. Existia Exeter no romance. Comecei a folhear e encontrei:

"Em princípios de setembro... Amory seguiu para a Nova Inglaterra, a terra das escolas. Lá estavam Andover e Exeter – grandes democracias semelhantes a colégios...".

Em um filme recente, *A rede social*, o que trata da criação do Facebook, e que se passava em Harvard, certo momento, há numa parede uma enorme flâmula: EXETER. Era lugar de prestígio.

Andover eu tinha visto nas placas. E estávamos em Exeter. Mas Andover retornaria mais à frente.

Reservamos o jantar para as 20h30, no hotel, e fomos os últimos a entrar no restaurante. Os cardápios eram enormes em tamanho, não na quantidade de pratos. Lembrando o simpático almoço em Salem, tentamos outra vez a *chowder*. Veio um líquido

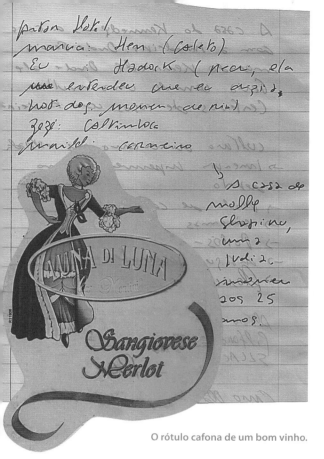
O rótulo cafona de um bom vinho.

grosso, amarelado, ruim. Na hora de pedir houve sérias dúvidas, mas a garçonete esperava, paciente. Decidi por um peixe e fazendo sotaque americano, ou aquilo que imaginava ser um sotaque, pedi:

— *For me, haaaaaddock.*

A mocinha ficou me olhando.

— *I beg your pardon...*

— *Haaaaaddock...*

— Não temos.

— Claro que tem, olhe aqui!

Apontei na carta o *haddock*, ela sorriu, depois não se conteve gargalhou.

— Ah! *Haddock*! Entendi *hot dog*.

Meus companheiros não se mostraram solidários. Riram a ponto de chorar. Durante a viagem inteira me gozaram. Cada vez que nos sentávamos para comer, exclamavam: *haddock* ou *hot dog*? Naquele jantar em Exeter, os pratos eram de médio para ruim, só o de Márcia, que comeu um galetinho, parecia melhor. Zezé pediu saltimboca e Marilda, carneiro. No dia seguinte, quando a garçonete se aproximou da nossa mesa, já começou a rir.

26 DE SETEMBRO, TERÇA-FEIRA

Tem muito veado passando por aqui

Café da manhã. Ovos mexidos com bacon para a Zezé e eu. Panquecas para Marilda e Márcia. *Raspberry*, *strawberry*, xarope de *maple*. Tomei suco de *grapefruit*. No exterior sempre tomo *grape*. *Pamplemousse* na França, *pompelmo* na Itália. Delícias. Boas *grapes* não são encontradas no Brasil, a cultura delas não se instalou aqui. Saída para Portsmouth. Há um filme ligado a esta cidade. Vi recentemente. A memória falha muito, ela que era tão boa em relação ao cinema. Antes, na verdade, a produção era mais limitada, vivíamos no circuito América, Inglaterra, França, Itália, eventualmente Alemanha, Espanha. Hoje, não, temos filmes do Irã, Turquia, Índia, China, Austrália, Dinamarca, os bloqueios estabelecidos pelos Estados Unidos foram rompidos, há um acúmulo de novos diretores, roteiristas, atores. Basta ver as edições do *Cahiers du Cinéma* dedicadas a Cannes.

Um trecho da R108 e outro da R33. Estradas se cruzam, correm paralelas. Rodovias menores (mas com quatro pistas) e *highways* gigantescas (onde o limite de velocidade nunca excede as 65 milhas). Viadutos. Motoristas que não ficam costurando o trânsito. Entende-se de repente o *On the road*, de Kerouac. Tudo acontece nas estradas, junto delas, por meio delas. Postos de gasolina, supermercadinhos, motéis, cemitérios. Muitas vezes, pensávamos que era um cemitério, não era, tratava-se de uma venda de lápides. Súbito, um shopping center gigantesco, um estacionamento descomunal. Uma igreja isolada. Cidades limpas, nem parece que Gore e Bush disputam a presidência. Nenhuma propaganda eleitoral. De repente, isolado entre árvores, fresco, um pequeno armazém com vitrines que exibem quinquilharias ali deixadas como antiguidades: estatuetas, botões, cinzeiros, pratos, copos, rádios, tevês dos anos 1950, anúncios em latões, desses que se pregavam nas paredes dos bares, talheres, quadros pintados pelos locais. Um velhinho nos perguntou se éramos franceses. Marilda encontrou uns botões lindos, porém caros.

"Os homens voltavam do trabalho para casa, usando chapéus de ferroviários, chapéus de beisebol, todos os tipos de chapéus, como depois do expediente em qualquer cidade, qualquer lugar. Um deles me deu carona até o topo de uma colina e me deixou numa vasta encruzilhada, isolada em meio à pradaria. Era lindo ali." Trechos de *On the road* que ressoavam em minha cabeça (Página 111 da edição L&PM, *O manuscrito original*, tradução de Eduardo Bueno [Peninha] e Lúcia Brito).

(Mal escrevo Lúcia Brito e me vejo no final dos anos 1950, no porão de uma pensão na rua Sabará, em Higienópolis, São Paulo, o famoso 400, no qual Paulo Cotrim, o homem que criou o João Sebastião Bar, tinha instalado a mais diferenciada das casas de pensão, pela decoração barroca, rococó, um refúgio para os gays, numa época em que eles eram discriminados, renegados. Cotrim foi um pioneiro na Sabará, ali se reuniam, ali dormiam, comiam, bebiam, transavam, se drogavam, promoviam *happenings*, noites radicais, plenos de liberdade. Eram resquícios da influência do existencialismo e da nostalgia das caves de Saint Germain des Prés, com as quais sonhamos e só fomos conhecer na altura dos 30 anos? Ninguém ainda escreveu essa história, ela faz parte do princípio de um movimento que pipocava isolado, com frentes fracas que se fortaleceram com o tempo. Lúcia, que então era Dultra, ocupava o porão inteiro da Sabará 400, tinha montado sua casa, seu *atelier*. Eram cadeiras trazidas de brechós, sofás velhos, coloridérrimos, tatames, colchão no chão, cortinas de contas de vidro, quadros estranhos, no dia em que ali entrei para fazer uma reportagem com Lúcia, que pertencia ao Teatro Oficina, me deslumbrei, era uma pessoa completamente à parte daquele meu mundo, cuja casca provinciana eu ainda não tinha conseguido romper. Lúcia se casou com Edsel Brito, ator, daí o Lúcia Brito. Mas me ocorre: será a mesma? Mesmo que não seja, que seja uma homônima, ela me fez regressar àqueles anos em todos estavam prontos a arrebentar as amarras.)

Apareciam revendas de automóveis cheias de bandeirolas, como nos filmes. A civilização da exuberância e do barulho e do marketing. Floriculturas. Casas de vasos, cerâmicas, lembrando o caminho entre o Rio de Janeiro e o Arraial do Cabo, o mesmo *kitsch* de flamingos rosas, estátuas gregas, o brega de cisnes e tigres. Pedágios com cestinhas onde atirávamos as moedas. Casas com bandeiras hasteadas. Zezé: "Porra, esse Kennedy devia ter amantes pelos Estados Unidos inteiro". De repente, um semáforo no meio de uma estrada deserta. Por quê? Para quê? Melhor parar, nunca se sabe onde a polícia se esconde. Zezé ia traduzindo os letreiros, como se fosse tradutor para dublagem de filmes: *Groceries* (armazém de mantimentos, para usar palavras antigas; lembrei-me de meu tio Geraldo que dirigiu o Armazém de Abastecimento da estrada de ferro) virou grosserias. Stationery (papelaria) virou estacionamento. Deli (mercearia de comidas finas, frios etc.), um lugar onde todos são delicados. Sempre gostei dessa palavra *Deli* e das especialidades judaicas que vendem, sempre gostei de *pastrami*, coisa de filmes policiais, as pessoas comendo sanduíche de *pastrami* no balcão. Lá em Araraquara eu perguntava: "O que será isso, *pastrami*? Não havia nos dicionários".

Começamos a tomar contacto com um tipo de arquitetura cujo estilo seria frequente, repetitivo. Não foram poucos os momentos em que pensamos que já tínhamos passado por esta ou por aquela cidade. Por instantes achávamos que podia haver um pouco mais de imaginação em tudo. É como se a arquitetura estivesse engessada por padrões rígidos. De qualquer forma, bonitos. As casas de ripas (*clapboard*) tão características. O que dá para perceber é que há preocupação em relação à preservação de um tipo de design que veio do século XVII e foi evoluindo, ainda que mantendo semelhanças nas varandas, terraços, janelas, portas. O que me impressionou foi a absoluta simetria existente nos desenhos. Em alguns lugares, a sensação de influências gregas nas colunatas de mármore e granito. Li depois que houve um período em que os *new englanders*, com um certo esnobismo, foram buscar inspiração na Grécia antiga.

Placas advertiam:

Dirijam com cortesia.
Este é o costume de New Hampshire.

Com frequência, avisos de que determinado trecho era passagem de veados. Ou seriam alces? Mais tarde, no Village, em Nova York, Zezé perguntava: "Mas aqui não devia ter uma placa: passagem de viados"? Uma vez, *O Pasquim* levantou a questão linguística: veado com E seria o animal; viado com I, bicha. Caminhões imensos, apitando como trens, sacudiam o asfalto liso como mesa de bilhar. As businas/apitos lembravam, a mim e ao Zezé, os trens da EFA e da Paulista. *Wash car*. Escolas enormes isoladas. De onde vêm os alunos? A familiaridade dos ônibus escolares, amarelos. No mundo inteiro são reconhecidos, nada é mais americano. Ali se percebe como o cinema difundiu a cultura, o *american way of life*, os costumes. Em cada lugar, uma agência imobiliária, Real State, prometendo maravilhas para morar. Pizza *delivery*. Lanchonetes anunciando: *Subs*. Não descobrimos o que é *subs*, palavra que vimos a viagem inteira pelo interior, desapareceu em Nova York.

O *bad boy* odiava os domingos entediantes

Uma aldeia inteira tombada. Passeamos por ela como se estivéssemos no túnel do tempo.

Chegada a Strawbery Banke. Perto do porto. Aldeia museu dos tempos coloniais. 12 dólares o ingresso. Nos deram adesivos amarelos para pregar no peito e poder circular por toda parte, entrar nas casas. A casa das ferramentas. Uma casa-modelo demonstrando as estruturas das antigas construções. The Little

Strawbery Banke Museum
Portsmouth, New Hampshire

Corner Store, a mercearia de Mrs. Abott, repleta de latas, vidros e caixas dos anos 1943 a 1945, quando havia guerra e racionamento: Karo, Kellogg, Rinso, Nestlé, Ovomaltine, Campbell, Linimento de Sloan. Embalagens originais ou rótulos escaneados? Importante é que ali está o clima das latas de sopas, dos achocolatados, das aveias, cereais. Clima de filmes de época. Entende-se porque filmes americanos reconstituem ambientes com facilidade: há documentação, referenciais, museus, pessoas que guardam objetos.

Entramos na casa de Molly Shapiro, uma família judia. Molly morreu aos 25 anos. Havia um homem sentado numa cadeira, imóvel, parecia de cera, depois descobri que era um visitante, assistia ao vídeo. A casa de Thomas Aldrich, romancista, poeta e editor do *Atlantic Monthly*, morto em 1907, que aqui viveu com os avós num período da infância. Em um livro clássico, *The story of a bad boy*, ele relata como odiava os domingos entediantes, dia de ler a Bíblia e ficar concentrado. Os grandes troncos de árvores, furados no meio (qual o processo usado?) que faziam o papel de tubulação de aquedutos.

Sempre a memória. A possibilidade de comparar como vivemos hoje e como viveram os antepassados. Não conheço no Brasil nenhum museu como este. "Ao vivo", ao ar livre. Teríamos panelas de ferro, fogões de lenha, lampiões de querosene, latas de pomada Minancora, cigarros Fulgor, Maizena, Rugol, Emulsão de Scott, bombas de gasolina, fermento Royal, rádio a pilha, sardinhas Coqueiro. Tanta coisa!

Em Portsmouth, hora do almoço, demos sorte com o estacionamento, uma vaga surgiu na rua central. Coisas do santo da Márcia. Colocamos dois *quarter* no parquímetro e fomos em busca de um restaurante. Demos com o *Mediterraneo*. Achamos engraçadinho por fora, quando entramos foi um desencanto, tivemos certeza que era truque. Tarde para procurar outro, os horários para almoço são rígidos. Além da nossa, havia apenas outra mesa ocupada. Um garçom desajeitado. Entregamos a Santo Antônio e ele protegeu. Conduziu a mão do cozinheiro, diria minha tia Terezinha lá em Araraquara, e tivemos comida excelente: risotto de frutos do mar, tortellini com espinafre e penne à calabresa. O vinho com uvas Sangiovese *Luna di Luna* valeu pelo rótulo, parecia desenho do Walt Disney, com uma mulher que lembrava Branca de Neve.

Zezé precisava de fio dental, entrei com ele em uma mistura de papelaria, charutaria, doceria, banca de jornais e perguntamos por uma *drugstore*. Afinal nas farmácias é que se compra o produto. Nem tudo na terra dos outros é como em nossa terra. Recebemos uma indicação vaga, não encontramos a *drugstore*. Márcia e Marilda, por outro lado, olhando lojinhas, também andavam em busca. Não havia nenhuma, ao menos naquela região. Como eles compram remédios em Portsmouth? Eu tinha andado tanto que cheguei, todo contente, em um *mall* distante. No *mall* se tem de tudo. Não tinha, eram apenas escritórios. Numa lojinha especial, com uma mulher de roupas, que ficavam entre o indiano e o *hippie* e que certamente saiu do Festival de Woodstock, tendo cara de quem ficou pelada no meio da multidão, depois de se comprar camisas para o Zezé e uma saia indiana para a Maria Rita, obteve-se a informação de que fio dental só se encontrava em um lugar: no primeiro negócio em que Zezé e eu entramos.

Arquivo pessoal

Céu sombrio e o leite sujo do Luis Mauro

Ameaçava chuva, veio um pouco de água, tivemos de pedir informação para sair da cidade. Seguimos na direção de Alton Bay e Gilford, R11, para ver os lagos. Pelo caminho, garagens de barcos em quase todas as vilas. Barcos, barcos, barcos, de todos os tipos e tamanhos. *Jet skis*. Céu nublado. Uma loja Sears, perto de Gilford. Ouvíamos Mildred Bailey, mas logo Zezé pediu para tirar, era chata. Tudo deserto. Paramos à beira do Lago Winnipesaukee, batemos fotos. Céu sombrio. Adoro estar em lugares desertos, quando chove.

Tardes de Araraquara, eu sozinho no quintal, embaixo da mangueira. Ou enganando minha mãe e descendo a rua 6 até o enorme – para mim, na época – buraco provocado pela erosão. Um abismo. Ficava perto da chácara do Luis Mauro, um homem que metia medo. Mesmo com medo, roubávamos melancia das plantações dele. Luis Mauro vendia leite pelas ruas, de manhã. Gritava: "Leite. Leite com água". Vendia numa caneca suja, mas era barato. Minha mãe, às vezes, comprava, quando o dinheiro estava curto. E quando não estava? Depois, ela fervia e refervia. Todo mundo fervia tudo. No buracão, costumávamos procurar pregos e ferros levados pela enxurrada. Depois, a molecada en-

Um sempre desaparecia da foto. Era quem estava fotografando.

tregava toda sucata no grupo da rua 6, o Pedro José Neto. Era para o esforço de guerra.

    Nunca entendi direito essa expressão. Esforço de guerra. Fazer força para guerrear? Ou ganhar a guerra? Mas a guerra era na Europa. Odiava quando fiscais passavam e recolhiam nossas bolas de borracha. Levavam para os filhos deles, porque víamos os moleques jogando com as bolas que tinham sido nossas. Quando chovia muito e não dava para sair, eu ficava na janela do quarto da frente, vendo a água escorrer do buraco que havia no muro do quintal dos Salum, uns turcos que moravam na esquina da rua 7. Na frente da casa deles havia portas de ferro de correr, dando para um salão vazio. Nunca soube o que foi aquele salão, nem do que os Salum viviam.

    Antes de Laconia tomamos a R3 South. Nesgas de sol amarelado muito longe no horizonte. Voltamos. Importante é ter a direção em mente: *south, north, east, west*. Se não, roda-se na estrada certa, mas na direção contrária. Marilda era craque. Árvores amarelas e vermelhas, outonais, começaram a aparecer. Tínhamos vindo em busca delas. Eram poucas ainda. No posto de gasolina Bud Racing velhos anúncios de lata dos anos 1950 pelas paredes. Entramos na R93 na direção de Concord, depois na R101 havia obras, nos confundimos, viramos em volta, conseguimos nos reorientar.

Chegamos e decidimos que comeríamos na cidade. Em frente à padaria dos *espressos*, tínhamos visto um restaurantinho simpático, de frente para o rio, quase que no porão de uma casa, o Sal & Anthony's Italian Amrc. Conseguimos reservar para as 20h30, o último horário. Local acolhedor, com atendimento simpático. Comida italiana de boa qualidade, bom vinho, uma conversa rápida e simpática com a dona no final. Ela estava falando das mulheres do Rio de Janeiro, quando cheguei e disse de sopetão, *your food is very good*. Todos riram, nada tinha a ver com o assunto.

Segunda manhã em Exeter. Marilda e Zezé tomaram o café da manhã primeiro. Passei um minuto na mesa deles, enquanto esperava Márcia. Ao sair, dei um *bye-bye*. Voltei um pouco mais tarde com Márcia. Sentamo-nos, fomos atendidos. Então, Zezé e Marilda chegaram para nos fazer companhia. A garçonete olhou para eles, fez uma cara engraçada e comentou: "Ah, um *déjà vu*". O *vu* saiu assim, com U mesmo, sem o I fechado em francês. Ao sair, virei-me para a garçonete, me despedi, *bye-bye*. E ela: *bye again*.

Em alguma parte do meu passado

Em alguma parte do passado essa casa existiu dentro de mim. Infância: entre o meu quarto e o muro, em Araraquara, havia um espaço, hoje ocupado pela varanda da casa de meu irmão, após a reforma que meu pai fez em 1951. O muro era o meu terraço das viúvas simbólico. Aquele lugar era o galinheiro. As galinhas dormiam debaixo de uma cobertura de zinco. Eu costumava forrar o chão de jornais, para que as galinhas ficassem aquecidas. Quando o galinheiro desapareceu, ficou um espaço vazio, sujo, cheio de pedras. Não sei por que os quintais eram tão cheios de cacos de telhas e tijolos, pedras e tocos. Ninguém limpava. Meu pai, quando limpava o quintal, se esquecia desse pedacinho. Ali existia um bico-de-

Postal

-papagaio, a flor vermelha, de tronco grosso. Eu subia nele, montava no muro e brincava de avião. Dormia sobre o muro, amparado pelos galhos, porque a "viagem" era noturna. E sonhava com uma casa grande, limpa, bonita, de paredes azuis, quente por dentro, forrada. Nesses momentos, Araraquara e Vera Cruz se misturavam em minha cabeça. Uma casa sem goteiras (na minha, havia muitas), com jardim e fogão elétrico. O máximo de progresso e riqueza para mim era ter forro (no meu quarto não tinha) e um fogão elétrico como o de dona Alzira Malkomes, vizinha cujo marido trabalhava na Companhia Paulista de Força e Luz. Sempre sonhei com casas, algumas fechadas, abandonadas. Em Portsmouth vi essa casa e, por sorte, achei o cartão. Era quase a mesma de meus sonhos. Essas casas encontro nas viagens. Em Hamburgo, certa vez, encontrei um postal de uma casa com luzes amarelas que me remeteu à minha infância. Lygia Fagundes Telles se encantou com o cartão, dei um a ela, comprei outro. Estive nessas casas antes? Devo ter estado, a sensação é forte. Preciso reescrever e acabar o esboço do meu conto "O invasor de sonhos", já publicado na *Ícaro*, mas incompleto. Ele pode me explicar. Coisas de meus sonhos repetitivos invadem minha realidade, fico confuso.

O mundo socialista e criativo dos *shakers*

Partimos para Woodstock decididos, apesar da minha impaciência, a visitar antes a aldeia dos Shakers, em Canterbury. Seguimos para o leste, no rumo de Manchester, passamos por Raymond, tomamos o caminho para o norte, direção Concord e Loudon. À direita, poderíamos ir para Pittsfield, onde Herman Melville morou e terminou *Moby Dick*. O trajeto, depois de Canterbury seria Gilmanton, Belmont, Tilton, Franklin, Andover, Grafton, Canaan, Lebanon, Woodstock. Concord esteve ao nosso lado.

Para mim, teria sido excitante a cidade onde Louisa May Alcott escreveu *Mulherzinhas*. Os Alcott eram pobres e enriqueceram com os livros de Louisa May. O pai dela foi o fundador da Concord School of Philosophy, cuja construção ainda existe. A casa foi depois comprada por Nathaniel Hawthorne, que acrescentou uma torre (estúdio) para escrever. Odiou a torre, quis queimá-la. Em Concord morou Ralph Waldo Emerson, o filósofo, tão citado em meus cadernos/diários de juventude. Havia um livro sobre ele na biblioteca de *O imparcial* que acabou ficando comigo e que eu lia e relia. Nunca me esqueço um trecho sobre a natura-

A madeira empilhada me conduziu às estações ferroviárias paulistas, nas quais as locomotivas a vapor se abasteciam com eucaliptos. A cara se mostra brava porque o sol me batia de frente.

lidade de um homem poder mudar de opinião à medida que maturidade, estudos e vida mostrassem ser isso uma decorrência necessária. Vizinho estava o lugar (Walden Pond) onde Henry David Thoreau morou por um tempo, observando a natureza que descreveu no clássico *Walden*.

Shaker Village. Cerca de 11 horas compramos os ingressos, 12 dólares cada um. Marilda explicou a comunidade, a religião, a oposição entre *shakers* e *quakers*. Ao entrar em transe durante os serviços religiosos, eles se agitavam de tal modo, chacoalhavam (*shake*) tanto, que acabaram ganhando e adotando o nome. Na realidade, a seita se chamava Sociedade Unida dos Crentes na Primeira e na Segunda Aparição de Cristo. Os *shakers* se iniciaram na Inglaterra no século XVIII e emigraram para os Estados Unidos em 1774, liderados pela visionária Ann Lee. Cresceram por meio

Marilda Brandão

de conversão e da adoção de crianças. Não mantinham relações sexuais e foram se extinguindo. A última *shaker*, Ethel Hudson, morreu em 1992, aos 96 anos.

Podia-se encontrar um componente vagamente socialista na ideia, porque todos faziam todos os trabalhos. Algo como os *kibutz* de Israel. Havia revezamento de tarefas, de modo que no final de cada ano, todos tinham feito de tudo. Eles produziam cidra, tecidos, faziam móveis de madeira, inventaram fórmulas para obter sementes perfeitas para o cultivo, produziam manteiga, queijo, remédios, artigos de lã. Membros da comunidade viajavam para vender coisas pelos Estados Unidos afora.

Os produtos *shakers* eram admirados e procurados pela alta qualidade e excelente manufatura. Tinham a reputação de sempre encontrar as melhores maneiras para se produzir coisas.

Inventaram, entre outros:
A pena de metal para canetas.
O pregador de roupas.
A vassoura plana (ou achatada).
O cabide múltiplo para roupas.
A cadeira giratória.
A serra circular.
Um picador e descaroçador de maçãs.
Uma máquina de lavar roupas.
O fogão de fornos múltiplos para assar tortas.

Foram os primeiros a desenvolver um modo especial de empacotar e conservar sementes de flores, os primeiros a plantar ervas medicinais e produzir remédios. Seus xaropes para tosse, de cereja e de salsaparrilha, ou outro, ficaram célebres nos Estados Unidos inteiro. Para não se falar em seus móveis e em suas caixas de madeira.

Outro mundo, gentil, sereno, inspirador

Pediam respostas a Deus quando surgiam problemas. Eram progressistas, no sentido de usar toda a tecnologia, a fim de ganhar tempo para se dedicar mais a Deus. *Hands to work and hearts to god* era o lema. Foram dos primeiros a ter eletricidade em suas comunidades. Mantinham um armazém para a venda de seus produtos. Cerca de 1860, momento pico de sua existência, 300 pessoas viviam em Canterbury em cem prédios no meio de 4 mil acres. Não fosse o número de turistas circulando – o que favorece renda para manter o local, hoje privado –, a aldeia *shaker* seria o que os folhetos anunciam: "Outro mundo, gentil, sereno, inspirador". De qualquer forma, não optar por andar em grupos é uma vantagem, levando um folheto na mão. Havia

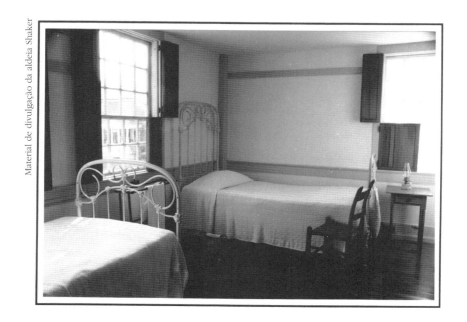

Um quarto na aldeia *shaker*. Simplicidade, austeridade, mas conforto.

poucos turistas solitários como nós, a maioria prefere o grupo – cada tour dura uma hora, cheia de explicações. Andando só, pode-se ver com muita calma, porque existe serenidade no ar. Aqui e ali, mulheres estavam produzindo fios nas rocas, vestidas de maneira típica. Numa oficina, um velho explicava, de maneira automática e vagamente desinteressado, aliás estava de saco cheio mesmo, como se produziam as famosas caixas ovais de madeira.

A simpática atendente da padaria nos alertou quanto ao almoço. Sem reservas não comeríamos. Corremos para a Creamery – era em frente – e escrevemos nossos nomes numa lista na porta. Éramos os primeiros. Não adiantou muito, grupos da terceira idade (talvez quarta) já ocupavam metade do restaurante. Logo entramos, nos sentamos em mesa coletiva, nos serviram

91

sucos de maçã e de uma fruta vermelha não identificada. Os pratos eram típicos da cozinha americana e *shaker*: costeleta de porco com melancia e bolo de fubá, salada de repolho, presunto defumado com feijão doce e pão de ameixas, batata picante, bolo com passas feito com um tipo de açúcar mascavo.

A igreja estava fechada, vimos a sala de reuniões, a casa de máquinas, a padaria, os alicerces do velho celeiro, parte da carpintaria, o estábulo-museu de carruagens (lá estava uma velha diligência dos tempos do *far west*) e a casa do ministro, que abrigava também fiéis, homens e mulheres (*Elders* e *Eldresses*), mas separados. Os móveis nas casas eram os essenciais à vida cotidiana. Nenhuma superfluidade. O ministro tinha direito a uma mesa grande e larga, para seu trabalho, móvel que não se encontrava em nenhuma outra casa. Depois de passar pela casa dos presentes (Márcia levou uma gaita para Maria Rita), eu com vontade de comprar livros sobre móveis e a doutrina *shaker*, fomos embora. Marilda exclamou: "Meus óculos!" Voltamos, imaginando que tivessem caído no estacionamento. Acabamos descobrindo, em baixo da bunda do Zezé.

O que viemos fazer em Tilton?

Pela R93 chegamos a Tilton. Vila cuja rua central parece cidade fantasma. Vitrines empoeiradas, calçadas de madeira apodrecida em frente a algumas lojas. Uma delas tem a aparência de bazar de bugigangas, dando a sensação de uma dessas vendas de quintal em finais de semana, tão comuns nos EUA. Uma oficina mecânica sujíssima, um escritório abandonado. Uma criança nos olha furtiva da janela de um sobrado. Lixo. Um velho dorme com a cabeça encostada no balcão de uma agência imobiliária. Na vitrine, ofertas em papéis desbotados, mal se podia ler. Vestidos de noiva – parecem usados – numa loja com luz amarelada. Máquina automática, vazia, quebrada, para vender, M&M.

Primeira cidade que vimos com o asfalto ruim, esburacado. Caminhões cruzam a rua central. Não têm carrocerias nem usam lona. São imensos *containers*. Depois, o silêncio. Um garoto gordo, tênis enorme, bermudas pelas canelas, cara de *serial killer*, atravessa vagarosamente a faixa de pedestres. Para, olha para nós, continua, para outra vez, provocador. Chega à calçada com ar desapontado ante a nossa não reação. Sorrimos para ele, ficou furioso.

Um prédio branco de madeira, semiarruinado, todo fechado, varandas e gradinhas, está à venda. Lembra construções de Nova Orleans ou cenário dos romances de Nelson Algren (*A walk on the wild side*), William Styron (o belíssimo *Lie down in darkness*, traduzido pelos portugueses como *Um leito nas trevas* e pela Rocco no Brasil como *Um leito na escuridão*) ou de William Faulkner sobre o sul dos EUA, principalmente *Sartoris*, ou a trilogia *A cidade*, *O povoado* e *A mansão*. São autores que nos levam a entender um Estados Unidos que já foi (e como foi). Uma viagem assim ajuda a compreender e a penetrar nos cenários de livros e nos filmes americanos. Aquele prédio branco encardido tinha sido a Tilton Inn e seu letreiro gasto ainda anuncia *Good food*. Na porta um cartaz rasgado convida para um baile. Quando, e como, terá sido o último baile?

A paz da estranha e minúscula ilha

Se imaginávamos conseguir um *espresso*, logo desistimos. O restaurante chinês, todo azul, junto ao posto de gasolina, está aberto. Não tem uma aparência acolhedora, um cheiro gorduroso emana da porta. Tarde abafada, 14 horas, encontramos uma ilha-

Em Tilton, cidadezinha esquisita, uma ilha no meio do rio, com bancos e coreto. Caminhões imensos buzinavam como trens na rodovia.

zinha denominada Savina Hartwell, no meio do rio Merrimack. Coreto, um anúncio de concertos de bandas aos domingos. Recanto fresco, com árvores cheias de frutinhas vermelhas – que intrigaram Marilda, sempre atrás de sementes e plantas. Nos sentamos, ficamos uns vinte minutos em repouso total, ouvindo o murmúrio do rio límpido sobre as pedras. Uma jovem dorme debaixo de uma árvore, pernas brancas batidas de sol. Acorda, nos observa e volta a dormir. A ilha, bonitinha, verde, cheia de bancos, novos ou recém-envernizados, para se ouvir as bandas, parece nada ter a ver com a cidade decadente.

Nos bancos novos da ilha Zezé deitou-se meditando sobre Tilton, seu abandono, suas ruas desertas, casas decadentes. E aquela ilha verde, rodeada por um riacho murmurante? Do que vive uma cidade assim? O que fazem as pessoas? Há um certo fascínio em chegar, olhar, não compreender, não saber nada e sair cheio de suposições, levando imagens que talvez nem sejam verdadeiras, mas alimentam nosso imaginário. Vamos carregar sempre a indagação: o que é Tilton? O garoto que nos olhou furtivo pela janela vai guardar, por sua vez, a imagem de estranhos chegando e partindo. E se ele, um dia, for escritor ou cineasta e fixar a imagem de quatro desconhecidos que chegam e partem numa tarde de sol e silêncio, falando uma língua não identificada? E se um dia o garoto arrogante que atravessou a rua, apanhar um fuzil e matar uma porção de pessoas, declarando: "Fiquei com vontade de matar desde a tarde em que estranhos não reagiram quando os provoquei". Aquilo me traumatizou!

Voz de mulher, por um alto-falante, vem de trás da ilhota, chama pessoas com senhas, grita números. Dá a impressão de uma venda de carros, ou oficina mecânica. A voz é a única coisa a romper a quietude da tarde. Aquela locutora invisível nunca saberá que sua voz foi ouvida por um grupo de brasileiros que, talvez, nunca mais volte a Tilton, já que Tilton não é lugar para se voltar. Nem para ir. Ela jamais lerá este texto que não está sendo escrito para ser publicado. Ou talvez seja, o que importa é a sensação deste momento. Curiosamente, Tilton – e por que esse nome? – é uma cidade que ficou na minha memória, por uma razão desconhecida. O curioso é que adorei entrar aqui.

Seguimos, primeiro pela R11, depois pela R4, tendo como referência Grafton e Canaan. Próximo a esta cidade, encostamos bem à direita, para deixar passar uma carreta gigantesca transportando uma casa inteira, de madeira, cinza-escura. Coisa de filme. Ou uma daquelas matérias que passam na TV a cabo, em que vemos toda a arte de preparar uma casa para viajar de um lugar para outro. Breve parada na *grocery Stewart's*. Comprei uma *Cream Soda* que anunciava *Old fashioned Taste!* Refrigerante gasoso com gosto de baunilha. Parecia que eu estava tomando o nosso bom e tradicional pudim de leite numa forma líquida. Gosto de experimentar novidades. Tentei arrancar o rótulo para colar no caderno, não saiu. Com o que colam esses rótulos? Aconteceu o mes-

Folha da ilha Savina

mo com o do vinho do Coppola, mas isso é o futuro... Passamos por um letreiro indicando a cidade de Mascoma e nos divertimos, daí em diante sempre nos perguntávamos: "Mas coma?". Parecia a fala do Mussum, de *Os trapalhões*. Os jogos com palavras eram sempre comandados pelo Zezé, superágil.

Quase dentro dos livros de Faulkner

Ao contemplar o velho hotel à venda, por alguns momentos, naquela tarde em Tilton, eu me vi dentro do clima dos livros de Faulkner, regressando ao decadente Hotel Snopes, de *A cidade* (*The town*). Voltando ao filme de Martin Ritt, *O mercador de almas* (*The long hot summer*), 1958, baseado em contos de Faulkner, que fui ver no Cine República com o Zé Celso. Ele me chamou a atenção para o filme. Uma cena muito teatral o fascinara: adolescentes que despertavam para o sexo, escondidos nos arbustos, em torno da mansão, gritavam, cheios de tesão, o nome de Beulah, a personagem sensual, que ficava toda excitada. Noites de calor, pessoas suadas, atmosfera de sensualidade, uniam Araraquara e o sul dos Estados Unidos. Zé estava dentro do clima de uma peça que escreveu em nossa cidade, *Cadeiras na calçada*, jamais encenada. Ele ainda terá uma cópia?

Finalmente na terra do maior festival de *rock*

Passamos pela placa indicando Cornish e brincamos, terra dos cornos. Por que havia algo familiar para mim naquele nome. O que seria? Viagens provocam preguiça mental, às vezes. Depois, orientados pela placa Lebanon entramos no trecho final para atingir Woodstock no final da tarde. Curiosa a sensação de se chegar a um lugar, sem saber se devemos ir para a direita ou esquerda numa confluência. Excitante. Escolher ao acaso, confiando no instinto, olhando o fluxo de carros, o jeito das coisas. Ir jogando na sorte, no instinto. De qualquer forma, havia um rumo, a R106. Na cidade, o eterno problema de orientação.

O hotel Kedron Valley Inn fica na R106. Não se dizia o número e as casas e fazendas e escolas que surgiam na R106, também não tinham números. Andar, andar. E se não estivéssemos no rumo certo? A noite ia cair. Eu, na minha neura: "Vamos perguntar". Mas o grupo não era de perguntar, gostava de rodar ao acaso, tentando descobrir pelo *feeling*. Ah, meu eterno medo de me perder, e não tem ninguém mais perdido do que eu. Pergunto e repergunto e ainda assim desconfio. Passamos por escolas, campos de futebol, campos de golfe, estalagens, casas iluminadas por dentro, velhos conversando em varandas. Lenha para lareira amontoada em terrenos e quintais. Tranquilidade absoluta. Finalmente, numa simpática *bed and breakfast* ficamos sabendo que nosso hotel estava logo à frente. O logo era longo. Vimos o letreiro Kedron Valley Inn e descobrimos que eram apenas os estábulos, o hotel aluga cavalos para passeios. Mais um pouco, chegamos.

Um apartamento duplo. Na verdade, um quarto em cima e uma sala embaixo. Em cima, cama larga, banheiro, hidromassagem, chuveiro, pia ampla, lareira. Embaixo um sofá-cama. Decidiu-se que cada casal dormiria dois dias em cada aposento, se revezando. A tevê tinha apenas cinco canais e o mais visto por nós era o do tempo. A preocupação era a proximidade do inverno. Ele nos surpreenderia? Estava esfriando. Por mim, tudo bem, adoro frio. Nos instalamos e fomos para a cidade. Ansiosos por ver a Woodstock do festival.

A pousada é uma gracinha, o lugar magnífico. Montanhas, um pequeno lago atrás de nosso apartamento, muito verde, tudo calmo. Comida digna de três estrelas. Detalhes. Flores nos vasos. Bons vinhos. O único problema era a dona-sargentona-machona. Decididamente sapatona, agia como *kapo* de campo de concentração. Entrava no hotel marchando, não cumprimentava ninguém, não dava informações. Quase me matou uma noite quando tentei telefonar e não consegui: "Use o seu cartão de crédito! Não tem cartão?", ironizou. Brasileiros deviam ser a escória para ela, igual aos imigrantes mexicanos ilegais. O dono e marido era um homem delicado que, todas as noites, se aproximava da mesa, gentilíssimo, e declamava rapidamente o cardápio com humor e graça. Desmunhecava e indicava comidas ótimas.

Por causa dele tivemos um jantar misterioso certa noite. Comemos uma carne maravilhosa, macia, delicada, saborosa, sem saber o que era. Quando se revelou o mistério, quisemos repetir. No dia seguinte não tinha. Ah, se soubessem o que comemos. E gostamos.

Segundo a televisão, estava começando a *Fall failure*. As folhas caem continuamente, fica-se fascinado com a rapidez, tem-se a sensação de que a árvore vai ficar pelada em minutos. As calçadas de Woodstock estavam cobertas por folhas amarelas ou secas. O ar frio dava energia, abria o apetite. A cidadezinha, de

200 anos, chamada de "um dos dez *villages* mais belos da América", é elegante, com casas lindas, jardins, uma rua central (aliás, Central street) cheia de lojinhas com charme, galerias, livrarias, cafés. Tudo calmo, passava das seis horas. Um policial examinava porta a porta para ver se estavam trancadas.

Vimos um restaurantezinho, o Bentley's, decidimos que almoçaríamos ali no dia seguinte (almoçamos, era ruim, lanches rápidos, *hamburguers* não saborosos). Entramos numa galeria de arte, a On The Green, esquina da Elm com a Central st. O que havia de mais interessante era uma escultura de *papier mâché*, representando um velho mordomo com o prato estendido. Galeria de artistas locais. Nas minhas manias, por causa da atmosfera invernal/vazio/solidão, gostei de um quadro chamado *Up Island*, de Jan Allmon, em que um jovem solitário medita à beira de um rio gelado. Outro, da mesma pintora, retrata casas fechadas, isoladas no meio de uma paisagem de gelo, *Winter's retreat*. Porém, foi a luz de uma pintura de Gaal Shepherd o que mais me atraiu. O quadro se chama *Late afternoon light*. Silhueta de uma casa cercada por árvores secas, em final de dia. Nuvens roxas-azuladas, escuras, carregadas de chuva, cobrem o céu. Atmosfera invernal, solidão. Tudo o que me faz sentir bem. Confortável. Assim sou, por dentro.

E o Festival da paz e amor onde teria sido?

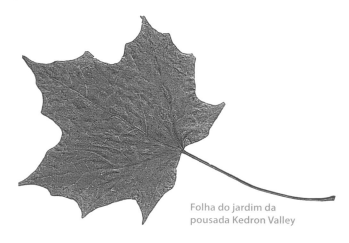

Folha do jardim da pousada Kedron Valley

Um palavrão no gelo do para-brisa

Sonhei com Woodstock. E com malas perdidas, um sonho recorrente que me assombra há cinquenta anos. Sempre perco as malas, sempre estou num lugar que não sei qual é. Ao abrirmos a janela, pouco mais de sete da manhã, vimos o gelo cobrindo o gramado. O céu estava cinza escuro. As mulheres nem quiseram saber o frio que devia estar lá fora, ligamos o canal do tempo. Parece que o inverno tinha chegado. Viriam frio e chuva, o dia estaria perdido? Não abandonamos nossa rotina, tomamos banho, nos aprontamos, Zezé fumou seus cigarrinhos, saímos. O carro estava coberto por uma camada de gelo de meio centímetro. Nela escrevi com o dedo as palavras boceta e caralho (estava bem em frente ao apartamento vizinho) e seguimos para o café da manhã.

Nos dias em que ali estivemos, fomos alternando omelete de tomate e queijo, panquecas com *maple syrup*, *blackberry*, *strawberry* ou *raspberry*, ovos mexidos com bacon tostadinho, café. Zezé, Márcia e Marilda tomaram chocolate quente em todos os cafés da manhã. Suco de *grapefruit* para mim. Pouco depois, nesse dia, o tempo melhorou. Por volta de meio-dia o sol era esplêndido, esquentou. Pusemos o pé na estrada.

Até Woodstock eram 4 milhas. Sempre discutíamos quanto seria uma milha. 1,5 km? Ou 1,7 km? Concluímos, não sabemos porquê, que era 1,8 km. Na verdade, o dicionário registra 1,609, 34 metros.

Outra questão pendente: um galão corresponde a quantos litros? Num dos postos de gasolina, já na volta para Nova York, um jovem falando com uma batata dentro da boca informou que eram cerca de 3,7 litros. Nunca descobrimos a capacidade real do tanque de nossa van, porque nunca deixávamos atingir o ponto limite. Quer dizer, eu não deixava!

O tempo todo passei perguntando: e a gasolina? A neura vem de uma viagem que fiz com Bia, minha primeira mulher, à Europa, no começo dos anos 1970. Fomos para a Itália e de lá seguimos para a então Iugoslávia, descendo por uma estrada nas montanhas do litoral, no rumo de Dubrovnik. Uma estrada estreita, pista única, víamos o mar lá embaixo. De repente, olhamos o medidor de gasolina e vimos que estávamos na reserva. E nada de aparecer um posto naquela solidão. Nem havia como construir um na rocha lateral. Bia desligava o motor na descida, ía na banguela, como se diz aqui, e deixava fluir. Ficava o medo: e se o carro não pegar na subida? Pegava, rodávamos mais um pouco, até que apareceu, enfim, um posto mixuruca, de quinta categoria. O frentista iugoslavo, um velho, nada entendia do que dizíamos, mostramos a tampa do tanque, fizemos por mímica, encher, encher, ele entendeu, completou. Gasolina comunista, brincamos. O comunismo de Tito era não alinhado com a política soviética, o que o diferenciava. Bem, descobrimos naquele posto que não andaríamos mais um centímetro, o tanque estava no osso. Logo depois, descobrimos que o cárter tinha furado ao passarmos por um buraco na estrada, mas isso é outra viagem, outra história, passamos horas em uma oficina mecânica, com um mundo de gente à nossa volta, admirados e gritando, *Brasil? Brasil? Brasil?* Alguns nos tocavam. Era o isolamento em que os países socialistas ficaram por anos. Naquela viagem tivemos de contornar a Albânia, estava fechadíssima pelo ditador Hoxha, mão de ferro, tenebroso.

Regressemos à Nova Inglaterra. A primeira vez em que paramos para encher o tanque, era *self-service*, como todos. Um homem mancando de uma perna nos ajudou gentilmente a manejar a bomba. Super ou normal? Optamos pela normal, mais barata. Deu 27,70 dólares e fui pagar lá dentro de um supermercadinho. Entrei, a mulher do caixa me olhou e disse: 27,70. E se fugíssemos? Em quanto tempo a polícia estaria atrás de nós? De outra vez, a bomba era isolada, *self-service*, pagável apenas com o cartão. Marilda foi lá e, "corajosamente" (e o medo da máquina engolir o cartão? Coisa de brasileiro), colocou o cartão na fenda, manejou o computadorzinho e ainda pegou recibo. Eu só olhando. E se a máquina me engole o cartão?

Os dias em Woodstock eram tranquilos, não tínhamos pressa para nada. Andávamos sem programação definida. Descíamos a R106, entrávamos à direita diante do enorme Woodstock Inn & Resort, mansão de duzentos anos, (foi de um Rockefeller apaixonado pela cidade) e restaurante quatro estrelas. O celular alugado na Avis em Boston continuava morto, sem dar sinal de vida. Havia somente um trecho da estrada 4, perto do Pizza Chef Restaurant, em que ele apitava, avisando que tinha ressuscitado, mas quando se tentava fazer uma ligação, adormecia outra vez. Deixávamos o carro num estacionamento gratuito, numa travessa da Elm st.

Na cidade, teríamos que pagar 25 *cents* por cada hora. Gratuito depois de 17 horas. Quem nos avisou foi um sujeito que estava cortando a grama de um terreno. Havia uma vaga, paramos nela, o homenzinho veio correndo, perguntou se podíamos sair, ali ele deveria manobrar os cortadores de grama. Indicou um lugar logo à frente, e quando fui colocar o *quarter* no parquímetro, ele disse que não precisava, já eram 17h15. *Free*.

Na cidade, era obrigatório irmos ao Café & Pasta, na Central st. Uma padariazinha e fábrica de massas muito simpática, mas com funcionários inexperientes, não sabiam o preço de nada. Na primeira vez em que o Zezé pediu *espresso* num copo grande, a moça levou horas, fazendo um por um, com lentidão, e enchendo o copo de plástico de dez centímetros de altura, que é o que eles usam para tomar o *regular* deles. Na hora de cobrar, registrou um a um, como se fossem dez *espressos*. Vai ver é a lei! O Zezé misturava o *espresso* com o *regular* e compunha, numa garrafinha, a beberagem que o acompanhava o dia inteiro. Nessa cafeteria encontramos um suco de abricó bastante saboroso, compramos três garrafinhas. Uma delas ficou esquecida, encontrei no carro em Nova York.

Remoíamos a pergunta infinitas vezes, excitados: "Onde teria sido o festival?" Sabíamos que tinha sido numa fazenda, mas em que direção? Burrice nossa, por que não perguntávamos logo para alguém? Responderiam? Tinham todos um jeito caretão! Ao andar pelas estradas, olhávamos, tentando observar se algum lugar poderia ter abrigado 500 mil pessoas. Ou foram 100 mil? Nenhum folheto, livro, fotografia, postal, fazia referências. Teria sido tão grande a animosidade/agressividade entre a população e os desbundados/*hippies*/roqueiros/poncho e conga? Ao ver aqueles velhos americanos, todos arrumadinhos, mulheres e adolescentes gordinhas, imaginávamos o pau que teria dado. Começávamos a parecer aqueles dois japoneses, personagens do filme *The mystery train*, de Jim Jarmusch, que chegam a Memphis e estão querendo chegar a Graceland, a casa de Elvis Presley, e nunca chegam.

Tomando um comprimido de peido por dia

Na Central street, certas lojas têm nomes poéticos como Who is Sylvia, Chapter XIV, Unicorn Gifts. A loja Primrose Gardens está em localização privilegiada, construída sobre vigas de ferro, em cima do riacho que cortava a cidade. Dentro é bem cafona. As águas sob a ponte eram limpíssimas, transparentes, sem lixo, latas de cerveja, pontas de cigarro. Na Aubergine, utensílios de cozinha e utilidades "necessárias" em qualquer casa, como o quebrador de pata de lagostas, o abridor de champanhe sem estouro da rolha, o limpador de camarão, o pegador de picles ou o termômetro para ver se a carne está bem passada. Numa prateleira, *chutneys* – o de mostarda era picante, forte – geleias e caviar vegetal. Amostras grátis, experimentamos de tudo com torradinhas e nos fomos. Ainda nos agradeceram pela visita.

As pessoas são gordas, desajeitadas. Entende-se a indústria de cosméticos, os *spas*, os livros e vídeos sobre regimes, as teorias todas sobre colesterol, gorduras. A neura leva a eliminar das comidas o que elas têm de naturalmente saboroso, de maneira que na média o gosto desaparece, tudo se plastifica. No entanto, o objetivo é encher o estômago. A terceira idade viajando em peso. Muito deficiente físico em cadeiras de rodas ou muletas e bengalas. Até mesmo essas parecem automatizadas, feitas de acordo com o corpo da pessoa.

Tudo é lento, calmo, a noção de tempo é diferente, não há velocidade. Ninguém se atropela. Divertimento de subdesenvolvido: atravessar a rua, observando os automóveis que param assim que se coloca o pé na faixa. Na Quechee Gorge, pode-se atravessar a estrada, sem medo, os carros freiam a vinte metros da gente. Desconfiávamos que não iriam parar, avançávamos com receio. Certo dia sugeri: "Vamos experimentar o restaurante russo, é uma novidade?" Quando olharam, os três riram. Russian Renaissance. Li restaurante em lugar de *renaissance*. Uma loja de decoração. Aliás, nos almoços sempre havia um suspense: todos trouxeram seus óculos? Zezé e Márcia nunca enxergavam nada no cardápio, às vezes utilizavam os meus óculos. Teve dia em que Zezé pediu a comida pelo som do recitativo do garçom. Depois, ele comprou óculos de "grau pronto" numa farmácia.

Todo dia entrávamos para uma bobageirinha na F. H. Gillingham & Sons, a mais velha loja da cidade. Bastante semelhante aos *stores* do início do século (como víamos nos filmes de Frank Capra ou nos do Velho Oeste), na disposição das prateleiras, amontoado dos produtos, no chão de tábuas largas, rangedoras, verdadeiras. Tem de tudo. De um vinho caro a uma ceifadeira, de um remédio natural a um detergente, de pão feito em casa a pesticidas, de creme dental a enxadas. Muitas embalagens conservam desenhos originais de cinquenta ou oitenta anos atrás, é um dos charmes. Uma placa proíbe de entrar descalço.

Certa tarde encontrei um complexo vitamínico (Hi Potency B-Stress) destinado a relaxar – e comprei, claro. O nome, St. John's Wort. Algo como uma erva-de-são-joão americana. Todos compramos. Zezé encontrou um *anticondicionador de fumo*. Uma droga destinada a combater a vontade de fumar. Na caixa, a funcionária ficou curiosa:

— O senhor experimentou?

Ante a negativa, ela acrescentou:

— Isso é muito novo! Preciso saber se funciona, quero parar de fumar.

A fixação, ditadura, o pé no saco que se chama *parar de fumar*. Coisa louca! Alguns lugares permitem, outros não. As pessoas se voltam horrorizadas, condenatórias, acusatórias, quando um cigarro é aceso. Isso foi há uma década. Mal podia saber que, num futuro próximo demais, o fumo seria condenado, barrado, tornando os fumantes criminosos, apontados na rua. Parece que o mundo inteiro vai ter câncer. Mas continuam a produzir cigarros, fósforos, isqueiros e cinzeiros. E publicidade. Enquanto isso, o Alzheimer vai ceifando pessoas, e o Parkinson, e a diabetes.

Na Gillingham, no ar, um cheiro de madeira, de ervas, perfumes estranhos e doces, pão assado. Há uma bela padaria ao lado. Por toda parte, interação entre presente e passado, laivos de futuro. A tecnologia está aí, mas o passado rudimentar artesanal parece lembrado com nostalgia; ou como marketing. No ar um clima de fantasia, nas decorações, nos excessos, nos plásticos imitando antigo, nos lustres, as flores perfeitas, porém falsas, nos cheiros sintéticos, na arrumação perfeita e na ordem. É o real dentro do *fake*, curiosa simbiologia, paradoxo constante. Agradável e estranhamente incomodativo, ao mesmo tempo.

Como não aguento a curiosidade, ao sair do empório, abri o meu anti *stress*, para ver, sentir o cheiro. Vitaminas têm cheiro bom. Assim que abri, Zezé exclamou: "Cheira peido!" Verdade. Para empregar um eufemismo, o cheiro era de jatobá. Daí em diante, no café da manhã, cada vez que íamos tomar o comprimido de erva-de-são-joão, Zezé cutucava: "Não vai tomar um peido também?". Tomei um por dia. Me fez bem.

E o festival? Cadê o festival?

A cada passo que eu dava, cada esquina que virava pensava no festival, uma fixação. Tudo o que, na época, eu tinha lido sobre ele foi condensado em um livro interessante e curioso, publicado na altura de 2007, *Aconteceu em Woodstock*, escrito por Elliot Tiber e Tom Monte, editado pela Best Seller, que relata os bastidores do festival. O que sintetizo aqui em breve parágrafo estava e esteve em minha cabeça desde 1969, lido, relido ao longo dos anos em todas as publicações possíveis. O assombroso mito de Woodstock. Então, eu precisava ao menos olhar o lugar, ver o terreno, contemplar as pessoas que tinham impedido o festival na cidade, levando-o para o campo.

Elliot era proprietário do El Monaco, hotelzinho em White Lake, uma pequena e provinciana vila no estado de Nova York, junto a outra vila, Bethel, em cuja vizinhança o festival realmente aconteceu. Porque, anunciado para Woodstock, a população se revoltou e impediu. Era os Estados Unidos conservador, moralista e preconceituoso. Tanto Bethel quanto White Lake eram cidadezinhas decadentes, mortas, sem possibilidade de uma revitalização, mas fechadas, arrogantes. Bethel, segundo o livro de Elliot, só era famosa por uma coisa, tinha sido cemitério, desova dos cadáveres da Máfia na década de 1920. Quando Woodstock impediu o festival, Elliot Tiber, que mantinha um hotelzinho, abriu a possibilidade dos aquarianos mudarem de local. Foi o que aconteceu. Mas aí então, o povo de White Lake se assustou com a possibilidade de 50 mil *hippies* tomarem a cidade de assalto, se drogarem, andarem nus, transarem em qualquer parte. Houve confrontamento, Elliot foi chamado de judeu sujo, aconselhado a partir, abandonar tudo, por ser, além de judeu, comunista. Os caretas se alvoroçaram.

Quando agosto chegou e o festival se aproximou a turma começou a chegar e a congestionar rodovias. O fluxo de trânsito parecia não ter fim. O que havia de acomodações foi tomado, barracas chegaram, acampavam, ficavam ao relento ou em sacos de dormir. Diz Elliot em seu livro que "havia drogas por toda a parte – era como se a maconha, THC e LSD tivessem sido legalizados de repente. As pessoas passavam baseados umas às outras abertamente, como se fosse um pacote de biscoito... Eram livres como nunca se havia imaginado ser possível. Héteros, gays, bissexuais, seja lá o que fossem estava tudo bem. A mensagem que emanava deles era que não havia necessidade de ser qualquer outra coisa além de nós mesmos... Woodstock foi uma nave que aterrissou e disponibilizou exércitos de soldados sexualmente liberais numa cidade extremamente conservadora. "No final, em vez das 50 mil pessoas esperadas, chegaram 500 mil que ficaram sob a chuva e sol, indiferentes."

Menino vesgo segura a maçã mordida

Numa esquina da Elm street está o museu Dana House, pertencente a The Woodstock Historical Society, Inc. Descobri ali que Woodstock foi fundado por um homem chamado Timothy Knox, que se estabeleceu na região depois de sofrer um ataque de coração em razão de uma história de amor fracassada. As cidades têm orgulho do seu passado, de suas raízes. Conservam a memória. Em cada uma existe um pequeno museu que traz informações, às vezes preciosas, sobre a forma em que os antepassados viviam. O que possibilita uma noção do que significa o progresso atual, dos caminhos que conduziram ao presente. Na comparação, pode-se usufruir mais.

A casa, construída em 1807, pertenceu a Charles Dana, um rico comerciante, e permite avaliar como uma família (claro, abastada) vivia no século passado. Pelas roupas se tem ideia de como a rigidez de costumes foi se alterando, se abrindo lentamente, a severidade puritana cedendo à maleabilidade. Tudo era fechado, cheio de normas e preceitos. A moda se liberta, com precaução, do preto e do cinza-escuro, permitindo a introdução de fitas brancas e coloridas – violeta, verde, vermelha, amarela – depois de blusas e saias. Ali estão sapatos, carretéis de linha, utensílios, pratos, latas de mantimentos, brinquedos de crianças, bonecas, livros que se liam aos domingos, pautas de música (o lazer era a música, em geral existe um piano, ou cravo) material para bordar. Havia ferros de passar roupa, anteriores aos que se enchiam de brasas. Eram maciços. Vários eram colocados no fogo, usados, e à medida que um esfriava, voltava às brasas, apanhava-se outro.

Sobre um piano, uma estranha, curiosa pauta musical, com símbolos geométricos (triângulos, círculos, quadrados) em lugar das notas. Nem a guia soube informar a equivalência desses símbolos em relação às notas musicais tradicionais. Aliás, a preocupação da velha (em geral, são empregos para pessoas da terceira idade) era que ninguém do grupo fugisse de sua visão (éramos seis pessoas apenas). Se alguém avançava de uma sala para a outra, ela apressava a narração decorada e corria. Ficava ansiosa, "conservem-se juntos, não posso repetir informação". Falava em um tom naturalmente decorado, não conseguia responder a perguntas que fugiam do esquema, afobava-se. De algum modo, assemelhavase àqueles meninos de Ouro Preto ou da Bahia que correm, se grudam na gente e declamam os pontos decorados. Ou às chamadas vozes do telemarketing, irritantes.

Adoramos um quadro comprido mostrando a família Hutchinson – não se explica quem eram – com os filhos. O menino da ponta direita, completamente vesgo, segura uma maçã mordida; ar assumido de gayzinho. Pensando bem, os filhos do casal não sei, não... As boquinhas pintadas (Puig), os olhos... Todos, vestidos com casacas pretas, pesadas, e gravatas de nós gordos e complicados, trazem a expressão de que se sentem incomodados para danar.

Um museu não deve, necessariamente, conter apenas peças antigas. O que se usa hoje, amanhã será história. Por que cidades brasileiras não organizam um museu com a colaboração da comunidade, recolhendo fotos, objetos, documentos de outros tempos, ao mesmo tempo em que se monta uma exposição da vida presente? Acaso olhamos para os instrumentos de nossa vida diária com um pequeno avanço no tempo? Um disco 78 rotações tornou-se peça de museu em poucas décadas. O *long playing* teve a duração efêmera (para a história) de quatro décadas. Quanto tempo vai demorar para a fita de vídeo normal ficar obsoleta diante do DVD? Menos de vinte anos. Liquidificadores dos anos 1960 parecem obsoletos; a evolução veloz do design contribui para a obsolescência dos objetos. As pequenas garrafas de Coca-Cola, tão normais em nossa juventude, estão exibidas como raridades;

a não ser no Metropolitan, no Central Park, em cuja cafeteria se toma a *Coke* na antiga garrafinha; mas é um museu.

Na antessala da Dana House há uma exposição fotográfica que percorre vários períodos da história, desde os tempos em que as ruas eram lamacentas ou poeirentas. Ali ficamos sabendo que os Rockefeller e outros muito ricos gostavam de vir esquiar na região; demos com a explicação de um nome que nos grilava, Suicide Six Resort (no fundo tão óbvio), e com o qual brincávamos todo o tempo; tornou-se uma espécie de emblema. Suicide Six. Isso é nome para se colocar num *resort* de esqui?

Descobri o óbvio: de onde veio a expressão *secos e molhados* que se tornou mundial. Havia na América os negócios exclusivamente de *secos* e os de *molhados*. Eram separados, não se misturavam. Por lei e pela saúde pública. Molhados poderiam contaminar os secos. Nos EUA, isso durou até o final do século, quando surgiram os embriões dos supermercados e os estabelecimentos passaram a vender tantos *secos* quanto *molhados*; início da modernidade. Procuramos entre as fotos uma do festival. Nada. O que aconteceu? Odiou-se tanto assim o festival?

Enfim, soubemos onde o festival aconteceu

Ao sairmos do Dana, demos com a placa do restaurante The Prince & The Pauper e tivemos uma sensação agradável, parecia atraente. Estava fechado. Talvez só abrisse para jantar. Que nada, segundo a informação pregada na porta, como a temporada estava em baixa, não valia a pena manter o pessoal de serviço. Objetividade e pragmatismo. Poucos fregueses? Não vale a pena funcionar. Para completar, clientes não podem entrar sem paletó ou de tênis.

Uma loja e galeria muito divertida, pela criatividade, é a Stephen Huneck Gallery, na Central st. Original e, apesar do que

No início de nosso casamento, Márcia e eu tivemos uma cadela dálmata, a Fauna. Ela tinha o hábito de sorrir para nós. Morreu de velhice. Na rua central de Woodstock, o banco nos lembrou Fauna.

possa parecer, de bom gosto. Os motivos todos são os animais. Bancos sustentados por cachorros, mesas cujos pés eram bichos, cadeiras com peixes no encosto, cabides formados por pássaros, e assim por diante. Uma luminária era fascinante. Chamava-se *Bathing Beauty Floor Lamp*. Uma série de banhistas, uma sobre a outra, meio gordinhas, formavam o suporte da cúpula.

Na Woodstock Pharmacy, fundada em 1853, comprei uma espuma para barba Old Spice. O tubo vermelho me chamou a atenção, o cheiro dessa espuma sempre me lembrou os Estados Unidos. Na primeira vez que aqui estive, em 1967, ao desembarcar em Los Angeles, vi que a Braniff – aquela dos aviões coloridos – tinha perdido minha bagagem. Cumprindo a lei de atendimento ao cliente, me deram dinheiro para comprar camisa, cueca, meias, creme de barbear, aparelho, escova de dentes; o básico. O único creme que existia na farmácia do aeroporto era o Old Spice. Ado-

Todos os móveis da Stephen Huneck Gallery tinham motivos animais.

rei. Até hoje o perfume da espuma me remete a Hollywood, onde fiquei um mês fazendo um número especial da revista *Claudia*. Foi minha primeira viagem aos Estados Unidos e, de cara, me perderam a mala, que reapareceu somente quatro dias depois. Passei uma semana lavando minha camisa "volta ao mundo" (somente os mais velhos vão saber o que é) à noite, para usar de manhã. Como esquecer aquela camisa que todo mundo usou e era nojenta? De *nylon*, retinha o suor, a gente cheirava mal, principalmente em dias quentes. Teria sido ali que começaram os sonhos recorrentes da mala perdida? Me deixam angustiado, é uma loucura!

Onde foi o festival?

Onde foi?

Quero ir ver o campo, a placa.

Sabia que havia uma placa.

Talvez visse também a casa de Bob Dylan. Passei dois dias inquieto, até entrar na livraria The Yankee Bookshop. Preciso olhar logo livrarias, livros, cadernos (algumas vendem), postais. Procurava o segundo volume das cartas de Jack Kerouac, sabia que tinha acabado de sair. Não achei, mas dei com um livro curiosíssimo, *The worst case scenario, survival handbook*, de Joshua Piven e David Borgenicht. Ensina a se defender no caso do ataque de um tubarão, a identificar um pacote com bomba, a sobreviver no deserto, a aterrisar sozinho um avião, a tirar balas de um ferimento, entre outras. Não sei se o livro é sério ou se gozação. Mas é hilário! Então, fiz a pergunta:

— Onde foi o festival?

Achei que não era necessário explicar. Não foi. O velho livreiro riu, deliciado:

— O festival?

— Sim? Woodstock, o festival da libertação, da gente pelada, do fumo, do futuro, da paz e amor, bicho, do *flower power*, do podes crer amizade.

— Sei disso, quem não sabe? *3 days of peace and music*, a comemoração da Era de Aquarius?

Me deu a maior alegria, o livreiro devia ter estado lá. Puxa um homem que em 1969 participou do evento que chocou o mundo! Seria um daqueles jovens que vimos em tantas fotos? Quando contemplo hoje as fotos do festival me pergunto: "Onde estará esse sujeito sem camisa e chapeuzinho de lona? E aquela jovem linda, andando só de calcinhas no meio de uma turba?". Lembro também de uma das mortes, prosaica, um sujeito que dormiu num pasto e foi atropelado por um trator na madrugada. Foram 500 mil pessoas e duas mortes. A outra por overdose. Imaginava o cheiro da maconha no ar.

Mas também foi uma puta loucura, não havia banheiros, mijava-se e cagava-se em qualquer lugar, a bosta misturava-se ao barro. Ninguém estava aí. Eu teria suportado o que fosse necessário – também na época eu tinha 33 anos – e daria tudo para ouvir Joan Baez, Arlo Guthrie, Janis Joplin e Joe Cocker. Dos discos daquela época conservo ainda um LP, vinil, de Joan, uma capa preta envernizada (ah, como adorava Joan Baez) e tocava sem parar uma das faixas, "Babe I'm gonna leave you". Uma das músicas que me ajudava a conquistar namoradas, estávamos todos na mesma faixa de onda. Quando conheci Ítala Nandi, em 1963, ela recém-vinda do Rio Grande do Sul, toquei a faixa umas vinte vezes, ela se encantou, aquilo era a modernidade, a liberação. Bem, o livreiro de Woodstock me olhava com um sorriso, direi, cínico. Perguntei:

— O senhor foi, assistiu?

— Não!

— Como perdeu? Bastava atravessar a rua. Porque não foi aqui!

— Que rua? Não foi aqui.

— Não foi? Aqui não é Woodstock?

— Claro que é!
— Então. O festival não existiu?
— O festival existiu, assim como existem várias Woodstocks.
— Várias? Onde são as outras?
— No estado da Virgínia, no Alabama, em Minnesota, no Ohio, na Georgia, no Illinois. Mas os 3 dias de paz e música aconteceram perto de Nova York. E nem foi em Woodstock, a população não deixou, o festival foi numa fazenda próxima a Bethel e a White Lake.
— Que mancada (disse em português).
E ele:
— O que disse?
— Bem feito, faltou informação, sou um *hippie* retardatário, daqueles que ainda habitam Florianópolis.

Falava ainda em português, como traduzir retardatário para o inglês? E o velho:
— Não se preocupe, o senhor não foi o primeiro. Se eu ganhasse por essa informação, estaria muito rico. Todos se enganam. Respondo a essa pergunta milhares de vezes por ano. Foi na Woodstock de Nova York.

Minha (e de todos) decepção foi enorme. Tinha chegado a Woodstock com um atraso de 31 anos e, além de tudo, tinha chegado ao lugar errado. Mas acho que em nome da verdade e como os americanos são práticos, deviam colocar uma placa na entrada da cidade:

Esta Woodstock é *fake*.
Não é a verdadeira,
Não é aquela que você está procurando.

Só que não iam ganhar o dinheirinho do turista que chega enganado ou mal-informado. De qualquer modo, Zezé e eu já tínhamos tirado uma bela foto junto a uma placa indicando Woodstock. Ficou a recordação de Vermont. Mais tarde, pesquisando sobre o festival, fiquei sabendo que muita gente *hipada* esnobou o convite: os Beatles disseram não, assim como The Doors, Frank Zappa e Led Zeppelin. Prosaico foi saber que Bob Dylan não apareceu por estar chateado com um bando de *hippies* que ficou dançando na porta da casa dele. Logo Dylan? O Brasil tentou fazer uma Woodstock caipira, promovendo o Festival de Águas Claras. Foi prosaico!

> Certa noite, no terreno
> dos estábulos da Kedron Valley,
> Joan Baez, Joe Cocker
> e Blood, Sweat & Tears
> cantaram para nós.
> Recuperamos o
> Festival de Aquarius
> trinta anos depois.

No final da tarde, caminhávamos pela Main street, quando vimos Ravi Shankar encostado no parapeito da pequena ponte sobre o riacho. Ele tinha o jeito zen dos indianos (ao menos, sempre que falamos em Índia, pensamos em zen e semelhantes). O que fazia ali? Fiquei excitado, imaginando que talvez a filha dele, Anoushka também estivesse por ali. Vocês conhecem a moça? Uma estrela internacional, citarista como o pai, meia-irmã de Norah Jones.

Esse nome ficou na minha cabeça, porque quando escrevi meu primeiro livro, *Depois do sol,* em 1965, incluí um conto, "Ascensão ao mundo de Anuska", história de uma modelo, naquele tempo se dizia manequim, belíssima, que desfilou para o Dener e para a Rhodia, então o máximo, o *top fashion*. Foi meu primeiro contato com o mundo da moda, que me fascinava, as modelos eram *superstars*, e aquele grupo da Rhodia e Dener foi o primeiro a mudar o conceito da profissão.

Até então, manequim era palavra pejorativa, como atriz e também aeromoça (hoje comissária) tinham sido em meados do século passado. Olhava-se torto, eram "putas", as famílias se horrorizavam. "Não existia o sonho, não existia a profissão", confessa Ully, uma das modelos primeira linha da Rhodia em depoimento a Maria Cláudia Bonadio, que escreveu bela tese sobre o assunto.

Modelos como Lúcia (que morreu recentemente, viúva do embaixador Walther Moreira Salles), Mila (estrela das novelas da Globo), Mailu, Giedri (mora na França atualmente), Inge, Lilian, Mariela, Bettina, Darci, Paula (hoje mulher do jornalista Carlos Leonam), Nice, Bia, Sandra e a própria Ully (hoje dedicada a causas ambientais no interior do estado) desafiaram e, junto com Lívio Rangan, o *promoter* que inventou o que está aí em matéria de *Fashion week*, mudaram tudo, deram dignidade ao ofício. Nenhuma delas jamais fez regime, nenhuma era anoréxica, essa ditadura do magro não existia.

Havia uma modelo, a Rubi, que me encantava, vivia vidrado nela, paralisado, morena de olhos azuis, límpidos, extremamente sensual. Desfilou para Dener e Clodovil, mas era *freelance*, eu a via às vezes nos desfiles do Mappin e da Clipper, grandes lojas que desapareceram. Rubi se dissolveu no tempo e pergunto: "Estará viva? Lerá este texto um dia? Os olhos continuam azuis?".

Ah, também a hoje dramaturga Leilah Assumpção, alta, magra, linda, desfilou por anos, até descobrir o teatro e escrever peças incríveis como *Fala baixo senão eu grito* (aliás o grito de uma geração), *Vejo um vulto na janela*, *Me acudam que sou donzela*, *Boca molhada de paixão calada*. Leilah, imbatível nos títulos.

Ela desfilou no filme *Anuska, manequim e mulher*, baseado em meu conto, dirigido por Francisco Ramalho, o primeiro filme de Francisco Cuoco. Leilah escrevia nas esperas entre uma passagem e outra na passarela, nos desfiles ou nas longas esperas para provas, maquiagem, cabelos. Hoje, nas revistas de moda, se escreve *make-up*, *hair*.

Anuska, nome que inventei achando que era exótico, *nórdic*, sei lá, tinha o tipo físico baseado em Giedre, de origem lituana, na época mulher do Fernando de Barros. É um conto que me traz nostalgia daquela época em que com vinte e poucos anos, repórter do jornal *Última Hora*, fui admitido, deslumbrado, no mundo do cinema e da moda. Frequentava a casa de Fernando, cronista, diretor e produtor de cinema, descobridor de modelos e de atrizes. Ali era o *point*. Na casa dele convivia com Odete Lara, Maria Della Costa, Dália Palma, Anselmo Duarte, Rubens de Falco, Jardel Filho, Irina Greco, Dener, Tônia Carrero, Ricardo Amaral, Wallinho Simonsen, dono da Panair, Abílio Pereira de Almeida (que me ensinava a escrever diálogos), Norma Bengel, Araçary de Oliveira, Elizabeth Hartmann, atriz e mulher do fotógrafo Apolo, um dos mais requisitados da moda e da publicidade, autor da capa de meu primeiro livro. Eu babava, eram celebridades na época, fui aprendendo a conviver nesse mundo. Um pouco decepcionado, porque eram "normais", e eu esperava outra coisa, acessos de estrelismo, temperamentalismo, fama, extravagâncias. Como entendia mal tudo!

Pois bem, na Woodstock que não era a Woodstock verdadeira, Marilda, que falava inglês melhor, se aproximou do Ravi Shankar e perguntou o que fazia ali, se estava a passeio ou se haveria um concerto.

— Não! Vim para o festival.
— Qual?
— O da Era de Aquarius. Vai ser aqui em Woodstock.

Nos entreolhamos, nos alegramos. Não éramos os únicos enganados, também Ravi Shankar, o maior citarista do mundo, estava perdido. Incrível, um músico deste num *show* de rock. Perguntei:

— E sua filha? Anoushka. Veio?

— Minha filha? Não nasceu ainda.

— Como não?

— Você deve estar enganado.

A filha daquele músico genial (como demolimos essa palavra com o tempo), linda, sensual em sua pele morena. Um moreno indiano, peculiar. As indianas, ah! Desde que, em 1963, vi Sonali Das Gupta em Roma fiquei encantado com as indianas, a cor da pele, as roupas, o *make-up*. Sonali era a mulher de Rossellini, o cineasta. Seu casamento com uma indiana deu o que falar, aliás, todos os romances dele davam. Vejam o escândalo que foi com Ingrid Bergman, que ele tirou de Hollywood. Ainda bem, um dos resultados foi Isabella Rossellini. Em Roma, eu passava pela loja de Sonali, nas proximidades da Piazza d' Espagna. Contemplava aquela mulher exótica, vestida de sari, e percebia sempre um pequeno tumulto atrás de mim, ela era celebridade. Anoushka Shankar seria como Sonali? Adoro misturar imagens na cabeça.

Agradecemos Ravi e nos fomos, perguntando: "O que está acontecendo?". Na praça, demos com Joan Baez pedindo informação a um americano de chapelão texano:

— Where's the festival?

O homem, com maneiras rudes, resmungou, não respondeu. Maravilha, Joan Baez. Então já estava ali. Não demorou para encontrarmos Janis Joplin, chapadona, com um óculos de lentes amarelas e os cabelos cacheados, e Richie Haven, que tomava cerveja na garrafa esperando para atravessar a rua. Todos olhavam para ele. Ao virar uma esquina, demos com Santana perguntando:

— Where's the festival?

Todos perdidos, como nós. Isso nos consolou. Emoção mesmo tive ao defrontar com Arlo Guthrie, aquele que influenciou todo mundo, principalmente Bob Dylan. Vimos ainda Tim Hardin, Melanie e Joe Cocker. Então, perdemos o festival, erramos de cidade, mas eles também? Fomos comemorar com um belo jantar, tomamos um bom vinho tinto californiano de Francis Ford Coppola, finalizamos com Calvados e regressamos a pé.

Foi quando ouvimos o som e a voz de Joan Baez cantando "Blowing in the Wind". Caminhamos na direção da música para descobrir que aquela gente estava reunida no enorme terreno dos estábulos da R106, pertencente ao The Kedron Valley Inn, onde se alugavam cavalos. Cantavam, dançavam, pena que não tivessem mulheres nuas. Nos encostamos em uma cerca e ficamos a ouvir Baez, Guthrie, Santana, Joe Cocker.

Márcia emocionadíssima ouvindo "Blood, Sweat & Tears" cantar para ela "Spinning wheel" e "When I died"; Jimi Hendrix num canto afinava a guitarra, e ainda Crosby, Stills, Nash & Young, para não dizer do Sly & The Family Stone. Nossa, como gostavam do & comercial. E todos os outros.

Baez me dedicou ainda "Lowlands" e "A stranger in my place". Zezé tinha ido fumar e tentar achar um *espresso* de modo que não ouviu Joe Cocker cantar para Marilda "Angeline", "Bird on the wire" e "Never tear us apart".

Percebemos que estavam ali por nós.

Para nos compensar por não termos ido a Woodstock em Nova York.

Por termos perdido os três dias de paz e amor.

Passaram baseados entre eles e tocaram e cantaram, por sorte tínhamos ainda meia garrafa de vinho do jantar, dividimos irmãmente entre nós, claro, não dava para todo mundo.

Valeram os trinta anos de atraso, tivemos um *show* somente para nós. Ou criamos em nossa cabeça, alimentados pelo delírio, vontade, nostalgia de coisas perdidas? Naquele momento cancelamos o tempo. Sem imaginação, o mundo é raso, um pantanal.

Ao sairmos acenei para Joan Baez, ela fez um gesto afetivo com a mão, e gritou:

— Paz e amor! Estamos indo para Nova York, estamos voltando a 1969, só viemos aqui por vocês.

Quanto a Anoushka Shankar, descobri dois anos mais tarde, quando ela participou no Royal Albert Hall, em Londres, *Concert for George* (o *beatle*), que tinha nascido em 1981. Daí a resposta de Ravi. Naquele momento estávamos em 1969.

Se alguém desconfiou que esse segmento foi influenciado por Woody Allen e seu filme *Meia-noite em Paris*, não só não errou como descobriu que a arte se move continuamente, interage conosco no tempo, no espaço e na memória.

Anã *fashion* na cidade fantasma

Corremos pelas estradas, com/sem destino. *Easy riders* tardios e burgueses (também, com aquela *van*!), em busca de um prazer que era o ócio e não a droga. Conhecemos outra expressão: BUMP. Grandes letreiros em cor abóbora – não há como não enxergar – alertam para o BUMP. Sentimos logo o que era o BUMP. Nada mais que o obstáculo normal nas estradas. Só que há muitas indicações para o motorista não se estourar, ao contrário do Brasil, onde o aviso está em cima do obstáculo – quebra-molas, como se diz no Rio Grande do Sul, ou cavalo deitado, como afirma Marize, mãe da Márcia, ou sonorizador. *Bump* foi outra expressão que entrou para o vocabulário cotidiano, ao lado de mascoma, velhaco, *groceries*. Ou *exit*. Que é saída. Eram tantos *exits* que dizíamos: "Vamos *exitar* ali na próxima". Falando em *exit*, nem tudo é perfeito. Num sábado, íamos pela R11 em busca da R121, um dos caminhos para Grafton. Andamos, andamos e nada da R121. Súbito, ao olhar para uma estradinha que descia, vi, lá embaixo, a indicação de que aquela era a R121. Para descobri-la, só entrando nela. Todavia, como entrar se a indicação era dentro da própria estrada? E ainda dizem que o sistema americano funciona.

Procuramos pontes cobertas, uma das atrações da região. Claro que tínhamos na cabeça aquela ponte do filme de Clint Eastwood, *As pontes de Madison*, com Meryl Streep. Fomos ver a famosa Quechee Gorge (o riacho passa no fundo de uma garganta de pedra), passamos por antiquários, por armazéns de produtos típicos, fuçamos barracas que ofereciam produtos típicos, regionais, tortas e geleias e *chutneys* variados, produzidos com frutas locais, doces, chocolates, vinhos, e variações em torno do *maple*.

O *maple* é uma instituição, está em toda a parte, fala-se, ouve-se, lê-se sobre ele. E come-se! Zezé leu que se fabrica mais de meio milhão de litros de *maple syrup* por ano na região. No folheto não estava escrito *500 mil* e sim *meio milhão*. Impressiona mais!

INFORMAÇÃO INÚTIL:

Cada árvore de *maple* fornece dez galões de seiva.

Para fabricar um galão de xarope são precisos quarenta galões de seiva.

Certa manhã, como Marilda e Zezé queriam ficar no Quechee Gorge Village (Antiques Crafts Children's Fun & Ride Center – Country Store – Vermont Speciality Shops), na R4, enorme antiquariado, cheio de objetos bastante curiosos, sendo muitos a cara deles e da casa deles, combinamos de deixá-los por duas horas e ir circular de carro. Nesse shopping vi três CD's de Elisabeth von Trapp, neta do Barão von Trapp, de *A noviça rebelde*. Bobeei, não comprei. A moça é bonita.

Saímos pela R4 e entramos à esquerda na Fat Hat Factory (Antiguidades e artesanatos), um de nossos pontos de referência. Descemos até uma confluência da estrada. Para a esquerda, uma ponte coberta e para a direita uma pequena vila, com a arm chair, vidraria (onde se fazem vidros soprados), cerâmica, tapeçaria com tapeceiro irlandês e restaurante. Tínhamos passado por ali algumas vezes e dizíamos: "Aí está o Simon & Garfunkel". Márcia e eu decidimos explorar, paramos no estacionamento, fomos indagar se era preciso reservar para almoço. Não. Bastava chegar e dar nome. Adoramos a localização do restaurante todo envidraçado, sobre o rio, com vista para a ponte coberta.

Continuamos pela Main street, estavam recapeando a estrada, grandes máquinas em ação, um monte de homens e mulheres comandando o trânsito com bandeirinhas de *Stop* e *Go* vermelhas. Erramos caminho e fomos subindo, por dentro de pequenas fazendas. Não se via ninguém.

Apareceram casas cada vez maiores, avistávamos no alto das montanhas imensas mansões, verdadeiros castelos. Como se estivéssemos na Suíça. Não sabíamos que estávamos na vizinhança do *resort* de esqui, onde se realiza todos os anos o festival de balonismo.

Voltamos para a R4 e tomamos a direção White River Junction, parando na loja 25.000 Gifts. Horrenda, cheiro de mofo, roupas e sapatos bregas, não ficamos 10 minutos. White River Junction foi uma experiência interessante. A palavra *junction* sempre me lembrou filmes de *far west* com Randolph Scott ou Joel McCrea sobre a epopeia das construções de estradas de ferro. Vila deserta. Não havia uma só pessoa nas ruas, apesar dos estacionamentos estarem cheios. E o povo? Cidade velha, não abandonada, mas dando a sensação de que parou no tempo. Limpa, mas como se fosse cidade-fantasma.

Mestre vidreiro trabalhando vidro soprado.

Numa esquina, uma placa super colorida: Tastes of Africa. Karibu Tule Restaurant. Não atraía nem um pouco! Passou um carro preto, cheio de latas e fitas, bolas prateadas e papéis amarrados. Dentro, uma noiva. O automóvel barulhento virou a esquina, desapareceu. Silêncio. Aquele casal acaso imaginaria que dois brasileiros estavam a observá-lo? Uma limusine descomunal, metros e mais metros, virou a esquina com facilidade. Junto a um hidrante, uma anã gorda, maquiagem pesada, quase uma máscara de louça, saia cintilante, óculos *fashion*, como se estivesse indo para uma balada, nos olhou com surpresa. Encarei e ela não gostou, fez uma carranca ameaçadora.

Caminhões imensos faziam, com habilidade e leveza, a curva apertada da esquina. Lembrei-me de um velho filme do George Raft em que ele era caminhoneiro nos anos 1930. Aqueles veículos eram do tamanho dos "cavalos" que puxam as carretas dos *containers* de hoje. Queríamos uma água, Márcia precisava tomar Parcel, a enxaqueca ameaçava se manifestar.

Paramos numa pizzaria *delivery*, uma jovem loira mordia a ponta da Bic e anotava um pedido interminável de pizzas. Quatro homens enormes, de camisetas, não faziam nada, apenas nos contemplavam, tomando cerveja na garrafa. Impressiona como todos bebem direto da garrafa, principalmente cerveja. Parece um mundo sem copos. Mesmo em restaurante, bebe-se nas garrafas, exceção, claro, a lugares mais sofisticados, com algumas estrelas. Pelas ruas, as pessoas bebendo nas garrafas, um hábito que começou a se instalar também no Brasil, com a difusão das *long necks*.

Depois de alguns minutos, um deles me atendeu, pedi uma Coca-Cola. A jovem continuou ao fone, indiferente. Custou 99 *cents*, dei um dólar, me deram o troco, agradecendo. E continuaram a nos olhar e a não fazer nada. Outra vez a rua vazia. Tantas pizzas seriam para o casamento?

Carros chegavam, pessoas desciam e desapareciam. Onde? Olhei, o *hall* do Hotel Coolidge estava vazio. Fomos rumo à estação, havia uma velha locomotiva estacionada com um letreiro, pedindo contribuições para restaurá-la. Antes de cruzarmos a linha do trem, paramos indecisos. Das loucuras do cotidiano nesse país, onde há normas, regras, determinações. Os Estados Unidos são cheios de normas sutis, regras, preceitos. Quase pegadinhas. Por um minuto contemplamos, sem saber o que fazer, uma placa que avisava, peremptória (termo tão usado por Faulkner), quase ameaçadora:

Este é um caminho privado
Ao atravessá-lo, você o faz por conta e risco,
não cabendo à empresa proprietária
nenhuma responsabilidade por sua decisão.

Medo de ações judiciais? Afinal, este é o país dos advogados e das ações indenizatórias. Por um instante ficamos em dúvida se podíamos caminhar por ali. Então vimos algumas pessoas atravessando e concluímos que aquele era um caminho, o único para se chegar do outro lado. Dentro da estação, uma velha ouvia de um chefe de cabelos brancos uma interminável informação. Era um homem idoso, saudável, bem-apessoado, uniforme azul impecável (que diferença dos nossos ferroviários da EFA ou da Paulista, hoje Ferroban, duas empresas decadentes, homens mulambentos, mal-ajambrados, pobres). Um jovem esperava, paciente. Uma bandeja com café e água estava sobre uma mesa, à disposição dos viajantes. Aproveitei para ir ao banheiro. Ir ao banheiro foi uma de nossas preocupações constantes nessa viagem. Sempre estávamos à procura do *restroom*. Era uma palavra mágica, recorrente.

Dentro dos quadros de Hopper

Voltamos à avenida principal. Ainda ninguém. A anã *fashion* tinha desaparecido. Uma sensação se desenhou clara. Exata. Hopper. Estávamos dentro dos quadros de Edward Hopper, o homem que pintou o cotidiano da América. Tenho muitas reproduções dele, além de um belo livro de Ivo Kranzfelder, editado em português pela Taschen. Vou e volto por dentro dessas cidades e noites vazias, noites e estradas desertas. O homem que compreendeu os solitários, reproduziu esse estado de espírito, mostrando ou não pessoas. Lembrei-me de quadros como *Proton avenue, Gull lake, Saskatchewan*. Um me vem à cabeça com insistência: *Early sunday morning*, de 1939. A mesma solidão, mesma luz esmaecida, as cores fortes ou desbotadas das paredes, as vitrines fechadas. Imagens da viagem surgiram no silêncio da plataforma. Postos de gasolina, como o *Gas*, de 1940, ou *Portrait of Orleans*, de 1950. Parávamos para abastecer e não havia ninguém, a maioria self-service, pagava-se com o cartão. Ou então, nos dirigíamos para uma pequena *drugstore*, onde uma velha na caixa recebia o dinheiro, sem dizer nada.

Hopper foi considerado medíocre, em 1946, por Clement Greenberg, o mais importante crítico de arte americana. Um criador cujos "meios técnicos não têm originalidade, são impessoais", disse ele. Hopper, diz Kranzfelder, "não aparece na maior parte das obras sobre pintura moderna". No entanto, depois, os artistas da Pop art consideraram Hopper como um de seus precursores. A crítica europeia encontrou intensa transcendência em sua obra. Uma pintura filosófica, dizem. Mas por que ele acabou se tornando um "pintor da moda"? Como justificar a quantidade incrível de livros sobre ele e os milhões de *posters*, postais e reproduções de sua obra que se vendem sem cessar? O público, as várias gerações se identificam com seus quadros. Quem sabe das coisas? Quem exclui? Que crítica é essa?

O que Hopper captou não foi apenas a luz americana de maneira intemporal. Capturou a luz de minha solidão, minhas esperas e angústias, minha desesperança e, essencialmente, a dificuldade de comunicação que me oprime, me vergasta, incontrolável. Sou personagem de suas pinturas, com essa gente a olhar para o nada, para o infinito vazio. Não se veem os olhos dos personagens de Hopper, da mesma maneira como as pessoas, julgo eu, não veem meus olhos, porque nunca encaro, não fixo, o olhar do outro me faz mal, incomoda. Aquilo que critiquei em *O verde violentou o muro*, em relação aos alemães, na verdade é problema meu, é uma *não qualidade* minha. Quantas vezes me vi em quadros como *Office in a small town*, de 1953, e *Excursion into philosophy*, de 1959. Claro que sou eu sentado diante do posto em *Four Lane Road*, enquanto uma mulher parece gritar na janela atrás de mim. Não ouço. Sou incapaz de ouvir, de compreender, de falar.

Deixamos a estação, o tempo está parado na plataforma.

A estação de White River Junction.

O que tem a estação? Por que está em minha cabeça?

Não, nada a ver com os filmes, é coisa ligada à literatura.

Olhei a plataforma batida de sol. Em um quadro, os horários dos trens para Nova York. Quem viria de Nova York para White River Junction? Era um ponto mínimo a espicaçar minha memória. A cutucar, cavocando, incomodando.

Mas, o quê?

Súbito, descobri.

MISTÉRIOS DA LITERATURA E DO DESTINO

No final dos anos 1930, Scott Fitzgerald teria visto a estação de White River Junction?

Ele passou por aqui a bordo de um trem noturno, a caminho de Hanover. Foi em 1939 e ele vivia suas últimas esperanças de sobreviver como roteirista de cinema. No trem, e em Hanover, ele bebeu, deprimido, cheio de angústias.

Zelda estava internada num hospício e ele corroído por dívidas e sem nenhuma perspectiva quanto à carreira literária.

Mas depois, em meio à dor, ainda escreveu *The last tycoon* (*O último magnata*), clássico da literatura americana.

Incompleto, o romance foi publicado depois de sua morte. Agora, aconteceu o *revival* Scott, mas seu purgatório foi doloroso.

Uma estação imobilizada no tempo

O tempo desapareceu em White River Junction. Demorou para tudo ficar claro. O processo fascina. Maravilhas da mente. Aquela estaçãozinha foi um ponto de passagem, referencial na literatura e no cinema. Está ligada a Scott Fitzgerald, Budd Schulberg e Walter Wanger. Scott, um ídolo literário. Budd, escritor e roteirista, um homem a quem invejei. Wanger, o produtor poderoso, sonho distante do cinema. Scott por ser quem foi, o criador de uma literatura renovadora, espelho de uma geração. Desfrutou da glória máxima, porém ela foi rápida, tornou sua vida uma tragédia. Brilhou por nove anos apenas e se afundou, confirmando a teoria de que os mitos explodem e morrem cedo. Schulberg, que se criou em Hollywood (o pai era poderoso produtor na Paramount), entre estrelas e diretores, decidiu sua vida pela literatura. Foi o autor de uma frase histórica, ao ser apresentado a Fitzgerald, no estúdio da Metro, em 1939.

O produtor Walter Wanger, um dos *top* de Hollywood, amigo pessoal da família Schulberg, decidiu um dia ajudar o jovem recém-casado, gago e desajeitado, e deu-lhe um roteiro para ser refeito, hábito comum na indústria do cinema. Faziam e refaziam. Ainda hoje é assim. *Winter carnival* era uma história que se passava na Universidade de Dartmouth, em Hanover, Vermont, onde a elite do país estudava. Escola tradicional e conservadora. O filme seria uma bobagem sobre uma garota que se torna rainha do carnaval e seus amores juvenis. Tipo novela das seis da tarde na Globo. Wanger comunicou a Budd, então com 25 anos, que Scott Fitzgerald o ajudaria na tarefa. Intelectual, Budd admirava Scott. Não escondeu a surpresa:

— Meu deus, mas Scott Fitzgerald já morreu.

Aqui se tem ideia de como o autor mais célebre dos anos 1920-1930 estava em seu ponto extremo de depressão e descrédito. Wanger retrucou:

— Não só não morreu, como está na sala ao lado, à sua espera.

O episódio está no livro *Mentiras íntimas* (*Intimate lies*), de Robert Westbrook, filho de Sheila Graham, a mulher que partilhou o final da vida de Scott. Para Jeffrey Meyers, biógrafo de Fitzgerald, iniciava-se "a mais sórdida e calamitosa experiência de Fitzgerald como roteirista de cinema". Por causa do romance *Este lado do paraíso*, sucesso sem precedentes, Scott era considerado "especialista em assuntos universitários, tinha o ouvido para o falar e o comportamento dos jovens". Catalogação que ele odiava. Fitzgerald tinha preconceito em relação ao cinema, vivia tenso e aceitava escrever roteiros para pagar suas enormes dívidas, pois Zelda estava internada numa clínica psiquiátrica e Scottie, a filha, fazia a *high school*. Seus livros tinham desaparecido das livrarias e as revistas não queriam seus contos, depois de ter sido o autor mais bem pago do mundo por um conto.

Sua função, ao lado de Budd, seria dar charme, cor local e produzir diálogos brilhantes para *Winter carnival*. Os dois, mais

Walter Wanger, que desconfiava de Scott por causa do álcool, apanharam em Nova York o trem para Hanover, onde fica a universidade. White River Junction era importante entroncamento interestadual. Naquela estação vazia, olhando os trilhos na direção da Hanover, eu pensava na situação, tentava visualizar o trem à noite.

Em lugar de pesquisas, vivências, observações e muito trabalho na universidade, para tornar um roteiro razoável, o que aconteceu foi uma sucessão de desastres, bebedeiras, bloqueios criativos e incidentes lamentáveis, que culminaram com o desprezo público mostrado pelos "respeitáveis" professores de Dartmouth (o nome deles está esquecido; e o de Scott?). Esnobes, os catedráticos se sentiram ofendidos quando Scott, embriagado, não conseguiu fazer uma palestra e foi humilhado. Logo ele que estava na maior depressão. Segundo Meyers, ele repetia, constantemente: "Sabe, em tempos passados eu possuía um belo talento. Era um sentimento maravilhoso saber que estava ali, e ainda não desapareceu de todo". Uma pequena chama brilha no fundo da gente até o final.

O escritor penetra no purgatório

Schulberg mostrou-se abjeto por duas vezes na história do cinema. Foi um delator de companheiros durante o processo que o senador MacCarthy promoveu contra os comunistas e retratou Scott de modo desprezível no romance *Os desencantados* (*The disenchanted*), publicado em 1950, dez anos depois da morte de Scott. No Brasil, saiu pela Cosac Naif em tradução de Alexandre Barbosa de Souza, Alípio Correia de Franco Neto e Rodrigo Lacerda. Apesar de tudo, é um bom livro, triste. Dizem que Budd odiou servir de escada e *chaperon* e teria se vingado literariamente. Scott teve fim prematuro, aos 44 anos. O livro fala de um homem beirando os 40 anos, passando pelo que se chama o *purgatório dos escritores*, principalmente para quem atingiu a fama, teve um público enorme e os favores da crítica, seguido pela derrota (*crack up*), pela baixa estima, nenhuma produção, impossibilidade de criar e alcoolismo.

O personagem Manley Halliday foi calcado inteiramente em Fitzgerald. Há um trecho que foi a memória exata do primeiro encontro entre os dois, encarregados de ler e melhorar *Winter carnival*. Shep, o personagem que no livro é Budd Schulberg, pensa:

> "Queria dizer a Halliday que o roteiro não era digno de seu tempo, que era apenas um típico musical universitário escrito sob encomenda. Mas então lembrou-se, quase com susto, que Halliday estava sendo contratado para ler *Love on ice*. Halliday estava sendo pago para isso. Shep não entendia por que. Ele imaginava o que poderia ter acontecido a Halliday para rebaixá-lo a este ponto."

A estação de White River Junction figura numa passagem de um livro que me emocionou muito nos anos 1970. Budd Schulberg, apesar de tudo, foi autor que admirei ao ler *O que faz Sammy correr*, trajetória do *office boy* inescrupuloso que se transformou, à custa de golpes ousados, plágios e roubos descarados de argumentos num bem-sucedido roteirista de cinema. Moldava-se o protótipo dos bem-sucedidos na sociedade moderna.

Budd tem outro livro bastante interessante, *As quatro estações do sucesso*. Obra primorosa, discute um problema que me afeta: a crise dos escritores que chegam à meia-idade, os escritores que tiveram de fazer cinema, deixando os próprios livros de lado. Será que os livros institucionais que tenho feito para sobreviver acabarão me matando? No entanto, são livros curiosos porque mostram a história da iniciativa privada no Brasil. E há perfis vigorosos, escritos em tom quase de romance, como o de Emilio Romi, industrial de Santa Bárbara d'Oeste; o do fundador do Leite de Rosas, homem ousado e criativo; de Olavo Setubal, o que ergueu a *holding* Itaú; o do fundador da Drogaria São Paulo, Thomaz Carvalho; o da família Lupo de Araraquara; a história dos vitrais no Brasil. Esses livros me deram prazer. Como serão vistos no futuro?

No pungente ensaio *As quatro estações do sucesso* (Editora Tempo Brasileiro: Rio de Janeiro, 1974), Budd esclarece: "Embora se costume pensar que Scott Fitzgerald seja o malfadado autor que é, arrastado por entre o Carnaval de Inverno em *The disenchanted*, ele teve um importante predecessor. Vários anos antes fora a John V. A. Weaver que eu, como estudante, convidara a vir a Dartmouth para falar à nossa sociedade literária. E fora o celebrado poeta de *Smart Set*, agora transformado em escritor de filmes, que caíra totalmente bêbado em meus braços inexperientes quando o aguardava para recepcioná-lo na estação de White River Junction. Meu problema naquele dia era se o levava naquele estado para entregá-lo à comedida Casa Sanborn do Departamento de Inglês da Universidade de Dartmouth ou se ficava lá em White River, a seu lado, num esquecimento filosófico. Cinco anos mais tarde, numa repetição bizarra, teria novamente o mesmo problema com Scott. O modo como um jovem admirador lida com uma celebridade literária que caiu no desespero da meia-idade é uma crise que tem de ser resolvida, com todos os terrores desse tipo, pelo deus benevolente do tempo".

Há o outro lado da situação, descrito por Billy Wilder no livro *As entrevistas da Paris Review* (Companhia das Letras). Um livro necessário e prazeroso de ler, principalmente por quem gosta dos bastidores de uma arte, pelo *making of*, palavra em moda para tudo. Wilder, bem-humorado, zombeteiro mesmo, comenta numa das respostas que os escritores de nome "eram contratados por um caminhão de dinheiro. Lembro do tempo em Nova York que um escritor dizia para outro: 'estou falido. Vou para Hollywood faturar uns 50 mil'. Além disso, não sabiam o que era escrever para a tela. É preciso conhecer as regras para depois quebrá-las e eles simplesmente não procuravam entendê-las... Nenhum deles levava o negócio a sério e, quando eram cobrados pelo produtor ou pelo diretor, que tinham mais voz e o peso do estúdio a respaldá-los, não estavam particularmente interessados em ouvir... Lembro-me de Scott trabalhando para a Paramount... Sempre que víamos Scott por ali conversávamos um pouco com ele, que nunca, nenhuma vez, nos perguntou nada sobre roteiros. Filmes são um pouco como peças. Compartilham a arquitetura e o mesmo espírito. Um bom roteirista é um tipo de poeta, mas um poeta que desenha uma estrutura como um artesão e é capaz de dizer o que está dando errado no terceiro ato. Um roteirista veterano poderá não escrever nada de bom, mas será tecnicamente perfeito; se tem um problema no terceiro ato, com certeza saberá encontrar a raiz desses problema no primeiro ato. Scott simplesmente não parecia interessado em nenhuma dessas questões".

Quanto a Billy Wilder, quando cheguei a Hollywood em 1967 para produzir uma revista *Claudia* especial, li que ele era dono de um restaurante excelente de comida francesa. Era um homem refinado, um grande colecionador de arte. Procuramos ir várias vezes ao restaurante, nunca conseguimos reservar mesa. Não me lembro mais o nome do restaurante. Na época, instalados no estúdio da Fox, ouvimos falar que Wilder era difícil, intratável, temido. Mais tarde, em tudo que li sobre Hollywood se dizia o contrário. Para mim era o homem que tinha realizado filmes memoráveis como *Pacto de sangue* (*Double indemnity*), *Farrapo humano* (*The lost weekend*), *A montanha dos sete abutres* (*The big carnival*), *Se meu apartamento falasse* (*The apartment*), tão melancólico, *O pecado mora ao lado* (*The seven year itch*), *Testemunha de acusação* (*Witness for the prosecution*). E acima de tudo *Crepúsculo dos deuses* (*Sunset boulevard*) e *Quanto mais quente melhor* (*Some like it hot*). Para mim alguns dos melhores filmes de todos os tempos.

Na mesma plataforma 66 anos depois

Lembrei-me vagamente dessas coisas. Afinal, estava nos Estados Unidos, no "centro da ação", num lugar cheio de fantasmas para mim. No momento de finalizar o texto fui buscar o livro de Schulberg para as citações corretas. Ali, na manhã ensolarada, na plataforma da estação, tentei reconstituir o autor à espera do trem que traria seu ídolo literário. Budd jamais poderia imaginar, enquanto esperava Weaver, em 1934, que nos anos 1970 escreveria sobre o assunto. E em 1974 seria lido por um brasileiro. Mais ainda: no ano 2000, esse brasileiro, eu, estaria na mesma plataforma em que ele esteve, 66 anos antes. Meus cálculos: ele partilhou a tragédia de Scott em 1939. Como se referiu ao fato dizendo que eram cinco anos depois do encontro com Weaver, foi esperar o poeta em 1934. A Universidade de Dartmouth fica em Hanover, pouco acima de White River Junction. Na estrada, podíamos ver as placas indicando Hanover. Elas me chamaram a atenção por causa da Hanover alemã. E aqui entra Walter Wanger.

Em 1963, quando morava em Roma, uma tarde fui buscar a colunista social do *Última Hora*, Alik Kostakis, que estava hospedada no Grande Hotel, nas proximidades da Stazione Termini. Caminhamos até a Via Veneto. Alik, uma grega, era amiga, engraçada, brava às vezes, conhecia toda a sociedade paulistana, era muito lida, tinha amigos no mundo. Foi da geração que no Brasil construiu a ponte entre o colunismo pioneiro de Jacinto de Thormes (e depois o de Ibrahim Sued) e o dos "modernos" Zózimo, Joyce e Danuza. Que, por sua vez, fazem a ligação com a nova geração de Mônica Bergamo (*Folha*), Boechat (*O Globo*), Sonia Racy (*O Estado*).

Fomos nos encontrar com um americano chamado Charles Fawcett, apelidado o "gerente" de Via Veneto. Um desses tipos que você não sabe o que faz, porém são relacionados, conhecem as pessoas certas (e importantes) são populares, estimados, um pouco ironizados, vestem-se bem, estão em todas as festas, sabem o que está acontecendo na cidade inteira. Um desses tipos misteriosos que existem em todas cidades. Fawcett seria um traficante, um cáften, um *gangster*, um lobista, um *playboy*, um gigolô, alguém que vivia de rendas ou apenas um *bon-vivant* que se aproveitava de todo mundo, um sujeito legal? Ou um rico que levava a vida? Sempre fui ingênuo em relação às pessoas. Sei que fez pontas em vários filmes classe B, dirigidos por amigos. Filmes que ele depois ajudava a promover. O que me lembro é que era um homem bem-apessoado e vestido, muito legal, sorridente, conhecia todo mundo, e eu me admirava de que às quatro da tarde ele estava ali na Via Veneto sentado, sem nada a fazer, sem nenhuma preocupação, compromisso. Na minha cabeça provinciana, responsável, no meio da tarde todos deviam estar trabalhando em algum lugar, com horário. Meu mundo era pequeno! Fawcett repetia muito: "eu só vou onde quero, só onde quero". Fomos almoçar no Café de Paris (lá estavam Jorginho Guinle, Ricardo Amaral e Ibrahim Sued) um lugar caro e bem frequentado, não a lanchonete popular de hoje numa Via Veneto decadente. Estava preocupado, Alik me disse para relaxar, ela e Ricardo pagariam a minha parte.

Diante de mim, o esplendor de Hollywood

Fawcett nos conduziu à mesa de um homem bem-vestido, cachimbo na boca, cabelos levemente encaracolados. Educado, afável. Estendeu a mão e se apresentou: Walter Wanger. Esfriei. Eu estava diante do homem que tinha sido dos mais poderosos produtores de Hollywood. Era a velha Hollywood em seu esplendor. Eu que lia tudo, de livros sérios a revistas de fofocas, sabia que ele tinha sido, em 1942, o homem que tinha pago o mais alto imposto de renda do mundo do cinema, 900 mil dólares. Representava também a transição da Hollywood dos estúdios para as produções independentes, que libertaram os profissionais da tirania dos *moguls* nos difíceis anos 1950.

Wanger era o cinema. Hábil em manejar produções comerciais, cumprir cronogramas e se apresentar como o mais intelectualizado dos produtores, por causa do verniz ganho em Dartmouth. O homem que produzira *Rainha Cristina*, com Greta Garbo, *No tempo das diligências* (*Stagecoach*), de John Ford. Ou *Almas perversas*, de Fritz Lang. E inventara a série que ele chamava "garotas e areia", os filmes *Mil e uma noites*, com Maria Montez, tesão de toda a minha infância, mulher lindíssima, sensual, que morreu misteriosamente numa banheira, muito jovem. Notícias falaram de um ataque de coração; depois se insinuou overdose. Mais, Wanger tinha acabado de produzir *Cleópatra*, o filme mais falado do século, rodado ali em Roma, palco de escândalos, roubalheiras, (os italianos ganharam fortunas), o diretor Joseph Mankiewicz quase enlouqueceu, a Fox foi à falência, Liz Taylor e Richard Burton dominaram a cena dos jornais sensacionalistas, Eddie Fisher foi saudado como o corno da década.

Wanger tivera a coragem de enfrentar Louis B. Mayer, o homem que reinou sobre o velho cinema e diante do qual as pessoas se mijavam nas calças/ se cagavam de medo. Porém, em 1963, Wanger estava com 69 anos, e sua carreira tinha terminado. Jovial, aparentava ser um saudável e charmoso sessentão. Ele perguntou:

— Brasileiro? O que o senhor faz?

— Sou jornalista e quero escrever para o cinema.

— Conheci muitos escritores, muitos mesmo. Até demais. Vocês não são fáceis.

Sorriu da própria brincadeira, mas havia no fundo uma certa vontade de espicaçar, parecia desabafo. De qualquer modo, fiquei orgulhoso por ele pensar que eu era escritor. Se soubesse que eu tinha escrito uma bosta chamada *Cravo sobre gim seco*, romance que se passava no desaparecido João Sebastião Bar. Rasguei, joguei fora, enterrei as laudas no quintal de Araraquara. Hoje penso que ali havia material a ser aproveitado, era tempo da bossa-nova tentando se implantar em São Paulo.

A frase ficou por ali, era apenas cortesia. Até achei bom. Conversar para mim sempre foi aflição, ainda mais com meu inglês trôpego. Fawcett interrompeu a conversa para apresentar Barbara Steele, que tinha feito *8 ½*, de Fellini, e uma outra estrelinha loira platinada com um cachorrinho no colo. Naquela altura, em Roma, nunca se sabia se eram estrelinhas ou garotas de programa. Para mim também não adiantava saber, eram mulheres longe de minhas possibilidades. A menos que se interessassem por livros e literatura.

Confesso que senti certa emoção ao conhecer Walter Wanger. Apesar de ser odiado por Scott Fitzgerald (coisas lá entre eles, eu não tinha nada com isso...) era esperto e correto. Por ter estudado na famosa Dartmouth ele era tido como um dos raros produtores intelectuais do seu tempo. O nível em geral era baixo. Eram pessoas (negociantes de peles, comerciantes, vendedores de bijuterias) que viram o cinema como um meio de fazer dinheiro, produziam por instinto e realizaram grandes filmes, mas o grau de cultura era de médio para baixo. (Consultar *A cidade das redes*, de Otto Friedrich. E *O gênio do sistema*, de Thomas Schatz.) Eu tinha lido sobre as posições firmes de Wanger durante a caça às bruxas, quando ele se opôs às demissões/punições dos considerados esquerdistas, dos comunistas e dos que eram denunciados pelos próprios companheiros de trabalho em Hollywood. Demandava coragem e caráter na época. Lembro-me também que ele tinha se envolvido num escândalo em 1951. Ao saber que sua mulher, a atriz Joan Bennett (*Almas perversas*), estava tendo um caso com o agente Jennings Lang esperou na porta do apartamento de Marlon Brando, onde os dois estavam. Na saída, deu dois tiros no saco de Lang, que sobreviveu. O que seria do mundo sem fofocas?

Gostaria de encontrar a crônica que escrevi para o *Última Hora* sobre aquele almoço. Ou escrevi e não mandei, ela veio na mala, logo depois voltei. Não existiam internet nem fax, era tudo na base do correio ou, se o jornal pagasse, se podia usar o teletipo de uma agência noticiosa como a Ansa, na Itália. Mas o *UH* se recusava a pagar extras. Mal depositava meus salários em São Paulo, cheguei de volta numa dureza absoluta.

Naquela altura da minha vida, eu ainda não tinha lido tudo sobre Scott Fitzgerald, a ponto de saber que Walter Wanger o tinha contratado e demitido. Aliás, David Selznick também contratou e demitiu Scott, detestando suas ideias para a adaptação de ... *E o vento levou*. As pessoas que fazem história não sabem que a estão fazendo.

A casa do Prêmio Nobel estava ao lado

O livro de Schulberg trazia outras informações preciosas, ainda que um pouco tardias. Foi em 1935 que ele procurou Sinclair Lewis, o Prêmio Nobel de 1930, autor de *Babbitt*, *Elmer Gantry* (base do filme *Entre Deus e o pecado*, libelo contra o monetarismo de seitas religiosas), *Rua principal*, *Dodsworth*. Fui pego no fígado. Lewis estava morando a poucos quilômetros de Woodstock (Schulberg atravesssou o White River para chegar lá), em uma "casa branca de madeira, protegida por árvores". Casa "gostosa e colhedora, solitária e vazia. Havia uma sala de estar comprida e maravilhosa, com as paredes cobertas de livros e que dava para um terraço, aparentemente sem fim...". Eles conversaram sobre vários assuntos, um deles a greve de operários marmoristas nas vizinhanças de Rutland (cidade que vocês vão encontrar algumas páginas à frente). A greve e sua repressão revelaram a estrutura feudal e o comportamento fascista das comunidades de Hanover, Proctor e Rutland e das famílias que eram "donas" do pedaço.

Para muitos, Sinclair Lewis terminou aos 43 anos, quando publicou *Dodsworth*. Tudo o que produziu depois foi ruim. Os mais chegados sentiram que ele tinha se "desintegrado, destruído pela fama e se autodestruído pelo amargo reconhecimento do fracasso prematuro de sua genialidade". Ao receber o Prêmio Nobel, comentara com um amigo: "Isso é fatal! Não posso viver à altura disso". Eu bem gostaria de ter visto onde morou Sinclair Lewis. Afinal, *Rua principal (Main street)* é um romance que adoro e *Babbitt* o livro que eu gostaria de ter escrito. Quem sabe a casa onde ele morou seja museu, a memória histórica é importante para os americanos.

Ao deixarmos White River Junction, numa curva da R4 West, Márcia e eu (com meus fantasmas na cabeça) passamos por um pátio de manobras, com virador de locomotivas e uma garagem semicircular para vagões. Muito igual às da Noroeste, que via em Bauru nos anos 1940, quando o trem passava rumo a Vera Cruz. Quem copiou quem? Ao nos afastarmos, os trilhos prateados brilhavam ao sol.

A mulher que se parecia com Georgia O'Keeffe

Chegamos ao Antiques meia hora antes do combinado. Por sorte. Marilda e Zezé (com uma garrafa de água na mão) nos esperavam. Não tinham comprado quase nada. A loja não resistiu a um exame detalhado. As coisas boas e bonitas que existiam eram caríssimas ou de difícil transporte.

Fomos diretos para o Simon & Garfunkel, digo Pearce. Ao passarmos por uma casa com bandeira, os três exclamaram: "Aqui esteve o Kennedy!". No restaurante, haveria "rápida espera", apesar de vermos mesas vazias. Nos deram um bip que vibraria e nos recomendaram ficar pela loja. Um truque, claro. Gente em loja sempre gasta e foi o que fizemos. Marilda e Márcia compraram toalhas e guardanapos. Apanhei um postal que mostrava uma fruteira de cristal cheia de ovos. Vimos coisas lindas e outras não, em vidro e cristal. Na seção de móveis, umas cadeiras bem interessantes, não sei por que tenho fixação com cadeiras. O design lembrando a severidade dos *shakers*. 12h30 em ponto o bip vibrou e nos conduziram a uma mesa próxima às janelas envidraçadas, com vista para o rio e a ponte.

Pedimos, logo, um vinho branco. Chardonnay 1997, californiano, do vinhedo Santa Helena. Frutado, fresco, caiu bem. Nossas escolhas foram sopa de abóbora, bolo de caranguejo e bacalhau, truta defumada com manjericão e salada de batata, salmão grelhado e *sirloin*. Nossas refeições eram momentos abençoados, horas calmas, de bem com o mundo, degustando lentamente os pratos, sentindo-nos felizes, o Brasil e o trabalho esquecidos, inexistentes. Nos ligávamos somente ao prato, com a antecipação do que viria – no geral, erramos pouquíssimo! Nos bons lugares, as comidas eram aromáticas, os desenhos atraentes, tínhamos pena de acabar com elas. Mas o fazíamos!

Um homem ao lado armou um barraco com a garçonete, ainda que de maneira discreta. Ficamos observando um casal junto à vidraça ensolarada, que dava vista para a ponte de madeira. Ele alto, cinquentão, cabelos grisalhos. Ela lembrava Georgia O'Keeffe, a pintora americana, nascida em 1887. Era quase uma sósia. Na minha cabeça estava uma foto que eu tinha em meu arquivo, *portrait* feito por

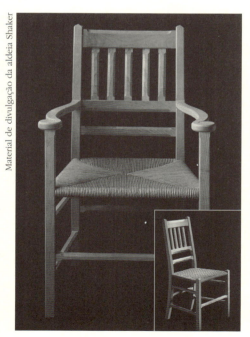

Material de divulgação da aldeia Shaker

A cadeira *shaker* era vista por toda parte. Antiga, moderna.

Consegui este postal de Georgia O'Keefe retratada por Stieglitz, um clássico.

Stieglitz. Um rosto muito forte. Comiam um prato bonito, que não identificamos. Olhamos tanto para o casal que ele acabou nos encarando. Sem hostilidade, apenas com curiosidade. Intrigado, talvez: "por que estariam aqueles estrangeiros a contemplá-los?". Estavam perto para ouvir que falávamos outra língua, quem sabe identificassem, pensassem tratar-se de francês. Uma ou duas vezes, nos lugares, indagaram: "São franceses?". De qualquer modo, os dois saíram antes e sequer olharam para nossa mesa, sorriram ou acenaram. Deve ser a famosa privacidade americana.

Na mesa ao lado, falando alto, quatro homens, jeitão de acadêmicos, discutiam:

— A esquerda se dissolveu...

— Como será o mundo depois da queda do muro?

— Catolicismo e protestantismo precisam reconhecer a debacle de Deus. Ele não existe mais.

— O movimento feminino precisa se dar conta de que a ruína do homem será a ruína das mulheres... A razão existencial está falida...

Na hora da sobremesa, somente eu arrisquei algo que tinha um nome diferente: *Irish Rubarb Crisp*. O que viria a ser? Chegou um sorvete envolvido em uma massa crocante, com um leve gosto de gengibre. Todo mundo meteu a colher, era um hábito pedirmos duas sobremesas para quatro, as mulheres sempre pensavam no regime. Após o café, saímos ao sol, descemos ao porão, vimos quatro jovens a trabalhar com vidro. Tudo é *show* para os americanos. Uma separação e as pessoas se amontoam, observando. Só faltou dar *gratuities*. Na sala ao lado, outro jovem fazia cerâmica. Sem assistência, cerâmica é "sem graça", para quem vê, fica aquele cara rodando o barro.

Estávamos modorrando, o dia lindo, contemplamos por algum tempo as corredeiras murmurantes que o rio Ottauquechee faz sobre as pedras, embaixo do restaurante. Apanhamos o carro e saímos, sem saber para onde. Chegamos em Woodstock, tomamos à direita no Green (a imensa praça central) e seguimos pela R4 na direção de Bridgewater. Gostamos do nome. Andar por andar. Meio da tarde, o ar parado, casas fechadas, tranquilidade, apesar da estradinha movimentada. Carros americanos não fazem barulho! Verdade que não vimos carros velhos, banheironas escangalhadas, automóveis amassados. Vez ou outra Márcia lembrava a Via Lagos, a que vai para Cabo Frio e Arraial do Cabo, repositório de sucatas, de todo o ferro-velho imaginável em matéria de indústria automobilística. Igualmente não vimos viaturas policiais pelas estradas. Nem uma só vez cruzamos com os dois policiais, *Chips*, em suas motos. Esta é para saber idade. *Chips*, quem se lembra da dupla de policiais rodoviários?

O radar conta tudo? Onde ficam os radares? O único policial visto foi aquele que examinava portas em Woodstock, na primeira noite. Todos na velocidade permitida, que não é muita, e fica entre 25 e 50 milhas.

Passamos por fábricas, campos de golfe, pousadas, imobiliárias. Nenhuma borracharia. Onde americano conserta o pneu? Ou os pneus não furam? Se o carro quebrasse na estrada, o que deveríamos fazer? Claro que eram os meus pensamentos, minha neura. Íamos na direção do estado de Albany. Albany me fez lembrar William Kennedy, o romancista. Killington ou Rutland? O que tem nessas cidades? Não sabíamos, rodávamos. O trecho não era particularmente excitante como paisagem. Pelas 15h30, ficamos atrás de um ônibus escolar que circulava lento, devolvendo a meninada às suas casas. Ele parava, todos paravam. À esquerda do veículo saía um braço amarelo, longo, com luz vermelha piscando e a advertência: **STOP!** O trânsito se imobilizava. Estudantes saíam do ônibus, passavam pela sua frente, cruzavam a estrada, tomavam os destinos. Quando o último tinha atravessado, o motorista ainda dava breve tempo, seguia. Nós atrás. Achamos divertido, andamos um trecho assim. No Brasil, passariam por cima dos meninos, buzinariam, todo mundo querendo ultrapassar, entrar na sua frente.

Marilda decidiu verificar o potencial do carro. Programar a velocidade no automático. Consultas ao manual. Instalado o máximo de 50 milhas oficiais, o computador não permite que o carro as exceda. Colocando o pé no breque, o computador desativa; voltando ao acelerador, retoma a função. Assim fomos, passando por Bridgewater, Bridgewater Cors, West Bridgewater, Killington. Uma placa informou: Calvin Coolidge Homestead. Coolidge, o mais silencioso dos presidentes, não dizia uma palavra; nasceu na região, em Plymouth. Num livro de piadas da internet, que Zezé comprou no aeroporto de Guarulhos, e que foi companhia diária, antes de dormir (quase todos os dias fomos para a cama entre 21h30 e 22h30), havia uma piada sobre Coolidge. Sobre um sujeito que numa festa se aproximou do presidente e, tentando comovê-lo, confessou: "Apostei que arrancaria do senhor duas palavras. Não mais do que duas". Qualquer resposta incluiria, certamente, duas palavras, no mínimo. Coolidge não hesitou: "Perdeu". Há na América um culto absoluto à história e aos personagens históricos. Até os lendários entram na pauta. A todo momento, indicações para subir montanhas, picos, frequentar "centros de aventura" – seja lá o que signifique. Chamados para a agitação, adrenalina!

A estrada é o coração, artéria vital. Sempre no centro, por meio dela se vai a tudo, acontece tudo, está tudo. Pode-se viver indefinidamente nas estradas, trepando, comendo, indo ao banheiro, à igreja, enchendo o tanque, dormindo, se divertindo, pegando caronas, dançando, comprando, morrendo. Dezenas de cemitérios estão à beira das estradas. Milhares delas se cruzam, umas entram nas outras, passam por baixo e por cima, se fundem, se engolem. Planas, lisas, perfeitas, sinalizadas em placas verdes. Talvez monótonas.

Ah, os banheiros de Rutland!

Quando vimos, estávamos nos aproximando de Rutland. Que o Zezé traduzia por Terra da Ruth (Cardoso). Parece que somente Marilda tinha uma ideia do que poderia ser a cidade. Pouco antes da entrada, vi, à esquerda, um edifício de madeira parecendo um celeiro, com um cartaz: Museu Norman Rockwell. O ilustrador da vida americana, o desenhista que, como ninguém, reproduziu o *american way of life* nas capas do *The Saturday Evening Post*. Um homem visto com preconceito pela "arte moderna" e que somente depois de sua morte foi conside-

Rutland, John Cheever, a decadência das ferrovias.   Arquivo pessoal

rado gênio. Nessa viagem, por pequenas cidades, muitas vezes, demos de cara com os temas familiares de Rockwell, a arquitetura, o tipo das pessoas, a paisagem, a *grocery*, a *drugstore*. Gostaria de ter olhado para o museu, mas seria necessário fazer o retorno, ia complicar, deixei passar batido. Norman fez mais de trezentas capas para o *Post*. Viveu 25 anos em Stockbridge, tinha seu estúdio na Main street.

    De qualquer modo, nem sabíamos por que queríamos chegar antes que o comércio fechasse. Vício? Então, apareceu Rutland. Uma cidade de porte, nos surpreendeu. Entramos à direita, queríamos ir para *downtown*, perguntamos num posto, tivemos de retornar. Quatro da tarde e *downtwon* estava deserto, lojas fechadas. Que hora as coisas funcionam nesse país? Deixamos o carro numa vaga, acionei o parquímetro, tínhamos 48 minutos para circular. Por que não uma hora?

    Na Merchants Row, uma das ruas principais, caminhamos em busca do quê? Qual sempre foi a necessidade primária, fundamental? O banheiro. O *restroom*. Todos precisavam. Nenhum indício, nenhum bar. Vimos um restaurante, Green Tomatoes,

147

com entrada por uma galeria. Funcionários dobravam guardanapos, o lugar estava fechado. Começava a complicar. Era uma galeria comercial, cheia de portas fechadas. Não se via viva alma. De repente, a surpresa. Numa porta, a palavra salvadora: *RESTROOMS*. Corremos. Um pouco com medo do prédio fechar e a gente ficar preso.

Entrei no reservado e na hora de sair, quem disse que o trinco abria? Lutei, lutei. Do lado de fora, Zezé ria. Estava quase pulando a divisória, quando o trinco cedeu. Saímos para a galeria. Mas nada das mulheres! Ainda no banheiro? Gente começava a deixar o prédio. Íamos mesmo ficar presos! Minha ansiedade começou, analisei a situação, o pessoal do restaurante continuava a dobrar guardanapos, não estava nem aí. Alguém abriria a porta. Perto da entrada, um painel contava parte da história da cidade que fica quase na fronteira do estado, teve seu apogeu com a chegada da estrada de ferro, no começo do século, e entrou em decadência, na década de 1950, 1960, com a diminuição/quase extinção do tráfego ferroviário. Hoje, há um projeto de turismo local para reativar economicamente a região, tentando atrair principalmente a terceira idade: *spas*, hotéis-fazenda, artesanato, antiguidades. Lembramos que as ferrovias estavam se extinguindo no Brasil.

Depois (não é a maneira ideal para viajar; consultar um referencial depois de estar num lugar...) num guia li que, de qualquer modo, este turismo local não é tão excitante assim, afinal é a *old-fashioned* B & B (*bed and breakfast*) e a oferta de alguns lugares que os viajantes ainda não depredaram, poluíram. Há bons parques e praias de rio. Pena, realmente, que a essa altura eu não tivesse lido sobre Sinclair Lewis, as minas, as greves. Mas a impressão, rápida, é claro, que ficou de Rutland é que se tratava de uma cidade fechada, conservadora, austera, parada. Onde estariam as minas? Os mineiros ocuparam aquelas ruas? As casas por onde passávamos pareciam calmas, gostosas, uma vida pacífica, ordenada, na mesmice, repetição, moto-contínuo. Tudo que nos corrói e acaba aniquilando, já que conduz ao torpor absoluto.

Finalmente, felizes, aliviadas, Márcia e Marilda apareceram sorridentes. Nunca vi duas pessoas rirem tanto; divertiram-se a viagem toda. De qualquer forma, tivemos certeza de que foi Santo Antônio quem colocou aquele banheiro ali, último lugar do mundo onde procuraríamos.

No vazio de Rutland o encontro com John Cheever

Na esquina, havia uma cafeteria, Márcia e Zezé foram tomar *espresso*. Marilda saiu em busca de uma loja. Queria um casaco. Desde Woodstock estava encanada! Andei até a livraria Book King, havia saldos na calçada, encontrei a correspondência do John Cheever, comprei. Também, por 2,95 dólares. É um autor interessante e pouco conhecido no Brasil. O filme *The swimmer*, com Burt Lancaster, foi baseado em história dele. Um homem que volta para casa atravessando todas as piscinas da cidade. E sua vida, inquietações e relações vão sendo desvendadas. Numa carta à russa Tanya Litvinov, uma de suas tradutoras, e a quem ele foi muito ligado, Cheever conta das filmagens e define Burt Lancaster como "um homem doce, decente, e um tanto desfigurado por incisões cirúrgicas...". Confesso que não entendi essa descrição. A que ele se refere? Cicatrizes? Cheever conclui: "Burt parece jovem e velho, arrogante e triste". Na filmagem, diz a carta, foram utilizadas treze piscinas.

Gosto de biografias e de livros de correspondência, assim como gosto de ver fotos de autores. Cheever parecia, desde a juventude, ser dotado de autossuficiência, segurança, da certeza de que era um escritor. Ele tinha cara de escritor! E era alcoólatra. Portanto, quem sabe não fosse tão seguro e autossuficiente. Em outra carta, Cheever fala da escritora Anne Sexton, que carregava uma garrafinha de vodca na bolsa, mas estava sempre bicando a bebida dos outros... Até então, eu sabia de apenas um livro de Cheever traduzido no Brasil, *Até parece o paraíso*, lançado na década de 1980, pela Companhia das Letras. No entanto, nos últimos dez anos, vimos Cheever sendo traduzido sistematicamente: *Contos completos*, pela Sextante, *Acerto de contas*, *Crônica dos Wapshot*, *O escândalo dos Wapshot* e *Sobrevivência na prisão*, pela Arx, e o excelente *28 Contos de John Cheever*, pela Companhia das Letras, em tradução de Jorio Dauster e Daniel Galera, com apresentação de Mario Sergio Conti.

Ler o texto de Mario Sergio, ainda que curto, é o suficiente para nos colocar no cerne do que foi Cheever, sua vida e mergulho na literatura. Nos consola saber que foi um aluno medíocre, mas dotado de um dom natural para a narração. Aos 17 anos foi saudado como a voz de uma geração. Um homem que produzia textos que provocavam sobressaltos, assim como Norman Mailer. Cheever teve uma vida atormentada, foi alcoólatra, se recuperou, sua relação com a família era catastrófica, mas sua prosa, garante Conti, é invencível. Seus Diários são devastadores, mas jamais foram publicados em português.

Depois, sem encontrar Marilda, fomos olhando as lojas, entrei em uma papelaria vazia, comprei postais e cola. Demos com Marilda experimentando casacos na The Gryphon, numa esquina. Zezé ficou na calçada fumando e olhando uma loja de calçados do outro lado da rua. Mas, nada do sinal abrir. Apertamos os botões para pedestres e os sinais nos ignoraram. Finalmente, Marilda saiu da loja, vitoriosa, tinha comprado o casaco.

Breve retorno por dentro da cidade para pegar a estrada. Gente dentro dos carros, ninguém nas ruas. A campanha eleitoral continuava ausente. E os comícios, manifestações, comitês, bandeiras e bandeirolas, os altofalantes zoando? Um motel pareceu

Na livraria de Rutland, deserta no final da tarde, um funcionário vagaroso remanejava livros. O caixa me olhou desinteressado, me cumprimentou, me viu rodear prateleiras, curioso. No pequeno display de postais havia apenas um, solitário. O caixa se desculpou: "Estamos modificando tudo, só depois vamos repor estoque". Esse postal era *House by the railroad*, de Edward Hopper, 1925. Afetividade com a estrada de ferro que trouxe uma época áurea para a cidade? O que me impressionou na pintura foi a semelhança com o motel de Norman Bates em *Psicose*, de Hitchcock. Seria inspiração real? Hitch conhecia essa pintura? Nunca li nada a respeito. Mas a semelhança é enorme. A luz, o ar sinistro, a solidão. Mas também pode ter inspirado a casa de *Cinzas do paraíso* ou a mansão de Rock Hudson e Liz Taylor em *Assim caminha a humanidade* (*Giant*), de George Stevens.

anacrônico naquela paisagem bem comportada. Na estrada, olhávamos as casas de madeira com varandas, tão peculiares desde Boston. A maioria fazendo da varanda cômodo de despejo: sofás, colchões, sacos empilhados, tambores, cortadores de grama, brinquedos. Havia até um pequeno arado em uma delas, perto de Ludlow. Em tudo, um ar de coisas velhas, paradas no tempo. A melancolia de algo paralisado. De antigo solidificado. Impenetrável. A América tem uma face dupla, enganadora. Onde estavam as estradas percorridas por Kerouac? E esta viagem bem-comportada, sem sobressaltos, sem sustos, fora da época em que deveria tê-la feito, décadas atrás, quando chegados a São Paulo, todo aquele grupo de Araraquara morava em pensões e recebia informações do mundo, dos *beatniks* americanos, dos *angry young men* ingleses por meio do JOB, com seus cadernos de variedades de sábado.

A viagem é fora de época ou foram os tempos que mudaram, esvaziaram? Ou era o olhar e a inquietação de Kerouac que o fazia olhar além, ver longe? As estradas foram o terraço das viúvas dele. O que escreveria hoje? Sobre redes sociais, terrorismo, mercado de capital, corrupção, escândalos sexuais mofinos, traficantes, mediocridade das elites, caos aéreo, islamismo, religiões emergentes, ausência de indignação, acomodação das mentes, direitização do mundo? Mas se não há mais esquerda, como há a direita?

A viagem de volta foi rápida. Mas me esqueci do Museu Norman Rockwell. Pena!

Spicy quer dizer: muita, muita pimenta

Sábado, último dia em Woodstock. No café da manhã, nossa garçonete habitual, senhora magra de óculos, que já se habituara aos pedidos (*hot chocolate, grapefruit juice, one regular coffee, scrambled eggs and bacon, pancakes for the ladies*), informou que a especialidade do dia era a omelete com tomates, abobrinha e pimentão. Zezé e eu aderimos. O que seria dos Estados Unidos sem o pimentão? Ele está por toda a parte, em todas as comidas. O vermelho e amarelo são os mais comuns. O *muffin* era de maçã. Saboroso, macio. O costume era deixar uma *gratuitie* para a garçonete, sempre entre 3 e 5 dólares, dependia da nossa generosidade, da situação da caixinha, de ter trocado ou do vinho da noite anterior.

Chegou a van matutina com as bicicletas para os hóspedes esportistas. O hotel prepara um cardápio especial para eles. Ninguém descuida de nada nesse país, tudo está previsto. Todos os segmentos são cobertos, inventa-se toda hora. Cavaleiros devidamente "paramentados" (botas, bonés, chicotes, calças justas, óculos escuros da moda) chegam pelas estradinhas, passam pelo pátio. Por que as pessoas em cima de um cavalo parecem arrogantes? Clima de sábado. No verão, disputam-se jogos de polo na região. Cerca de 11 horas deixamos o Kedron Valley rumo a Grafton. Fazia dias que Marilda falava na cidadezinha.

Motoqueiros, em roupas negras, circulavam pela estrada rumo a Woodstock. Quando chegamos na cidade, vimos que devia haver uma concentração, eram dezenas, na esquina da Elm com a Central street. A maioria homens maduros, gordos, com lenços coloridos na cabeça. *Voltamos aos anos 1960*, pensamos. Seria uma concentração? Ou todos os sábados os motoqueiros abandonam os ternos executivos, assumem o lado rebelde e vão dar voltas, em suas máquinas? Versões caipiras dos Hell's Angels, revival de *O selvagem* (*The wild one*), com Marlon Brando ou do *Easy rider*, com Peter Fonda e Dennis Hopper. Sem esquecer *O selvagem da motocicleta* (*Rumble fish*), de Coppola. Pareciam fora de época e ao mesmo tempo dentro da época.

Também nos finais de semana, aqui no Brasil, podemos vê-los pelas estradas rumo ao interior, paramentados, orgulhosos, a maioria gente que já fez carreira, criou filhos, e curte sua nostalgia a bordo de esplêndidas motos, todas grife, imponentes, agrupados, cabeças erguidas, com as companheiras nas traseiras, agarradas a eles. Reúnem-se no Serra Azul, lanchonete sobre a rodovia Bandeirantes, km 72, voltam no final de domingo. Dão entrevistas sobre a terceira idade, a melhor idade, a longevidade de vida, o manter-se ativo. Manter-se ativo é o lema do mundo. Cada um sonha como quer, vive seu sonho retardatário: quiseram lambretas na juventude, hoje têm motos possantes, barulhentas.

Os Estados Unidos são um filme, o tempo inteiro. Às vezes, o tempo para, não se sabe em que época estamos. Motoqueiros continuavam a chegar, vindos dos lados de Bridgewater ou de Quechee, pela R4, de Barnard, pela R12, de Hammondville, pela R106. O grupo era quieto, não estava gritando, acelerando máquinas, nem bebendo cervejas, enchendo o saco das pessoas, atrapalhando o trânsito. Os anos 1980, 1990, dos *yuppies*, dinheiro e internet, dissolveram mais um clichê, o do rebelde na moto, ameaçador e agressivo?

Não íamos ficar o dia inteiro olhando aquele bando, entramos na estrada, cruzando com mais motos que vinham corretamente nas suas mãos, sem perturbar ninguém. Por um minuto tivemos a ideia de jogar sabão na estrada. Aqui e ali, as placas indicando a confluência de uma estrada para Brattleboro. Há duas Graftons no mapa. Uma no caminho entre Tilton e Woodstock, na R4. A outra, a que nos interessava mesmo, é esta, descendo pela R91 South até Bellow Falls (*Exit 5*). Ao passarmos por um pequeno restaurante, à direita da R91, a placa fatídica: *Lagostas dançantes*. Estava a nos perseguir. Quando dançaríamos com elas? Será que dançavam na água quente?

Ah, cidades sem grades e *grafitis*

Grafton é uma vila de seiscentos habitantes. Cidade real (afirmam os folhetos), não um museu. Tudo está conservado, mas pessoas "moram" ali, levam vida normal. A sensação, de qualquer modo, é de que todos sabem tudo das vidas de todos. Que todos se olham, existe alguma coisa estranha atrás dessas janelinhas perfeitinhas. Tudo arrumado demais, chega a incomodar um pouco. Então, nos veio uma ideia: será o condicionamento brasileiro que nos leva a tais considerações? Pensamento consolador. Compensador? Morremos de vontade de morar em um lugar bonito e confortável, em vez dessas cidades sujas, de asfalto esburacado, paredes inacabadas, calçadas arrebentadas, grades por toda a parte, letreiros de acrílico e placas de latão poluindo fachadas, paredes e muros cobertos por *grafitis*.

Súbito, percebemos que estávamos livres das grades. Foi quando detectamos até que ponto a ausência de grades é um alívio, não oprime. Que coisas oprimem os americanos? Quantas coisas os levam a viver como nos livros de Sinclair Lewis? Ou de John Updike (a série *Coelho*, por exemplo, ou da antologia *Cidadezinhas*?). Quando estava em Rutland, passou pela minha

Arquivo pessoal

Márcia examina abóboras para o dia de Halloween que estava próximo. Havia abóboras por toda a Nova Inglaterra.

cabeça que aquela cidade poderia ser Brewer, onde vive Harry Angstron, o personagem de Updike.

Em Grafton cada casa tem uma placa e uma data, uma referência ao passado. Chegamos na hora do almoço e nos preocupamos. Onde comer? A velha história. Chegar ao restaurante antes que o cozinheiro saísse para almoçar. A The Old Tavern nos atraiu. Mansão enorme, branca, de madeira, varandões, com bom astral. Entramos, quase vazia. Uma jovem nos atendeu, nos levou a uma mesa, depois de perguntar se tínhamos reservas. Reservas? Ali ficamos, olhando os copos sendo enchidos de água assim que você senta, segundo o costume. Depois, a mocinha desapareceu. Ao lado, uma mesa de oito pessoas, família americana em almoço dominical, fazia os pedidos. Dois jovens e vários velhos, todos gordos, um deles deficiente. O que dá de deficiente! Será que existem em maior número ou simplesmente eles saem, passeiam, viajam? O inglês falado na mesa era inacessível para nós!

Finalmente, uma mulher com cara de freira, saída de *A noviça rebelde*, se dignou nos atender. Pedimos o habitual vinho branco e a sopa do dia, que nos pareceu atraente: *cream of onion, hard cider, Grafton Village smoked cheddar*. O *cheddar* é instituição de Vermont, queijo oficial, orgulho nacional. Entra em tudo, você goste ou não. Degustávamos o vinho fresco e nada da sopa aparecer e nem da "freira" vir anotar o pedido principal. Então ela surgiu, 20 minutos depois, avisou que a sopa tinha se acabado, o chefe estava preparando outra qualquer, nem soubemos do quê.

Não havia muitas opções no cardápio, Marilda pediu mariscos, os outros arriscaram a *spicy caesar salad* com camarões grelhados. A *caesar salad*, uma das mais tradicionais na América, não passava de meia dúzia de folhas de alface e um molho ardido que destruiu a língua, devastou a garganta, furou o estômago. Nunca vimos nada tão *spicy*. De onde vem essa mania pelo apimentado? Do México? Nem na Bahia vi tanta pimenta na comida. O vinho suavizava, mas não absorvia o ardor.

Os camarões se revelaram sem sabor, grelhados com displicência, chamuscados. Desconfiamos que de propósito. Ou não? O serviço era meia boca mesmo? Esta foi uma das três experiências ruins com comida que tivemos (*remember Exeter Inn*, a primeira). A terceira? Esperem, saberão! Por que não comemos aqueles sanduíches lindos, que pareciam tão gostosos, que a família ao lado pediu?

Pensávamos em sobremesa, desanimados, quando perguntei se podia pagar com *traveler's check*. A garçonete-freira desentendeu: querem a conta, já? Respondi que não, era uma consulta, ela se desculpou: "É que sou surda". Na hora da conta, assinei o *traveler* com insegurança, torcendo para acertar. Desde que, no banco, em São Paulo, tive de fazer trinta assinaturas e, no meio, perdi a mão, assinei tudo errado, andava preocupado. Deixava todos em suspense quando sacava os cheques!

Comer uma delícia sem saber o que é

Saímos pelas ruas. A cidade é bonita. Mas tudo começava a ficar igual. Tudo parece se repetir. Vai ver foi o almoço "frustrado". As paredes de ripas brancas superpostas, venezianas falsas, varandinhas, gramados, muita árvore, a quietude e a solitude. Sensação permanente de *déjà vu*. Fomos até uma ponte coberta, passamos pela Grafton Village Cheese Company que fabrica um *cheddar* (claro) premiado, pela casa de antiguidades, pela *book shop*. Clima de sabadão, tudo quieto, poucos turistas.

Lugar compensador foi a Fire Barn, casa vermelhíssima, antigo posto do Corpo de Bombeiros, hoje *general store* com uma saborosa torta de maçã (compramos), tecidos, colchas, geleias, vinhos, cidras. E um cheiro restaurador de ervas, frutas, *chutneys*, flores, cereais. Na porta, dentro de um caixote, abóboras e abóboras. Por toda a parte estavam à venda, o Halloween se aproximava, havia todo tipo de fantasias nas lojas, as casas já apareciam decoradas. Claro, *Sexta-feira 13* nos veio à mente. Andando pelo interior se penetra na atmosfera do filme, no tipo do personagem. O que mais vimos nesta viagem foram abóboras de todos os tamanhos, algumas gigantescas para nossos padrões. A dona da Fire Barn puxou conversa, quis saber de onde éramos, falou do Rio de Janeiro, algum conhecido dela passou o Carnaval lá.

Voltamos devagar, antecipando o derradeiro jantar em Woodstock. Era o cerimonial de todas as noites, marcado para as 20 horas. Garçonetes gentis, serviço de primeira. Havia um *barman maître*, ficou nosso amigo, ao contrário da dona do hotel, loira, alta, marchando como soldado. Poucas vezes vimos uma pessoa tão antipática em nossa vida. Para a última noite, um sábado, o *maître* ficou nervoso. Sendo final de semana, todas as reservas estavam esgotadas. No entanto, éramos hospédes. Teve de se virar. Suou, fez um rearranjo, nos colocou às 20h30. "Não comentem nada", pediu. Se a dona-sapatona soubesse mataria.

O restaurante do hotel nunca decepcionou. Fez jus aos anunciados prêmios ganhos das revistas de gastronomia. Sua adega era bem abastecida, boas marcas e safras. Jamais poderemos esquecer as vieiras, camarões, lagostas, faisões, *steaks*. Uma noite, nos debruçamos sobre uma carne tenra, delicada. Comemos sem saber, levados pela recitação do cardápio que o dono fazia antes do jantar. Porém, a Marilda, intérprete oficial, se descuidou e o tipo de carne se perdeu na tradução. Melhor. É agradável comer uma coisa gostosa, imaginando o que possa ser e tendo certeza de que não é ruim. Dissolvia na boca. Perguntamos. Veado. Raridade inesquecível. Nenhum de nós tinha experimentado. O carneiro na menta sempre esteve ótimo. A vitela se desfazia ao toque do garfo. O pato correspondeu às exigências de Marilda, uma *expert*. Os *appetizers* eram bela abertura de apetite (às vezes, fechavam, dada a porção). Até mesmo o *crème brûlée*, com cerejas ao *armagnac*, passou com louvor pelo teste. E olhem que, em matéria de *brûlée*, o grupo é exigentíssimo. O cardápio oferecia:

- *Roasted squash and pumpkin bisque*
- *"Ducktrap" smoked salmon and lavender flat bread*
- *Cavendish pheasant & smoked bacon ragout*
- *Grilled Angus filet mignon*
- *Tenderloin marinated in olive oil, garlic, brandy, black pepper*
- *Sauteed chicken pistachio*
- *Kedron Valley Inn Salmon, with sea scallops aux fines herbes.*

Despedimo-nos com pesar do restaurante. Marilda e Márcia disseram adeus à banheira com hidromassagem, na qual o banho era quente e revigorante, com gel, assistíamos ao Canal do Tempo, e nos fomos. Aliás, um dos canais exibia, todos os dias, ininterruptamente, uma foto inidentificável, anunciando que estavam à procura de uns ladrões de banco. Ou era um assassino?

Como imaginar que J.D. Salinger estava ao nosso lado?

Releio este livro em maio de 2011. Faz um ano que J.D. Salinger morreu. Ele se foi aos 91 anos, no dia 27 de janeiro de 2010, sem jamais ter deixado a vida reclusa que levou e intrigou o mundo. Revendo esta viagem, percebi como Marilda tinha razão, viagens demandam certo planejamento. Ou temos de refazê-las para completar lacunas. Em fevereiro de 2001, meses depois de termos voltado dos Estados Unidos, assisti pela GNT um documentário sobre J.D. Salinger (*O apanhador no campo de centeio*) que me deixou irritado. Porque vi o que perdi.

Décadas e décadas atrás ele tinha se eclipsado, pouco se sabendo dele. Falou-se muito de sua reclusão. Ele não deu entrevistas, não justificou a atitude, não publicou mais nada, apenas manteve correspondência com algumas pessoas. Uma dessas correspondentes, Joyce Maynard, acabou se casando com ele. Ela veio ao Brasil para o lançamento de *Abandonada no campo de centeio* (*At home in the world*), edição da Geração Editorial, 1999, suas ressentidas memórias sobre os tempos em que viveu com Salinger. Entre outras "revelações", ela contou que o nome do personagem Holden Caulfield surgiu no dia em que Salinger viu um cartaz anunciando um filme com William Holden e Joan Caulfield. Juntou os sobrenomes. Joyce não dá o título do filme e na minha pesquisa não

---

Em 18 de dezembro de 1949, um domingo, Holden Caulfield, protagonista de 16 anos e narrador de *O Apanhador no Campo de Centeio* (*The Catcher in the Rye*), de J.D. Salinger (Boston: Little, and Brown, 1951), convida Sally Hayes para assistir a uma matinê beneficente da comédia de costumes *I Know My Love*, de S. N. Behrman. No dia anterior havia se despedido do internato Pencey – o quinto colégio de que fora expulso desde a escola primária – e partira para Manhattan, onde pretendia ficar num quarto de hotel até quarta-feira, dia previsto para sua chegada em casa. Holden sabe que a moça ficará impressionada com o espetáculo, estrelado por Alfred Lunt e Lynn Fontaine, o casal chiquérrimo do teatro americano desde os anos 20. Todavia, em sua opinião, o teatro, e ainda mais o cinema, são embustes.

Peregrino passando pela feira de vaidades, Holden tem fome de autenticidade. Lê a *Bíblia*, mas não tem muita paciência com os personagens que freqüentam suas páginas, especialmente os discípulos, todos inúteis. Gosta de Jesus e também do "louco que morava entre os túmulos, aquele que ficava se cortando com as pedras". Respondendo a uma pergunta de sua irmã Phoebe, diz que poderia ser um advogado para defender pessoas inocentes. Desconfia dos próprios motivos: seria advogado por estar mesmo interessado em salvar a vida dessas pessoas ou por ser um parlapatão em busca de aplausos?

Contudo, a vocação de Holden é mesmo religiosa. A caminho da bilheteria do teatro, ele observa um casal mal vestido, com uma criança andando na sarjeta. O menino cantarola uma variação infantil de uma canção do escocês Robert Burns: "If a body catch a body coming through the rye." Por um breve momento, alivia-se a depressão contra a qual Holden luta. Ele explica a sua irmã seu papel no mundo: há milhares de crianças brincando num grande campo de centeio, que dá num precipício. Os adultos, quase todos pretensiosos, conluiam para negar a existência do abismo por meio de fingimentos. Seu trabalho nesta vida seria pegar cada criança que, por falta de cuidado, esteja para cair no abismo, e não deixar que aconteça.

É OBRA DE AUTO-AJUDA ÀS AVESSAS

Matéria de *O Estadão* no aniversário de um clássico. O que perdi? Como foi possível?

'Apanhador', o clássico de Salinger, faz 50 anos

Protagonista do livro é um jovem de 16 anos que faz questão de fracassar e sua história, um sucesso, ainda hoje vende mais de 250 mil exemplares por ano

Salinger transformou o modo como uma geração jovem se via

consta nenhum filme feito por Holden e pela Caulfield, que era uma bela mulher. Uma nota de internet garante que foi o filme *Dear Ruth*, de 1947. Ela esteve nesses filmes, Holden, não. Nesse ano ele rodou *Blaze of noon*. No Brasil, Dalton Trevisan, depois Rubem Fonseca e Raduan Nassar também saíram de cena, há alguns anos. Sumiram da mídia – e ganharam mais mídia. Rubem voltou para auxiliar no lançamento dos livros de Paula Parisot, amor crepuscular. O homem que não se deixava fotografar participou de um *happening* numa livraria de São Paulo para ajudar a promoção do livro da mulher amada.

Há décadas, todos esperavam um novo livro de Salinger e ninguém sabia se ele escreveu. Joyce Maynard garantiu que ele mantinha originais fechados em um cofre, cujo segredo somente ele sabia. As perguntas na época eram: e se ele morre, quem abre? Contratam um arrombador? Morto, o tal cofre parece não ter sido aberto até hoje. Parece nem existir. O escritor nunca permitia que se fizessem citações de suas obras em ensaios críticos ou documentários para cinema ou televisão. Muitas pessoas procuravam sua casa em Cornish, onde mora. Chegar à cidade é fácil, encontrar Salinger era o problema. Ele sempre teve a solidariedade dos habitantes, que se mostravam hostis aos curiosos (há também a famosa privacidade americana) e não respondiam às indagações. Afinal, com isso, Cornish permanecia no noticiário. No entanto, mesmo os que descobriam o caminho, davam com uma casa murada, impenetrável. Conta Slawenski que Salinger odiava cartas, não abria as que recebia, nunca respondia, tinha medo delas. Apanhava no correio e deixava amontoadas sobre a mesa do escritório meses e meses. A figura que emerge dessa biografia é insólita, curiosa, uma das personalidades mais íntegras e estranhas da história da literatura.

Recluso, assim viveu até o final o homem que escreveu *O apanhador no campo de centeio*, um dos livros mais cultuados e lidos do século. Todos nós, escritores, gostaríamos de ter uma obra que sobrevivesse, objeto de análises, questionamentos, pesquisas, enfim permanecesse. Penso em meu *Zero* e torço, porque nada mais podemos fazer senão torcer, tudo vai acontecer depois de nossa morte (ou mesmo em vida, como foi com Scott Fitzgerald, que desceu ao inferno e se reabilitou, mas então já não estava vivo). *Zero*, guardadas as proporções, em certo sentido, é um livro solitário dentro da literatura brasileira. Está com 36 anos de Brasil e continua a ser vendido, citado, amado, adotado, incompreendido, referencial. Nas andanças pelo Brasil, ainda encontro pessoas de quarenta/sessenta anos que sofreram o impacto do livro na época. Um romance que intriga, exaspera, desafia. Obra isolada, que nos anos 1970 e 1980, agitou/explodiu cabeças. Foi um *succés destime*.

Quando escrevi *Zero* estava cheio de audácia, raiva, loucura, ódio à ditadura. Estava dominado pela liberdade de narrativa, pela estrutura que refletia um país explodido, fiz um texto indiferente às convenções. Agora, *O anônimo*, que escrevi com lentidão, surgiu com o mesmo estilhaçamento, um videoclipe mais veloz ainda, com os paradoxos e incongruências de nossa vida hoje. Neste momento, 2011, vejo que tenho um livro na gaveta há seis anos e não consigo terminar. Ou será que não quero? É *O enforcado do terno amarelo*, mas se eu terminá-lo talvez mude o título usando uma frase que Márcia viu no para-choque de um caminhão: "Me criticar é fácil, quero ver é ser eu". Penso igualmente no que vai acontecer com *Não verás país nenhum*. Enigmas do ofício.

Ao assistir o documentário sobre Salinger pela televisão fiquei frustrado. A paisagem mostrada no filme era familiar. Casas de tábuas brancas superpostas, varandinhas, venezianas presas, árvores de folhas amarelas e vermelhas. A certa altura, o narrador diz que de sua casa Salinger contemplava as montanhas de Vermont. Em seguida, A. E. Hotchner, especialista em biografias (fez uma de Hemingway, que até hoje não sei se é realmente boa ou se é muito mais para glorificar Hotchner, mostrá-lo como o amigo, o íntimo; há gente que gosta simplesmente de ser o íntimo de celebridades), afirmou que provavelmente Salinger, refugiado em New Hampshire, estaria sofrendo um bloqueio interminável. Uma parada criativa que dura quarenta anos?

No caso de bloqueios, o meu referencial ainda (e eterno) é Guido, o diretor de cinema em *8 ½*. Um criador, com a imaginação e ação paralisadas, tenta reencontrar o caminho que o levará a produzir outra vez, misturando memória, fantasia, realidade, delírios, desejos, sonhos, idealizações; sempre perseguido por um crítico/intelectual que coloca em cheque tudo que ele pensa. Muitas vezes vi esse personagem crítico como a castração acadêmica que impõe regras, normas, formas de pensar e analisar, ideologias e filosofias, conceitos. Nunca li uma crítica sobre *8 ½* que abordasse esse aspecto (falo do filme no segmento de Nova York, o terceiro deste relato). Fellini satirizando o academicismo, denunciando-o. Às vezes, penso que passo pelo mesmo processo e vou desviando, fazendo outras coisas, crônicas, livros patrocinados, anotações sem fim, contos fantásticos. E o Brasil de hoje está a pedir a volta do realismo. PT como empresa, não partido político, Lula aferrado ao poder, os escândalos contínuos ligados ao Planalto, etc., etc., etc., a lista interminável.

Salinger escreveu três livros, um excepcional. Exigir o que mais? Afinal, Juan Rulfo, um dos maiores nomes da literatura latino-americana, publicou somente dois romances. Rimbaud e Radiguet escreveram um livro cada um. E já que tirei da poeira o ensaio de Budd Schulberg, *As quatro estações do sucesso*, em que ele analisa William Saroyan, Sinclair Lewis, Scott Fitzgerald, Nathanael West, John Steinbeck e Thomas Heggen, recorro outra vez a ele. Heggen escreveu um dos maiores sucessos literários dos anos 1940, *Mister Roberts*, um arrasa quarteirão, o mais vendido entre os livros mais vendidos, milhões de exemplares, transformado em peça na Broadway com direção de Joshua Logan e depois filme em Hollywood.

Heggen, sucesso antes dos 30 anos, nunca mais escreveu uma página. Foi cobrado, sentiu-se cobrado, cobrou dele mesmo. Uma pressão monstruosa da imprensa, do público, dos acadêmicos. E nada. A maldição da página em branco existe para muitos. Heggen foi encontrado morto em sua banheira, jovem demais. Nunca se determinou se foi suicídio. Pode ter sido angústia. Salinger não escreveu, mas fugiu da vida e da morte. No entanto, a vida não tem modelos, cada um vive a sua como quer. É preciso ser forte para recusar o rolo compressor que passa sobre nós. As exigências sobre a forma de escrever, a necessidade de vender, de ser figura pública, estar na mídia, montar uma imagem, tornar-se personagem pré-fabricado não de acordo com o que temos no íntimo, com nossos sonhos e desejos, nossas compulsões e vontades, torna-se uma jaula/prisão que o público e a mídia e a crítica impõem. Não bastassem as grades que a violência coloca nas portas e janelas de nossas casas.

Salinger morreu aos 91 anos. O documentário conseguiu, sub-repticiamente, uma imagem dele andando por Cornish. Alto, magro, cabelos brancos, rosto esquelético. Tinha o jeito daqueles ermitões do deserto, consagrados pelos santinhos e pelas imagens de livros cristãos. A página branca o perseguiu? E se essa não é uma preocupação, nem uma opressão? Os outros é que fazem disso uma tragédia. Ele escreveu o que tinha a escrever, cumpriu "sua missão".

Traído pela filha?

Então, acidentalmente em um sebo dei com o número de fevereiro de 2001 da revista francesa *Lire*, número 292. Na página 39, uma surpresa. O título: *Salinger, trahi par sa Fille*. Margaret Salinger acabara de publicar nos Estados Unidos *Dream catcher* (jogo de palavras com o título *O apanhador no campo de centeio*. Em inglês é *The catcher in the rye*), que alinhava uma série de memórias destruidoras para seu pai. Tanto que Mathew, irmão de Margaret ficou indignado com tanto ódio alimentado.

Margaret mostrou o pai (diz a revista), como um "homem irascível, tirânico e egocêntrico, cuja única preocupação era a realização de uma obra que o absorveu inteiramente e o distanciou das realidades". No fundo, não é esta a atitude que deveríamos ter todos nós que escrevemos? Mergulharmos no que é o nosso universo, nossa necessidade, alma, alimento, no que realmente nos dá prazer? A escritura. Tudo o mais nos dispersa, nos afasta, cancela a concentração, consome o tempo. As coisas todas que faço para sobreviver, sustentar a família, o meu desencanto com a imprensa, com a "modernidade"? Cheguei a um ponto de saturação absoluto? Ah, como luto para permanecer "em sociedade", conviver com as pessoas e com este sistema de vida!

No entanto, há uma boa informação em *Dream catcher*. Salinger jamais deixou de escrever, mas tudo será publicado postumamente.

A decepção da não descoberta

A citação de New Hampshire explodiu minha cabeça. Apanhei o mapa da Nova Inglaterra. Fácil descobrir Cornish. E me odiei. A cidade fica a cinco minutos de Woodstock, onde passamos dias e dias.

Não ia ver Salinger, mas circularia pela cidade onde mora, procuraria sua casa murada, passaria pela paisagem, entraria na sua atmosfera. Quem sabe desse sorte? Não encontrava sempre Dalton Trevisan em Curitiba? Essas coisas também me satisfazem, uma vez que fazem parte do escritor. Li o livro de Joyce Maynard e ela se refere tanto a Cornish. Faço tantas anotações, faltou essa. Fiquei em Woodstock procurando erroneamente o lugar do festival de rock. Deveria ter procurado Cornish. Víamos na estrada a indicação e brincávamos como tolos: terra dos cornos, terra do milho. Não me conformei.

Agora, em junho de 2011, encontrei na livraria uma biografia: *Salinger: uma vida*, de Kenneth Slawenski, editado pela Leya, 410 páginas. Descobri que entre o escritor e a sua cidade se estabeleceu uma cumplicidade cordial, até divertida. Aos que chegavam procurando pela casa de Salinger todos davam informações erradas e desencontradas. Algumas indicações levavam as pessoas ao meio de um bosque, outras ao nada, a terrenos baldios. Faziam também uma brincadeira, davam o endereço das pessoas antipáticas e chatas de Cornish, que se viam assediadas e ficavam irritadas. Tudo virou um grande jogo.

Quando o escritor descobriu a cidade no início dos anos 1950, sua irmã não acreditava que ele, um homem de Nova York, criado em Manhattan, conseguisse viver no mato, isolado, a 380 quilômetros da metrópole. Afirma Slawenski que Salinger não queria mais viver numa cidade com gente demais, muito barulho, um mundo de distrações. Naquele momento ele tinha um pouco de dinheiro, mas pouco, *O apanhador no campo de centeio* não vendera tanto assim, ainda não tinha se transformado no ícone que seria. A propriedade tinha 37 hectares numa encosta e nela o autor encontrou "a mais autêntica felicidade, a paz, cortando lenha e buscando água no rio, plantando milho e uma horta". Quando seu novo livro, *Nine stories*, foi publicado e teve uma recepção crítica regular, Salinger pediu aos que o rodeavam que não lhe mandassem um só recorte, resenha, nada. As que ele lia, achava pretensiosas e pedantes. Hoje *O apanhador* é livro consagrado, porém naquele momento, levou muito pau. Alguns críticos, no entanto, achavam que o autor usava a palavra *goddamn* (maldito) em excesso. Revistas católicas classificaram como repulsivo e vulgar e até o *New York Herald Tribune* achou obsceno.

Salinger e Sinclair Lewis. De repente, estive ao lado de algo que sonhei ver, que batia dentro de mim, mas me faltaram referenciais, informações. Li, mas esqueci. Viagens devem ser soltas, vividas ao sabor de descobertas momentâneas. Mas custava ao menos uma breve programação? Ainda mais para alguém como eu que, depois de ter tido formação humanista francesa no ginásio, recebeu, a partir dos anos 1950, o impacto da literatura e do cinema americanos?

1º DE OUTUBRO DE 2000

Atravessando o interior em manhã de domingo

O café da manhã teve outra garçonete, a senhora magra devia estar de folga. Pouca gente no restaurante. Pagamos, apanhamos as malas, prontas desde o dia anterior, colocamos no carro, posamos para fotos diante do hotel. Estava friozinho, gostoso. Exatamente às 9h45 entramos na R106 South. Deserta.

Às 10h16 pegamos a R103 South. O destino era Manchester e Marilda tinha avisado:

— Vamos demorar ali, vamos entrar em todas as lojas.

Passamos por Reading, Perkinsville (brincávamos: seria a cidade do Anthony Perkins?), North Springfield, Springfield. Logo, chegamos a Chester (onde se criam aqueles frangos, explicou o Zezé). Uma estação restaurada, vermelha, linda. Meu pai e o meu tio José, ambos ferroviários de quatro costados, adorariam ver. Os trilhos mostravam que ainda há tráfego. Um cartaz avisava que as visitas à estação deviam ser programadas. Prédio histórico? Zezé se equilibrou nos trilhos, fotografei. Depois, fotografei todos sentados no banco da plataforma. Fui fotografado, não podia deixar escapar essa. Em frente à estação, uma *general stores* antiga, semiarruinada, mas em atividade, os cartazes indicando que era cafeteria, armazém, *furniture* (proliferam feito cogumelos, deve ser praga), *real state*.

Mais à frente, atravessamos a rua central de Chester, onde acontecia enorme feira de alimentação e de "antiguidades" domésticas, os infalíveis pratinhos, quadros, cadeiras, latões de leite, relógios, crochês. Muita agitação. Enorme movimentação, como se fosse o antigo *footing* brasileiro de final de semana. Ponto de encontro, reunião com amigos, famílias comendo fora. Grandes

Foto Marcia Gullo

Marcia Gullo

Manhã de domingo em Chester. Cidade do frango, dizíamos. A estação restaurada e conservada fez brilhar os olhos de dois filhos de ferroviários, lembrando a infância sobre trilhos e em plataformas.

Marcia Gullo

barracas exibiam grelhas e cada um fazia o seu churrasco. Cheiro de carne assada, de hambúrgueres na chapa.

Aqui e ali um vendedor isolado dos outros, sentado num banco portátil ou numa cadeira. Esses solitários me fascinam. Por que estão separados, por que não se juntam? São rejeitados, marginalizados? Parar para ver o que vendem. Vendem alguma coisa? Por que vendem? *Hobby* ou necessidade? Rebotalhos expostos na calçada, quem quiser vem olhar, comprar, tudo é barato.

Velhos sentados em cadeiras de balanço na calçada. Uma vila, outra. Vamos encontrando as vendas de porta de garagem. Quilômetros de estrada, de repente uma casa, uma mulher com um tapete estendido ou uma mesinha repleta de porta de garagem. Faulkner, John Updike, John Cheever e o esquecido Erskine Caldwell passavam pela minha cabeça.

Uma criança segura uma sombrinha sobre uma jarra transparente, talvez seja limonada. Um velho afugenta moscas de uns bolinhos dourados. O que me intriga é o clima do domingo. Por que a luz do sol tem outra intensidade? Será a ausência de movimento, de barulhos? Essa atmosfera existe no mundo inteiro por onde andei. Sabemos que é domingo ao colocar o pé na rua. No entanto, depois das duas da tarde começa a longa jornada de angústia. Tudo se torna opressivo, estranho. Para mim isso viria daquelas tardes em que eu não tinha dinheiro para ir à matinê e ficava andando pelas ruas desertas de Araraquara, esperando os amigos saírem do cinema a fim de me contarem o que tinha acontecido no seriado. Era extremamente frustrante, o tempo não passava, nada me distraía. Nos anos 1960, assisti uma peça de teatro, acho que dirigida pelo Adolfo Celi, que tinha um título ótimo: *A angustiante paz do domingo.*

Atravesso a manhã americana. Num terreno, milhares de automóveis brilham ao sol. Cinco crianças em roupas domingueiras caminham buscando a sombra das árvores. Um preto fuma um longo charuto encostado na porta de templo fechado.

Uma jovem toma banho de sol no gramado diante de sua casa. Deitada de barriga, vemos que ela desabotoou o *sutian*. Pessoas passam, não olham. Olhar pode ser invadir a privacidade, ainda que ela esteja na rua.

Entramos na R11 East, pegamos um atalho e paramos no estacionamento de Basketville, supermercado-macro de cestas, objetos de vime e palha, móveis e acessórios de jardinagem. Um homem conduzia ao caixa uma gigantesca cesta. Ali devia caber quinhentos pães, ele tinha jeito de padeiro, estava até com avental. Rodamos pela loja. Márcia comprou bichinhos para serem colocados em vasos de plantas, parecem grudados em alguma coisa.

Vendiam vinho de maçã e ofereciam, grátis, numa mesa de amostras, *chutneys* apimentados (claro), mas deliciosos. Velhacos, comemos um bocado com torradinhas. E nos fomos, Manchester estava perto. Chegamos em minutos.

Estacionamos no *parking* semivazio de uma casa de *liquors*, olhamos em torno. De enlouquecer um consumista de bom calibre. *Outlets* se sucedendo, grudados um ao outro. O mapa nos guiava:

Armani, Versace, J. Crew Escada. J. Peterman. Burberry. Baccarat. Joan & David. Calvin Klein. Ferragamo, Zegna, Donna Karan. Anne Klein. Van Heusen. Timberland. Lancôme. Liz Claibone. Mikasa.

Poema épico para quem está cheio de disposição e traz cartões de crédito em abundância. Os descontos chegam à casa dos 70%. "Vamos ver", pensei! Atravessamos uma rua e entramos no *mall* que vendia Armani. Um templo. Nada da agitação das lojas. Tudo calmo, vozes baixas, ninguém se atropelando. Vendedores

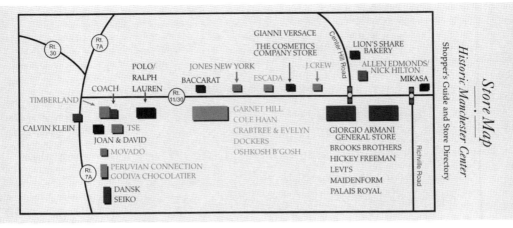

O mapa das grifes em Manchester.

bem-vestidos andando como gatos à caça de ratos, com muito cuidado. Suave perfume no ar. Música. Roupas expostas com discrição.

Tão diferente dos *outlets* brasileiros. Há um na rodovia para Araraquara que é um agito só, chegam ônibus, carros e mais carros, as pessoas se atropelam, arrancam peças uma das mãos das outras, gritam, chamam maridos e amigas, furam as filas no caixa. Além do mais, a palavra *outlet* aqui ficou desmoralizada. Qualquer lojeca virou *outlet*. Ali em Manchester, fiquei confuso ao tentar decifrar os códigos da *sale*. Coleções novas ofereciam desconto de 10% ou nada.

Zezé e Marilda circulavam com a desenvoltura. Com suavidade e graça, tocavam tecidos, olhando caimentos, comprimentos, decidindo cores, separando peças.

Comprar é arte, exige paciência, faro, experiência, conhecimento, informação, intuição. Em dez minutos estou aturdido. Em geral, quando gosto de uma roupa, não tem meu número. Penso tanto: "não vai ter", que acaba não tendo. É um desejo interno cheio de vibrações. O vendedor sabe que não vai me vender nada, a situação torna-se um desafio. Por outro lado, invejo a maneira com que Marilda e Zezé executam seus solos, indo com segurança à peça certa, retirando da vitrine ou do cabide o justo,

175

o bonito, o que cai bem. Evitam as fraudes, separam, olham, aceitam ou desprezam, a pauta é lida com conhecimento musical. É preciso equilíbrio, harmonia, ritmo. Enfim, talento!

Lá estávamos, Márcia e eu olhando, olhando, pesquisando, consultando um ao outro. Ela gosta, acho que eu a perturbo, apresso, chateio. Sempre compra algo que ela e Maria Rita, nossa filha, vão usar. Ainda assim, ainda achou alguma coisa. Blusinhas e um vestido lindo. Não tinha o número. Camisas e camisetas para Daniel e André. Um sapato. Mas, por 400 dólares? Recuo, falta-me coragem. Um terno. 2 mil dólares. Nem que virasse do avesso. Passamos para o prédio ao lado. No meio do caminho, um homem fazia crepes e o cheiro era tentador. A fome começava a bater?

Na Brooks Brothers demonstrei mais coragem. Comprei duas calças, quatro camisas, quatro meias. Atos que exigiam internação imediata, estava ensandecido! Assinei os *travelers* sem um erro. Ficamos uma hora nessa loja, agora era levar os pacotes para o carro e ir comer. Eu pensando: "e se os da casa de *liquors* descobriram que usamos o estacionamento deles?" Zezé achou uma chave de carro no chão, fui levar ao caixa da casa de bebidas. Olhamos em torno, a lanchonete Friendly parecia razoável, ninguém estava com muito saco de procurar restaurante, pegar cardápio, escolher, esperar. "Será que por aqui não tem lagostas dançantes?", perguntou o Zezé. "É a chance de a gente descobrir o que é, desvendando logo esse mistério." Não havia.

Derrotei a neura que me bloqueia nas compras

Lanchonete cheia. Famílias ansiosas para se empanturrarem de hambúrgueres, *onion rings* e batatas fritas no almoço dominical. Éramos os terceiros na ordem de chegada. Logo nos deram mesas, a garçonete era uma senhora madura, cordial. Pedi o hambúrguer *Colossal*, o Zezé ficou com um *Portobello Napoleon* (cogumelo, espinafre, mozzarella, pesto, dentro de um *coulis* de tomate defumado). Marilda preferiu um *sirloin* malpassado e a Márcia optou por uma simples *Caesar salad*. Chás gelados e cocas-lights. Demorou um pouco, mas os pratos chegaram às mesas pela ordem em que as pessoas se sentaram. Comida honesta. Como sempre, grande quantidade, desperdício.

Depois do almoço nos separamos, Zezé e eu entramos na Easy Spirit, tinha umas camisas bonitas, e nada mais. Um senhor vigiava a porta, um cachorro dormitava no tapete. Deviam fazer dupla. As mulheres passaram pela J. Peterman. Súbito, bati os olhos no letreiro Burberry. Seria hoje? Mais uma tentativa. Passei 31 anos usando uma capa dessa marca. Comprei em Londres, perto de Piccadilly Circus. Azul-marinho, forro xadrez, preto e branco. Andou comigo pelo mundo. Ela, agora, se mostra cansada, vagamente desbotada, o forro se esgarçou, foi cerzido. Porém, diria que ainda está em forma. Quantas roupas atravessam décadas mantendo a dignidade? Sentindo-me o detetive Columbo, a cada viagem procurava renová-la. Lembram-se do Peter Falk? Aprendi naquele seriado que, às vezes, um detalhe define fortemente o personagem. Como o pirulito do Kojak. Os roteiristas de Hollywood sempre foram bambambãs. Uma Burberry nova. Encontrei em Berlim, Munique, Roma. O meu sonho custava entre 1.500 a 2.000 dólares. Livros, discos, cadernos, canetas, vídeos, jantares, postais e falta de coragem me faziam adiar a utopia. Em Manchester, finalmente, arrematei a capa desejada por 299 dólares. Estava derrotada a neura de enfrentar caixeiros em lojas? Confesso, agora em 2011, que usei essa capa somente quatro vezes. Tenho dó, tenho medo de perdê-la, tenho medo que me roubem.

A velha que me atendeu não sabia registrar *travelers*, chamou uma adolescente gozadora, que foi ensinando e também sacaneando a mulher que não percebia ou fingia. Para comemorar o feito, na máquina automática do pátio, saquei uma Root beer, bebida americanérrima, não existe em nenhum outro lugar do mundo. Queria mesmo é salsaparrilha, que sempre via nos filmes de *far west* do Bill Elliott, do Ken Maynard, Hopalong Cassidy, Gene Autry e Roy Rogers.

Pegamos o carro, havia muito pela frente. Custou, mas encontramos estacionamento atrás da Timberland, Zezé e Marilda entraram na Joan & David, entrei na Timberland, por insistência da Márcia. Acabei achando um sapato por um preço razoável, 29 dólares. Comprei. Na hora de pagar, a caixa perguntou uma coisa que não entendi, não tive a mínima ideia do que dizia. Márcia decifrou: estava apenas querendo me empurrar um líquido impermeabilizante para o sapato. Achei que era truque, não comprei, me arrependi, ele renovaria meu sapato de tempos em tempos. É a birra que tenho do consumo.

Peyton Place, A caldeira do diabo, um dia inteiro na cidade que é igual, venenosa, mortal, existe no mundo, por toda parte.

Mas o que há nestas cidadezinhas calmas, arrumadas, limpas, arborizadas, sem cercas, cortinas nas janelas, cadeiras de balanço nas varandas, bandeiras hasteadas, gramados aparados? Por que me trazem uma sensação de mal-estar, inquietação, um leve incômodo?

Passamos por uma, logo por outra, elas se repetem, a sensação é de que é a mesma, e não vemos gente nas ruas, nem barulho dentro das casas, não há fumaça nas chaminés. Lembro-me de algumas viagens pela Alemanha ao cair da tarde, dentro das aldeias e cidades a velocidade do trem diminuía, eu via os fundos das casas, as cozinhas iluminadas, luzes se acendendo, fumaça nas chaminés, estavam a preparar o jantar, era uma sensação boa aquela do começo da noite, imaginava o cheiro das panelas, sensação de conforto. Ou não? O que há com estas cidades americanas pacíficas?

Estávamos saindo de Manchester, passamos por um posto de gasolina dos anos 1940/ 1950, com colunas gregas (de concreto, o *fake*, anterior ao plástico), típicas da época. Gravado em uma coluna um *grafiti* esmaecido, vermelho, enorme.

Peyton Place is here

Apontei, ainda deu para Zezé pegar a frase e sorrir.

— Há quantos anos isso foi escrito? *Peyton Place* tem mais de cinquenta! E a gente pensava que *Peyton Place* era Araraquara.

— Do que falam?, perguntaram Marilda e Márcia.

— Da *Caldeira do diabo*.

— Que história é essa?

— Não viram o filme?

Márcia tinha visto uma parte do seriado filmado na Fox anos mais tarde. Ela nasceu no ano em que o filme foi lançado. Na minha viagem a Hollywood em 1967, ainda dei com os cenários do seriado, gravado entre 1964 e 1969. Marilda não tinha maiores lembranças. Então, a luz me bateu.

— Claro, Manchester era *Peyton Place*. Grace Metalious nasceu aqui.

Zezé e eu sempre fomos cinéfilos. Daquele tipo que vê bons filmes, gosta, lê sobre cinema, acompanha a produção, mas também adora o *trash*, principalmente o americano, as chanchadas, os antigos dramalhões mexicanos. Lemos as fofocas, seguimos tudo o que Dulce Damasceno de Brito, Zenaide Andrea e Lyba Fridman escreveram, tivemos coleção de *Cinelândia, Filmelândia, Cena Muda, Revista do Rádio, A Carioca*, líamos Hedda Hopper e a temida e chantagista Louella Parsons. Por outro lado, partilhamos a coleção do *Cahiers du Cinéma*, desde os anos 1950, e também *Sight and Sound, American Filmmaker, Cine Revue*, coisas mais sérias.

O filme *Peyton Place* teve no Brasil o título *A caldeira do diabo* (*Peyton Place* era o nome da cidadezinha) e foi dirigido por Mark Robson, que tinha feito um clássico como *O invencível* e filmes agradáveis como *Clamor humano, A morada da sexta felicidade, O expresso de von Ryan*. Quando estive em Hollywood eu o entrevistei para a revista *Claudia*, ele se preparava para fazer *O vale das bonecas* (*The valley of dolls*), sendo que as "bonecas" no caso eram as drogas, as pílulas, lexotans, anfetaminas e tudo o mais.

A história real da autora, Grace Metalious, era muito louca. Nascida Marie Grace de Repentigny tinha sido uma jovem pobre, nascida na zona rural de Manchester. Nessa cidade, o *outlet* de onde saíamos. A moça tinha imaginação e gostava de escrever. Casou-se (o Metalious era do marido), continuou pobre e foi escrevendo o romance sobre as coisas que aconteciam à sua cidade. O que via, ouvia, sabia, lhe diziam. Mandou para várias editoras, todas recusaram. Então, alguém teve faro, publicou e o que aconteceu? *Peyton Place* foi um *blockbuster* arrasa quarteirão sem tamanho, um dos primeiros livros no após guerra a vender milhões de exemplares, mudando a noção que se tinha até então de *bestseller*.

Ao mesmo tempo, a crítica caiu de pau, era puro lixo, bosta, a igreja condenou o livro, os pais proibiam os filhos (principalmente as filhas) de ler. A juventude leu. *Peyton Place* foi muito mais lido do que *O apanhador no campo de centeio*, de Salinger. Quanto mais se proibia, mais se vendia. Grace respondeu aos ataques dizendo que se ela era uma péssima escritora, os leitores é que eram débeis mentais, indigentes, piores do que ela, tinham merda na cabeça. Difamada em Manchester, mudou-se para Laconia, cidade que odiou igualmente, disse que era pior do que a sua imaginada (ainda que real) Peyton Place. Ficção e realidade, a discussão continua. Laconia, quantas vezes vimos esse nome em placas nas rodovias, nas proximidades de Concord. Ainda me vinha à cabeça: LaconiaMelancolia, naqueles joguinhos de palavras inconsequentes.

Claro, Hollywood filmou e veio estouro, sucesso fenomenal de público com Lana Turner (a gostosa sempre de plantão), Arthur Kennedy, Hope Lange, Diane Varsi, Lorne Greene, Terry Moore, Betty Field, Russ Tamblyn. Betty Field, grande atriz (esteve em São Paulo com o Actors Studio, foi ao Teatro Oficina assistir uma peça), esteve "condenada" no fim da carreira a papéis secundários, era sempre de mãe. Em *Férias de amor* (*Picnic*), outro *blockbuster* dos anos 1950, ela era a mãe de Kim Novak. Russ Tamblyn, excelente bailarino, não deu um passo, nem na cena do baile. Hope Lange era ótima, nunca decolou. Diane Varsi era promessa, morreu aos 35 anos. Lorne Greene logo se celebrizou com o seriado *Bonanza* e a família Cartwright. Terry Moore era uma gracinha, outra gostosinha de plantão, sempre com papéis de biscatinha. Disputava papéis com Marilyn Monroe, casou-se com Howard Hughes, posou para a *Playboy* e hoje, aos 82 anos, é mórmon. Dizem que foi a primeira mulher-piloto dos Estados Unidos. Viveu sua vida!

Grace ficou célebre, mas ninguém foi tão malhada, achincalhada, humilhada, espezinhada, desprezada na vida. Os ataques a Paulo Coelho são doce mel perto do que Grace suportou. Reduzida a pó de traque, a moça viu seu casamento afundar, suas filhas sofreram todo tipo de injúrias, ela ficou rica, alcoólatra, teve cirrose e morreu aos 40 anos. Material para outro filme. A base do livro era real, a história de um pai que estuprou a filha em Manchester. A menina grávida fez um aborto, coisa inconcebível. Imagine, sua filha ser também sua neta? Ao se ver na tela, a cidade odiou.

Apesar de tudo, o filme teve treze indicações ao Oscar, entre outras Lana Turner, Hope Lange e Diane Varsi. Não ganhou nada. Mas aconteceu uma coisa espantosa. Dez dias depois da cerimônia do Oscar, durante a qual Lana teve a maior mídia, ela se meteu em uma situação trágica, digna do filme. Sua filha, Cheryl, matou com facadas Johnny Stompanato, um *gangster*, amante da mãe. A princípio, Lana assumiu o crime, depois se descobriu a verdade, Cheryl foi para um reformatório.

Cada pequena cidade americana, cada cidade média brasileira, francesa, inglesa, italiana, argentina, canadense, do mundo, se viu retratada no livro e no filme. Aqueles personagens estavam por toda a parte, sucessão de clichês reais: o pai que proíbe o filho de namorar a menina pobre; a jovem que faz aborto, depois de ter sido estuprada pelo pai; a mãe que teve um filho com um homem casado; as adolescentes que transavam no banco de trás dos carros; o cinismo dos adultos; a moral hipócrita e destruidora de reputações, a vizinhança fofoqueira, os diz-que-diz-que mortais, a vigilância de todos sobre tudo. Um inferno! Eram outros tempos, não os de hoje, porque agora se vê tudo isso em uma semana nas telenovelas da Globo. E a série *Desperate housewives* não é uma atualização de *Peyton Place*? Os anos 1950, começos dos 1960 ainda eram obscuros, fechados, tudo acontecia nas sombras. Um filme paradigma. Molde para os grandes dramas, os novelões. Fórmula.

Os araraquarenses viviam excitados, para cada personagem do filme apontava-se uma pessoa na cidade. Para cada escândalo, sabia-se de um maior. Quando as coisas eram "mais cabeludas", como se dizia, contavam que tinha acontecido em São Carlos ou Matão. Nas esquinas, nos clubes, no Tênis, no 22 de Agosto, no 27 de Outubro, na piscina, nas sessões de cinema, nos bares, cada um tinha uma história a contar, uma relação a fazer com o filme. Quanta cinquentona foi comparada com Lana Turner (que na época do filme tinha apenas 35). Houve casais separados, namoros desfeitos. Não ficou famosa (mal falada) aquela jovem que, diziam, aceitava caronas, ia para as rodovias, fazendo *striptease* diante dos faróis. Quando se perguntava:

— Você estava lá?

Respondiam:

— Fulano me disse. Fulano disse a cicrano que soube do beltrano.

Parte dessas lendas interioranas estão em *Cadeiras na calçada*, peça de juventude do Zé Celso Martinez – que ele escreveu em uma semana, encerrado na Escola de Comércio de seu pai, em Araraquara – nunca encenada. *Peyton Place* existia (existe) no mundo, era (é) tudo igual, uma vila na Toscana, uma aldeia na Provence, um vilarejo em New Hampshire, uma cidade na Baviera, no interior brasileiro, seja na República de Ribeirão Preto, seja na República de São Luís do Maranhão. *Peyton Place* existe, é o mundo.

A pousada das portas sem chaves

Caminhando, olhando as placas: Godiva, Donna Karan, Anne Klein, Ellen Tracy, Natori, Nine West Samsonite etc., vi que estava diante da loja Donna Karan, entrei, senti tonturas. Fortes. Tive de me apoiar para não cair. Fiquei impressionado. Saí e fui me deitar num gramado. Não contei a ninguém a intensidade da tontura, eu não conseguia andar. Via tudo girando, estrelinhas nos olhos,

A casa das portas sem chaves em Marlboro.　　　　　　　　Arquivo pessoal

visão dupla. Enquanto os outros entravam e saíam de lojas, fiquei quieto, descansando, tomando fôlego. Recuperei-me.

Tentamos seguir para Marlboro pela R7A. Seria um caminho mais pitoresco que a *highway*. Final de domingo, o tráfego era pesado. Retornamos, apanhamos a 7, passando por Sunderland, no rumo de Bennington, onde entraríamos na R9 East. Depois, Wilmington e Marlboro. Uma placa: Brattleboro. Porra, essa cidade se anuncia pelos EUA inteiro. O que há nela?

Este trecho pareceu demorar, era monótono, nem sabíamos se andávamos no rumo certo. Não sei se por estarmos cansados ou se por que a estrada realmente oferecia poucos atrativos. As cidades eram escassas, primeiro trecho em que percorremos quilômetros e quilômetros sem encontrar uma vila.

O sol tinha caído, mas ainda era claro, quando atravessamos Wilmington, cidadezinha mediana, com uma rua central cheia de negócios, pousadas bares e cafés. Fomos olhando: tem restaurante? Mais 8 milhas e demos com uma pequeníssima placa verde, quase invisível, à direita: Marlboro. Tão pequena e mal colocada que poderia passar despercebida. Parecia de propósito para afastar indesejáveis. Mas esses sempre encontram o caminho. Tivemos ligeira hesitação. Devia haver outra placa maior, à frente. Tem que ficar esperto na estrada!

Na dúvida, entramos.

Onde seria a tal South Road da pousada?

Estávamos nela.

E a pousada Whetstone Inn?

Em dois minutos surgiu, imponente.

Marilda entrou, indagou, alívio, nossos quartos estavam reservados. Aliás, havia apenas mais duas mulheres hospedadas naquela casa enorme.

A noite estava começando.

Marilda e Márcia ficaram a conversar com o casal Boardman. Ele, Harry. Não guardei o nome dela. Simpáticos, afáveis. Adoramos o casarão. Eles nos mostraram os quartos. Aconchegantes, pareciam saídos dos filmes de Frank Capra. Harry perguntou:

— Estão vindo de onde?

— Woodstock e Manchester.

— Manchester? Então, estão cheios de compras?

Sabe-se lá por que, ficamos constrangidos. Zezé e eu saímos de mansinho e corremos ao carro para apanhar as malas, sub-repticiamente, enquanto eles conversavam na sala de comer. Havia sacolas e mais sacolas. Não de butiques meia boca, mas Armani, Calvin Klein, Anne Klein e etc. Coisa de gente que se respeita. E Burberry, certamente. Além das malas que, a esta altura, eram cinco, recheadas. Fomos levando para cima, sem que percebessem. Indagamos sobre onde comer, era um problema fundamental. Harry nos indicou Le Petit Chef, na R100, a 15 milhas de distância. Trouxe um cardápio e logo telefonou, reservou  para as 20h15, informando que tínhamos vindo do Brasil especialmente para comer ali. Tomamos banho, tiramos pouca coisa das malas. As cômodas eram enormes, antigas, e na nossa havia roupa numa das gavetas. Do casal ou de alguém que esqueceu? No banheiro, sabonetinhos Cashmere Bouquet fizeram lembrar o Brasil dos anos 1960.

Nada de televisão. Quatro janelas dando para o jardim e para a estrada. Os carros que passavam não faziam barulho.

Quase 8 da noite, descemos. Harry tinha dito que chegaríamos em 20 minutos ao *Le Petit Chef*.

— Então, o senhor nos dá a chave da porta da frente?
— Não tem chave. Fica aberta. Nunca fechou.
— E o quarto?
— Não tem chave também, não precisa.

Bateu o espírito desconfiado do brasileiro. Deixar as malas, o dinheiro, os passaportes, a minha capa... Qual é? Mas, se é assim, que seja! Harry indicou um atalho para cortar caminho, ia sair na frente, na R9 East. Seguimos, passando por fazendas, celeiros, casas iluminadas, bares, discotecas. E nada do restaurantinho francês quatro estrelas.

De repente, Le Petit Chef surgiu à nossa esquerda. Uma casa branca, isolada no campo. A entrada era pelos fundos. Uma jovem garçonete, sorridente, nos atendeu com o habitual alô, que é a maneira usual de se cumprimentar informalmente; assim foi, por toda parte. Havia apenas duas mesas ocupadas. Nessa noite, eu não queria vinho tinto, ia pedir uma taça de branco, no entanto, o consenso geral foi solidário. Branco para todos. Escolhemos um Sancerre, resultou maravilhoso. Das comidas lembro-me de minha vitela à milanesa, dos *escargots* que os outros pediram como entrada, do prato do Zezé que tinha peixe, vieira, camarão e mariscos, o da Márcia era com *foie gras*, o da Marilda foi pato. Pensei numa palavra que vem sendo usada nos últimos tempos: os gastrochatos. Aqueles que exigem comidas perfeitas, reclamam com os garçons, com os *chefs*, fazem voltar pratos, escrevem *blogs* demolindo restaurantes. Que tempos mais loucos, uns não comem nada, outros protestam contra o tempero demais, contra a panela em que se cozinhou uma carne e depois se fez um vegetal, portanto o vegetal foi contaminado, uns colocam vinho no feijão para agregar sofisticação, outros só usam o queijo Serra da Estrela na borda da pizza...

Voltamos para a pousada sem chaves, em paz com a humanidade. No balcão da sala principal havia uma panela cheia de ponche quente, de aroma fortemente doce. Canecas de louça ao lado. Oferecimento gentil. Pena que tínhamos acabado de jantar. Zezé meteu o dedo no ponche, experimentou, se deliciou. Alguma bebida típica da Nova Inglaterra para o friozinho da noite? Acho que fomos mal-educados, sequer sujamos as canecas para mostrar que tomamos.

Dormimos envolvidos por um silêncio absoluto, acordamos com o sol atravessando a cortina, tínhamos nos esquecido de abaixar a proteção contra a luz. Pela janela, contemplamos a grama brilhando, molhada, parecia gelada.

Um relógio bateu em alguma parte daquela solidão. Eram 7h30.

Bolas de golfe pintadas de vermelho

Em Whetstone Inn, tomava-se o café da manhã em uma sala enorme, na frente de uma lareira imensa, na qual estão pendurados panelões. Coisa de castelo dos filmes de Robin Hood. A cozinha, igualmente grande, se mostrava atulhada por utensílios domésticos, empilhados ou pendentes de ganchos.

Oito horas em ponto. Na mesa ao lado da nossa, as duas outras únicas hóspedes falavam em alemão com Harry Boardman. Uma delas, loirinha de riso espontâneo, cheia de corpo, ainda que não gordinha, era a mais comunicativa. A mulher de Harry fica na cozinha preparando as refeições, depois vem até a porta observar se os hospédes estão satisfeitos. Ele serve a mesa. Dormíamos e levantávamos cedo. Zezé dava uma volta para fumar um cigarro; na verdade, fumou pouco na viagem. O ar era frio, estimulante. A Whetstone Inn é desses lugares para se ficar uma semana, distanciado do mundo, lendo e escrevendo, andando a pé.

Começávamos com um prato de frutas: *blueberries*, framboesas, morangos puros ou com creme de leite. Depois, ovos mexidos com *bacon*. O *bacon* num ponto exato, sequinho, nem parecia que tinha gordura. As mulheres preferiam panquecas com *maple* e geleia. Claro que um toque pessoal torna a comida mais atraente, no entanto, nos Estados Unidos, tudo vem pré-preparado, industrializado. No fundo, o gosto igual permanece, é uma sensação de "globalização" do sabor. Verdade também que a mulher de Harry, mesmo usando o pó que vem em caixas, produzia um *waffle* excepcional, de textura delicada, leve, podia-se comer vários sem se "empanturrar".

As alemãs conversavam e tomavam canecas de café. Ao nos levantarmos, lancei para elas um *auf wiedersehen*. Riram, surpresas, e responderam. A sala de estar era cheia de estantes. Muitos livros envelhecidos. Adoro livros velhos e o cheiro deles. Gógol, Tolstói, St. J. Perse, Milton, Balzac, Hemingway, Faulkner, Plutarco, Rabelais, Alexandre Dumas, Mark Twain. Nas estantes no alto da escada, *pockets*. E uma coleção de Rudyard Kipling.

Kipling estabeleceu-se na região no final do século passado. No domingo, ao voltar do jantar, apanhei um livro (esqueci-me de anotar o autor) que falava da sua relação com Vermont. Li trechos em diagonal. Kipling era vaidoso, egocêntrico e com uma autoestima sem limites, proporcional à fama que obteve. Em 1892, mudou-se para os Estados Unidos e construiu, ao norte de Brattleboro, uma casa que denominou Naulakha (o termo industão significa joia sem preço). Ao chegar, Kipling era "como os Estados Unidos: jovem, arrojado e ansioso por ser famoso". Indo a Brattleboro seria possível ver a casa onde foi escrito *O livro da selva*? Imaginem! *Mowgli, o menino lobo* foi criado nessas florestas de folhas vermelhas!

Kipling nunca foi de meus autores favoritos, mas é uma curiosidade. Nunca li. Aliás, sempre achei chatíssimo o poema *If* (*Se*), muito moralista, muito Rui Barbosa (como esquecer o *Ser homem*, do Rui?), caga-regras. Vi filmes como *Mowgli*. E foi tudo. No entanto, se estávamos tão perto, por que não? Gosto de saber como viveram os escritores e não por acaso tenho livros exatamente sobre as casas de alguns. O mais belo de minha coleção se chama *Maison d'Écrivains* e tem prefácio de Marguerite Duras. Em Vermont nasceram as duas filhas de Kipling. No entanto, uma briga com o cunhado transformou-se num caso público que acabou tomando proporções inesperadas. O "escritor que foi o mais popular do mundo" na sua época, era arrogante e megalomaníaco, partiu de Vermont, seis anos depois, cheio de inimigos e debaixo de insultos pesados, segundo li. Era tão esnobe que jogava golfe na neve com bolas pintadas de vermelho.

Nas paredes do corredor que dava acesso à escada – nossos quartos eram no primeiro andar – estão fotos de Harry ao lado de Ludwig Erhard, chanceler da Alemanha e do primeiro ministro Harold Wilson, da Inglaterra; telegramas comunicando cancelamento de um jantar na Casa Branca; e assim por diante.

Um livro de fotografias antigas sobre a mesa. Sobre Bad Homburg. Como? Bad Homburg onde morava a Ray-Güde Mertin, minha tradutora e agente? Nesta releitura do ano 2011, penso em Ray e no câncer que a levou tão nova. Folheando, descobri a Friedrichstrasse no começo do século. Mostrei a Harry, contei minha familiaridade com a cidadezinha que fica a dez minutos de Frankfurt. Eu me hospedava naquela rua, no número 1. Ali existia o famoso "porão dos escritores", no qual dormiram João Ubaldo, Márcio de Souza, Lobo Antunes, Ivan Ângelo, entre outros. Ray precisou ampliar o escritório de representação e o "nosso" quarto ficou cheio de computadores e arquivos e livros.

Um dia, será preciso escrever a história de RayGüde em relação à literatura brasileira. Como agente e tradutora. Ela acompanhou dezenas de escritores em leituras através da Alemanha. Em universidades, centros culturais, cafeterias. Sempre bem-disposta, alegre, entusiasmada. Foi a agente de Saramago até a morte. Estava com ele na tarde em que soube que tinha ganho o Nobel. Saíram da Feira de Frankfurt e ela o levou ao aeroporto. Ao chegar ao *check in*, Ray recebeu um telefonema avisando que José tinha acabado de ganhar o Nobel e deveriam voltar à Feira. Ao chegar, foi o maior tumulto. O primeiro Nobel em português. Lá em Portugal, Lobo Antunes chiou, era contra. Meses depois, no Instituto Goethe em São Paulo, Ray comentou comigo sobre a leitura, certa noite, em Hamburgo, quando um alemão falou do futuro

Prêmio Nobel. Já se sabia alguma coisa? Estava sendo arquitetado, trabalhado? Candidaturas se estruturam, é toda uma rede que se organiza. Sei que há alguns escritores do Brasil armando todos os *lobbies* possíveis. Dizem que Josué Montello tinha centenas de pastas organizadas sobre ele, seus livros, sua carreira. Numa mesa na Literaturhaus em Frankfurt, em 1994, quando o Brasil foi homenageado, Montello sorriu e nada disse quando o mediador da mesa referiu-se a ele como o provável primeiro Nobel brasileiro. Vimos que ele cresceu, inchou, quase estourou. Naquela tarde, ele ignorou seus companheiros de mesa, escritores como ele.

Harry Boardman pertencia ao Council on Foreign Relations e serviu na Alemanha, depois da guerra, fixando-se em Bad Homburg. Era um dos encarregados de administrar as tropas americanas de ocupação que deixaram o país somente depois da queda do Muro. Uma foto da casa de Marlboro, maravilhosa, emoldurada, está autografada para Harry pelo autor. Nada menos que Avedon, o mito.

Vidas curiosas. Depois de tudo o que foi no governo, com todo poder, depois das viagens pelo mundo, a velhice chega com tranquilidade, numa bela casa, recebendo gente, num condado típico americano, longe dos holofotes, das pressões. Intrigas, responsabilidades. Preparando ponches perfumados para brasileiros. Harry era um homem cordial, bem-humorado.

Ele recomendou, com insistência, um passeio a Deerfield, cidade histórica, museu. Estávamos respirando ar puro, tomando um solzinho na entrada, prontos para partir. A alemã gordinha colocava as bagagens no carro, desejei *Gute Reise*, ela perguntou: fala alemão? Disse que sim e embarquei, acenei. Não sei quem ela é e ela nunca saberá de mim. Assim como falo dela, talvez ela fale de nós. Certamente, vai saber por meio do Harry que somos brasileiros, os primeiros brasileiros, primeiros sul-americanos, a se hospedarem na Whetstone Inn. Pioneiros. Quais serão os próximos?

Marilda propôs: "E se dermos um pulo ao Bate-bolo?" Isso, a casa de Kipling! De lá podemos seguir para Deerfield. É tudo perto. Brasileiro tem noção diferente de distância. O longe para os outros é perto para nós, está juntinho. Pegamos a R9 East e seguimos.

Feministas, Perez Prado, Anastasia

Brattleboro. Cedo ainda. A cidade despertava. Li num guia que foi uma cidade escolhida por muita gente que procurava qualidade de vida. Estação termal célebre pela pureza de suas "águas primaveris". Meca dos *hippies* nos anos 1960, conserva resquícios dessa "invasão" saudável, visível nas lojas de produtos naturais e alternativos ou restaurantes administrados pelos empregados. Estacionamos, executei minha função, coloquei o *quarter* no parquímetro e descemos rumo a Main street, rua que toda cidade que se preze tem. Corresponde à avenida Brasil em qualquer cidade brasileira ou à avenida Nove Julho no estado de São Paulo. Não esquecer o romance *Main street*, de 1920, do Prêmio Nobel, Sinclair Lewis, um dos mais agudos e cruéis retratos da classe média americana. No fundo, queríamos sentir o clima da cidade que tinha abrigado tanta gente com ideal libertário, que tentou fugir da opressão do ideal americano de dinheiro, vencer na vida, tecnologia, alimentos industrializados em escalas monumentais, vida artificial. Tínhamos o dia inteiro para ser preenchido, no dia seguinte entraríamos na reta final: Nova York.

Na Elliot street vi a Everyone's Books. Na vitrine havia alguns postais e o de Marilyn pareceu brilhar, me chamando. Uma livraria diferente das outras nos Estados Unidos. Entrei, era tudo bagunçado, confuso, misturado, quando em geral elas são arrumadas, organizadas por assuntos. Olhando, eu achei que tinha entrado em um lugar essencialmente feminista. Lembrei-me da

Na lojinha do interior, a tragédia de Marilyn estampada em um postal cheio de dor, solidão.

Lilith, em Berlim, de onde fui expulso pelas mulheres, homem não podia entrar. Está em *O verde violentou o muro*. Aqui, em destaque, *La tyrannie du plaisir*, de Jean-Claude Guillebaud, o número um na preferência dos clientes. Das revistas aos livros, dos postais aos marcadores de livros, tudo era o mundo novo da mulher, sua luta. Mas havia muita política, muito esquerdismo, ensaios aos montes sobre a Ásia, África, América Latina. E postais críticos e satíricos. Quando apanhei o marcador de livros, junto ao caixa, entendi. O lema da livraria é *For Social Justice & The Earth*. Um lugar que refletia o que tinha sido (ainda é um pouco) a alma desta cidade.

Publicações para gente papo-cabeça, ideólogos, ambientalistas, porra-loucas, desbundados. Os assuntos saltavam de Marx a Gloria Steinem, de Betty Friedan a Anaïs Nin, de Hobsbawm a Guevara, de Lacan a Crumb. Este só pode ser odiado pelas feministas, pela forma como trata as mulheres em seus quadrinhos. Os próprios funcionários eram diferentes, na maneira de se vestir, me olhar, tentando me classificar: "Que tipo é esse que entrou aqui?". Um me perguntou de onde era, respondi que do Brasil. "Ah, vocês andam cheios de problemas político-sociais! Verdade?" Respondi que sim, não estava disposto a um papo-cabeça aquela hora da manhã. Ele me estendeu um cartão. Mostrava a bandeira americana pegando fogo. "Um presente". Aproveitei, perguntei da casa de Kipling. Ela foi restaurada recentemente, pertence a uma organização inglesa e não é aberta à visitação pública. Mas poderia alugá-la por um período, se eu estivesse interessado. Não, não existia nenhum postal da casa.

Na casa de CDs, a Rap City Music. Precisávamos de discos mais animados para a viagem, estávamos nos cansando das canções de Eartha Kitt (a não ser "Angelitos negros", que Zezé e eu adorávamos), Chet Baker, Ella Fitzgerald, da música putona que a Jayne Mansfield canta em *Divas* etc. Tempo cinza, sombrio. Nas ruas, quase ninguém. Por que os americanos não saem? Ou ficam nos carros o tempo inteiro? A diferença de Brattleboro para outras cidades estava nas paredes pesadas, de tijolinhos vermelho-escuro.

Comprei CDs de música cubana e um Perez Prado. E um antigo de Doris Day. Era uma loja curiosa, acabamos gastando muitos dólares em discos de gente antiga. Num canto, uma estante

de postais. A curiosidade foi encontrar uma fotografia de Chopin e outra da princesa Anastasia, da Rússia, quando adolescente. A fotografia já existia na época de Chopin? Ele lembra vagamente Oscar Wilde. E Anastasia? Jovem bonita, insinuante, teve em Ingrid Bergman, no cinema, a correspondente ideal em beleza. Muitos postais também de Billie Holiday e uma maravilhosa de Janis Joplin que comprei para a Maria Rita.

Na saída, passamos pelo Mocha Café, na Main street mesmo. O *espresso* era excelente, compensou, lavou a alma do Zezé. Um lugar cheio de jornais e revistas para se ler na mesa. Num console, folhetos, maços de convites, programas, publicidade de *shows*, cinema, teatro, programas de rádio, palestras, leituras de poemas. Parece lugar frequentado por jovens. Naquela hora, só tinha uma velha lendo jornal, absorta, e tomando um café *regular*, imenso. Talvez devêssemos saber mais sobre a cidade. Aquele livro em francês, como destaque... Este café... Brattleboro deve ter sido bem interessante em seus tempos áureos de gente voltada à natureza.

Anastasia, filha do czar, celebrizada como mito no cinema, na literatura e na história (em postal da antiga Rússia). Mas o pai era um antissemita feroz, um homem fraco, quase um tolo.

196

Fake, o culto, o conceito

Meio-dia. O rumo era Deerfield. Vamos ver o que é! Por que não? Saímos pela R91 South. Atravessamos a fronteira para Massachusetts. Num ponto, entramos na estrada chamada The Mohawk trail, logo saímos e em minutos entrávamos em Deerfield. São catorze casas históricas a serem visitadas. Olhamos por fora, a cidadezinha é encantadora, ruas cheias de árvores, muitos gramados, flores, varandas. Grupos de turistas ciceroneados. Em Deerfield tiramos a única foto da viagem em que nós quatro estamos juntos. Um americano bateu a foto. Estamos embaixo de uma imensa árvore repleta de folhas vemelhas, as folhas do outono, *autumn leaves*. Então, Marilda se realizou. Ela andava decepcionada com a ausência das folhas vermelhas e amarelas, sentiu-se feliz. Numa viagem, às vezes, vamos atrás de uma única coisa, que é a que nos interessa, por simples que seja.

Almoçamos na Deerfield Inn, de 1889. A casa não é original, sofreu um incêndio, foi restaurada. Muito plástico imitando madeira. Lustres com pedras que imitam cristais. A decoração americana é mescla de todos os estilos e gostos e adaptações e reciclagens, mistura do vitoriano, do barroco, *art déco*, *art nouveau*, minimalismo, tradicionalismo, modernismo, *bauhaus* etc. O se percebe mesmo é o *fake*. Um dia se há de escrever sobre o culto do *fake* nos Estados Unidos. Tudo é *fake*. Filosofia de vida, conceito, necessidade. Políticas. Fuga, fingimento. Tudo se produz, se inventa, se recria, tudo tem cara de cenário. Parecem não viver a realidade em si, mas uma realidade particular, inventada para consumo próprio, para viver na fantasia. Reino da imaginação, do delírio. Entende-se Hollywood e seu poderio por décadas; império absoluto do *fake* total.

O almoço foi, digamos, inócuo. Nem ruim, nem bom. Taças de vinho, como de hábito nas refeições. Nem anotei os pratos,

A viagem tinha sido para buscar as folhas vermelhas do outono. A mais bela estava em Deerfield. Única foto de toda a viagem em que os quatro estão juntos, um americano nos fotografou.

Arquivo pessoal

tão regulares eram. Tipo almoço por quilo no Brasil. Acho que nós quatro comemos massas. Não que a massa americana seja *al dente*, com molho de dar água na boca...

Passagem pelo shopping, denominado Historic Deerfields Museum Store. Evidente. O lucro ajuda a manter a cidade, além daquilo que se paga para visitar as casas por dentro. A pequena livraria é especializada em história local, assuntos regionais. Um livro sobre a medicina em 1.700 me impressionou, com a exibição das facas, serras e serrotes usados na amputação de pernas e braços. E as dentaduras? De madeira, com dentes de marfim. A parte superior e a inferior possuíam uma pequena mola que ajudava o mastigar. Lincoln usava uma. Pode ser que o sujeito tivesse de fazer força para manter a boca fechada. Dezenas de livros lembravam a tradição de fantasmas e casas mal-assombradas em Vermont (*Ghostly haunts, Haunted happenings, The Vermont ghost guide* – quase comprei este, era divertido).

Muitos postais sobre a guerra civil. Comprei três, um deles pretendo usar como referencial no romance *O anônimo*, que finalmente recomecei a escrever, vamos ver se continuo. Fiquei impressionado com a foto do general James Ewell Brown Stuart, líder de cavalaria do general Lee. Ele tem uma barba espessa que não esconde uma boca torta, ou um defeito estranho nos lábios. Daí a barba?

Sem pressa, regressamos, parando no Museu de História Natural Southern Vermont, no alto da Hosback Mountain. Assim que estacionamos, o celular deu sinal de vida. Alarme falso. Morreu em seguida. Pagamos 4 dólares por cabeça e demos uma volta pelo museu, vendo pássaros e pequenos animais que existiram na região. Em uma gaiola nos fundos, algumas corujas que foram atropeladas na estrada, à noite, e não podem mais viver soltas, não têm mais capacidade para sobreviver sem ajuda. Junto ao caixa, ao sair, descobrimos dezenas de fósseis do Ceará, à venda como *souvenirs*. Como saem? Como chegam ali? Eram caros, na base de 100 a 200 dólares. Tiramos fotos tendo o vale ao fundo, a floresta começava a avermelhar, era bonita.

A noite da pior comida do mundo

Wilmington, quase final da tarde. Scott Fitzgerald morou em uma cidade chamada Wilmington, só que no estado de Delaware. Desta vez não fui apanhado pela armadilha. Estacionamos e fomos olhando de porta em porta em que restaurante comeríamos à noite. Decidimos pelo Alonzo's, meio de orelhada. O cardápio parecia atraente. Entramos e saímos de lojinhas. Na Klara Simpla o ambiente era o de um armazém do interior paulistano nos anos 1950. Um mundo de coisas, velas de cera coloridas, *müslis*, cereais, mel, sais minerais, sabonetes e xampus naturais, óleos

vegetais, remédios homeopáticos, CDs com músicas para meditação, *relax*. Ali descobri os livros e postais com os belos desenhos de Mary Azarian, que é melhor quando os temas são plantas e jardins.

Junto à janela uma infinidade de cartões de visita. Toda a região deve deixar ali seu endereço, em busca de clientes:

gente que faz reiki,
massagens normais,
relaxantes,
astrólogos,
astrônomos,
pintores,
professores de ioga,
de zen-budismo,
quiroprático.

Outro lugar interessante foi o Quaigh Design Center, ao lado da Vermont House Tavern. Achei que esta seria um bom lugar para jantar, era íntimo, acolhedor. Ou o Dot's Restaurant. Ninguém aceitou minhas sugestões.

Chegamos na esquina da R100 – por aqui tínhamos passado na noite anterior, rumo ao *Le Petit Chef* – no ponto em que a East Main street se transforma em West Main street. Uma rua mínima e dividida em *east* e *west*, pensando ser Nova York. Na verdade, trata-se da R9 atravessando por dentro da cidade. Uma lojinha, a Next Stores, chamou a atenção particularmente de Marilda. Havia vestidos, chapéus, revistas antigas (*Look, Life, Saturday evening post* – com desenhos de Norman Rockwell), bandeiras, xales, echarpes, sapatos dos anos 1940, roupas da Marinha, casacos, boinas para mulher. O velho que atendia falava francês. Compras na mão, fomos tomar um forte *espresso* que nos convenceu, o do *Bean Head's*, na esquina.

Encafifei com esse nome. *Feijão da cabeça*? A apóstrofe estaria no lugar errado, como uma bossa? Será uma expressão idiomática? Alguma coisa muito local? Marilda e Márcia entraram na loja anexa ao café. Marilda saiu dizendo que tinha coisinhas sensacionais. É que ela fuça no fundo das gavetas, embaixo das prateleiras, na caixa registradora. Tem paciência e determinação. Se bem que, quando entro num sebo, me transformo, vou nos cantinhos e tenho certeza de que fiz uma grande descoberta. Mal sabendo que o livreiro sabe onde colocou, para fazer de conta que não sabe o valor do livro.

Depois do banho, voltamos a Wilmington para o jantar. Quase oito da noite. Ruas vazias, cafés e restaurantes iluminados, mas desertos. Tínhamos decidido pelo *Alonzo's*. Afinal, o cartaz anunciava preciosidades. Temos experiência em restaurantes, mas ainda há truques, fazer o quê. No cartaz uma coisa me intrigou. O que seria *Sizzling fajitas*? Que comida seria essa? Mexicana? Ali, tão distante! Se ainda fosse San Diego...

Para entrar no restaurante, havia uma porta na varanda. Fechada. Um cartaz mandava dar a volta por trás. Fomos pelos fundos. Tudo estranho, caminhões parados, *containers*, canos empilhados, pilhas cobertas por plástico cinza, latões de aço inoxidável. Paredes escuras de tijolos engordurados e aquela fumaça branca misteriosa que sai do chão e a gente vê nos filmes de Nova York. Coisa de cinema! Dos policiais em preto e branco com George Raft, James Cagney, Alan Ladd e ou Edward G. Robinson. Uma portinhola que teria sido branca. Penetramos num bar que parecia puteiro, luzes amareladas, com uma gente olhando ressabiada, de esguelha, um homem virando o rosto rapidamente para a parede. Passamos pela cozinha, havia chineses e mexicanos conversando numa língua inventada por eles, aspiramos o cheiro de bacon e molho de tomate e atum. O ar era azedo, devíamos ter ido embora dali, mas o desafio era grande. Que lugar era este? Figuras soturnas correndo num corredor, mulheres virando o rosto. Papéis de parede desbotados ou manchados de gordura, não sei por que, havia ali algo do filme *Veludo azul*. Voltar, ir embora? Lembramos que em Portsmouth também não acreditamos no *Mediterraneo* e foi um belo almoço. Aparências, ah, as aparências.

Subimos escadas, passamos por um *hall* de ladrilhos encardidos, por banheiros e por uma recepção, onde casais sentados em sofás desbotados esperavam alguma coisa. Era um labirinto sem fim. Viramos para lá e para cá, reviramos, demos com um corredor sem saída e entramos no *Alonzo's*.

Vazio. Fomos levados a uma mesa dos fundos. A mesa dava para a porta que se abria para a varanda de entrada. Se a porta estivesse aberta, teríamos entrado sem fazer o tour do lugar. E que lugar era? O garçom – a cara não era boa, tinha tudo de malandro ou cafetão, se é que cafetão tem alguma cara (vale o estereótipo) – recitou o cardápio com uma velocidade de 700 milhas, rimos. Não entendemos patavina. Ele riu também e repetiu devagar. Mesmo assim, consultamos o cardápio escrito e descobrimos que grupos com seis pessoas são "considerados festa" e portanto sujeitos a cobrança de serviço de 20%. Insólito! Márcia e Marilda pediram carne, Zezé e eu tentamos espaguete com *meatballs*. Tudo coisa de lata, sem gosto, um cheiro indecente. Certamente a pior refeição das duas semanas em que estivemos

nos Estados Unidos. Esta foi a terceira e malsucedida experiência de que falei. Somente a fome extrema nos fez engolir tudo. Tomei suco de maçã. Marilda e Márcia arriscaram um vinho.

Na manhã seguinte o rumo seria Nova York. Eu, preocupado. E entrar na cidade? Chegar ao hotel? Melhor chamar um táxi na entrada da cidade e mandá-lo na frente? Todos riam da minha preocupação. Márcia e Marilda asseguraram: "Sabemos tudo direitinho, vamos chegar, estudamos mapas, itinerários". Eu insistia:

— E se o carro quebrar ao atravessarmos o Harlem? Estamos mortos.

Zezé:

— Viu no que deu ter assistido *A fogueira das vaidades* (do Brian De Palma)? Não se pode acreditar em cinema!

Márcia e Marilda:

— Qual é? Naquela viagem que fizemos, nós duas sozinhas, fomos ao Harlem assistir missa na igreja dos negros. Eles foram gentilíssimos, até nos homenagearam.

Anos atrás, elas tinham sido as duas únicas brancas na igreja, foram notadas, o pastor no sermão apontou para elas, receberam aplausos. Depois, Nelsinho Motta tornou a igreja popular, turistas passaram a frequentá-la, o problema passou a ser a superlotação.

Nem me passou pela cabeça, naquela hora, olhar o mapa e verificar que o Harlem estava do outro lado da ilha, na direção oposta a nossa entrada. Vai ver foi o espaguete de lata, as almôndegas de lata, o molho de lata do *Alonzo's*!

Ao errar, acertamos.
Ao nos perder, encontramos.

Último *breakfast* em Marlboro. Como Harry Boardman tinha se mostrado orgulhoso do *waffle* da mulher, todos pedimos. Fizemos bem, eles forraram suavemente os estômagos. Único problema é que a mulher, ao nos ver entusiasmados, fez mais e foi servindo a mesa. Márcia e Zezé se mostraram à altura, devoraram tudo. Depois do ponche não tomado não podíamos decepcionar novamente. Um jovem entrou como um furacão, não cumprimentou ninguém, sentou-se numa mesa, tomou o café e partiu como vento. Deve ter sido o mesmo que fez barulho à noite, acordando Marilda. Descemos as malas e a mulher nos entregou a conta.

Ficamos assombrados. Esperávamos de 180 a 200 dólares por noite, não sabemos bem por que. Talvez porque todos os hotéis estivessem nessa faixa. Pagamos apenas 80 dólares por noite, mais o café da manhã e as taxas, claro. Agora, era tomar o rumo de Nova York.

Márcia na direção, Marilda com o mapa na mão. As duas foram na frente. Piloto e copiloto. Fiquei atrás do banco do motorista, o odiado (se via pouco). O percurso era tomar a R91 South, passar por Brattleboro e descer. Os mapas anunciavam: desta cidade a Nova York eram 200 milhas, cerca de 360 quilômetros. Pouco mais do que São Paulo a Araraquara. Quase metade de São Paulo a Arraial do Cabo. Passamos por Bernardston, Greenfield, Northampton e Springfield, dentro de Massachusetts. Depois, Thompsonville e Hartford. Aqui gostaria de ter parado, ao menos meio dia. Cidade grande. Aqui morou Mark Twain, na Farmington avenue. Como não associar Hartford a Tom Sawyer e Huckleberry Finn? Não bastasse Tom Sawyer ter sido herói de nossa infância, não foi esse livro que influenciou Hemingway? Perto se localiza também a casa de Harriet Beecher Stowe, famosa pela sua *A cabana do Pai Tomás*, livro que nunca tive vontade de ler e que hoje, à sombra do politicamente correto, tem sofrido ataques.

No entanto, havia outra razão para eu andar por Hartford, e aposto que talvez o Zezé também. Eu gostaria de ir em busca de um reformatório aqui existente, no qual Cheryl Crane, a filha de Lana Turner, foi internada no final dos anos 1950. Para quem, como eu, leitor de *Cinelandia, Photoply, Movie Screen, Cena muda,* e de todas as colunas de informação e fofocas do cinema, seguiu a história de Hollywood passo a passo, olhar o reformatório de Hartford seria como fazer uma (tola) visita a um lugar ícone, "sagrado". Coisa da revista *Caras*. Sei da perversão contida no que digo. Em abril de 1958, quando Cheryl Crane, com 15 anos, matou o amante da mãe, o *gangster* Johnny Stompanato, eu estava em São Paulo havia exatamente um ano. O mito do cinema povoava minha cabeça. Os jornais do mundo se encheram de manchetes sobre o caso. Celso Jardim, chefe de reportagem de *Última hora*, me chamou com uma notícia retirada do teletipo da UPI nas mãos. Naquele tempo, as agências de notícias distribuíam seu material pelo teletipo, máquinas barulhentas que escreviam tudo somente em maiúsculas e ficavam junto às janelas que davam para o Vale do Anhangabaú (mais tarde subiram para um mezanino). Era a informação do crime. Celso ordenou:

— Meu jovem, você que gosta de cinema, desenvolva essa notícia, conte a história dessa artista, veja a reação na classe, aqui. Fale dos filmes dela, quem distribuía, se tem fotos. Faça uma boa suíte. Dramática. Filha matando amante da mãe, mesmo que seja

Lana Turner e sua filha Cheryl Crane, em foto de *O Estadão*.

nos Estados Unidos, vai vender muito. E Lana Turner é um símbolo sexual de nosso tempo.

Celso chamava cada um de seus repórteres de "meu jovem". Era duro, rígido, mas carinhoso com a molecada que começava. Arquivos do jornal, então, eram apenas de fotografias. Diferente de hoje, quando as pastas trazem recortes, papéis, currículos, biografias. Papéis? Nem sequer sonhávamos que um dia poderia existir algo como o Google, era ficção científica. A informatização desocupou os espaços. Fui aos meus livros na pensão da Nina. Mas meus livros eram "sérios", estudos e ensaios sobre cinema. Tipo John Ford, Ingmar Bergman, Vincent Minelli. Era escassa a bibliografia fofocada, as biografias, os relatos confidenciais, ainda que existisse nos Estados Unidos a revista *Confidencial*, precursora das publicações de escândalos que hoje infestam as bancas com naturalidade.

Consegui na Metro Goldwin Mayer, em cima do cine Metro, na avenida São João, fotos de filmes de Lana Turner. Ela tinha feito em 1957 o filme *A caldeira do diabo* (*Peyton place*). Já falei dele. Recuperava sua carreira, que andava em baixa. Ia estourar no ano seguinte, em 1959, com *Imitação da vida* (*Imita-*

tion of life), de Douglas Sirk, um dos mais competentes diretores de dramalhões da história do cinema, perfeito no *timing* para chorar. Naquele estúdio, por onze anos, de 1941 a 1952, Lana tinha sido megamulher e megaloura. Mulher deslumbrante, sensual, transpirava erotismo. Típica estrela hollywoodiana. Fotos super-retocadas, dos tempos em que o *star system* estava em seu apogeu. Os americanos não brincavam em serviço. Curiosamente, as louras (ou loiras?) nunca me inspiraram muito. Teria sido a decepção com Gilda Parisi, aos 16 anos, tão loura e delicada, que me rejeitou? Tive somente duas namoradas louras. Uma foi Sheila, que inspirou *A menina que usava chupeta*, conto de meu primeiro livro *Depois do sol*, de 1965. Outra a Marina Mônaco, estrelinha da TV Paulista, OVC, embrião da Globo. Ela foi figurante em *Absolutamente certo* e me foi apresentada pelo Anselmo Duarte, que comia todo mundo. Saía com Marina aos sábados, à tarde, comíamos lanches em bares baratos, depois íamos para meu apartamento no 128 da praça Roosevelt. Era tudo apressado, desajeitado, ela "fazia plantão", precisava ficar à disposição da tevê para os programas de sábado.

Lana e suas aventuras sexuais, os maridos, os amantes, as trepadas ocasionais, a mulher liberada que não podia ficar sem um homem e dava para quem queria, desafiava a tirania do chefão Louis B. Mayer, um déspota com direito de vida e morte sobre seus contratados. Lana cagava e andava. Tinha de estar no estúdio às 6 da manhã, mas passava a noite em baladas. Enfim, vivia. Gastava a vida da melhor maneira possível. No prazer. Personalidades assim sempre me fascinaram, de Gauguin e Rimbaud a James Dean e de Marlon Brando a Cássia Eller. O único compromisso era com eles mesmos. Corria uma história, que me foi contada por Joe Kantor, um americano paulistanizado, o homem que fundou o Nick Bar, o point do TBC e da Vera Cruz, foi amante de Sarita Montiel e extra em todos os filmes da Vera Cruz.

Joe, uma noite, na boate Michel, na rua Major Sertório, lugar dos elegantes da cidade, pertencente ao americano Jimmie Christie, falando sobre Hollywood, me contou que Lana Turner e Ava Gardner eram parceiras em aventuras sexuais. Um dia, pararam o carro em um posto e foram atendidas por um frentista belíssimo. Homens bonitos que tentavam ser galãs em Hollywood, ou gigolôs, eram o lugar-comum, coisa que se via em cada esquina. Ava e Lana se entreolharam e decidiram comer o garoto. Lana teve um segundo de hesitação:

— E se depois ele sair contando por aí?

Ava riu:

— Quem vai acreditar que um frentista de posto comeu Ava e Lana? Somos as mulheres mais gostosas dos Estados Unidos, do mundo.

E eram. O frentista é um dos anônimos da história. Se isso realmente aconteceu, foi uma trepada de uma tarde com dois mitos do cinema. O frentista guardou a memória de uma tarde luminosa que somente ele sabia real, mas na qual ninguém acreditaria. Deve ter guardado na memória, porque nenhuma "documentação" era possível. Ele não se tornou um ator, continuou ninguém, apenas um homem que sonhou e não deu certo no projeto da fama. Tivesse sido alguém, esta história teria corrido, faria parte de sua "biografia". O que pensava o desconhecido quando assistia filmes de Ava ou de Lana? Quando as via nos jornais e revistas? Ou ficava orgulhoso, olhava em torno, para todos aqueles espectadores, anônimos como ele, e pensava: "esse é o meu segredo, o momento em que fui ao paraíso?". Histórias de amor secretas, guardadas somente para nós, enriquecem, iluminam um instante de nossas vidas, ainda que tragam dores.

Cheryl Crane, filha de Lana e do ator Stephen Crane, revelou em suas memórias que Lex Barker, o Tarzan de muitos filmes, abusava dela desde a idade de 13 anos. Quando Fellini o chamou

Hartford acionou a memória afetiva, me conduzindo à Hollywood antiga e a um escândalo trágico.

para fazer o papel de marido de Anita Eckberg em *A doce vida*, estava fugindo de um processo e sua carreira tinha praticamente acabado. Neste filme, Fellini não poupa o ator. Numa cena, ele espera a mulher que chega com Marcelo Mastroianni. Lex, bêbado, dorme num carrinho esporte conversível enquanto um enxame de pararazzi borboleteia em torno. Um deles exclama: "Quem podia pensar que esse aí foi o Tarzan". Citações do cinema dentro do cinema, dirigida aos cinemaníacos. Cheryl teve um câncer de mama, extirpou os seios e vive na Flórida com Jocelin, sua companheira há 37 anos.

Nessa manhã, descendo rumo a Nova York, pensei nessas coisas, quando passei por Hartford e me lembrei de que numa pasta eu tinha centenas de páginas escritas e abandonadas – porque não acertava a estrutura – de um romance incompleto sobre anônimos, assunto que me fascina, porque o meu medo de ter sido um me acompanhou a vida inteira, me assombrou. Logo depois, o romance caminhou, é *O anônimo célebre*.

Passamos por New Haven e entramos na R95 South, já em Connecticut. Viagem tranquila, estrada mais cheia do que o habitual. Eram 11h15 quando apareceu a primeira placa indicando

Nova York. Marilda quis dar uma entrada em Stratford, era meio-dia e meia, hora de localizar restaurante. Stratford é à beira-mar, devia haver um lugarzinho gostoso, junto à praia. Seguimos uma placa *beaches*. Passamos pelo letreiro: *Dancing lobsters*. Não, não é possível! Desta vez vamos conseguir. A rua em que estávamos não dava em lugar nenhum ou então erramos caminho, fomos dar num beco, rodeado por caminhões e grandes galpões. Havia o porto e nada mais.

Voltamos à estrada e paramos num posto. Marilda foi conversar com um homem que enchia o tanque. Demorou, o sujeito gesticulava, gesticulava. Era para entrar em Fairfield pela 21 e procurar um restaurante francês na frente da estação ferroviária. Uma casa amarela. Seguimos as placas *railroad station*, não encontramos, nos perdemos, decidimos voltar e reiniciar a busca, quando batemos os olhos numa casa branca, simpática: Mulino's italian cuisine. É aqui, dissemos em conjunto. A sorte sempre nos ajudou. O *maître*, na porta, olhou: *No Sneakers*! (De tênis não entra.) Riu e nos fez entrar, acomodou Márcia e Zezé – que estavam de tênis – no fundo da mesa, de modo que ninguém visse os pés deles. O sotaque era italiano, perguntei, ele vinha do Piemonte. Da terra do Barolo. Permitiu a Zezé que fumasse, disse que o espaço era aberto, não ia incomodar ninguém. Aberto não era. Tinha, isso sim, um pé-direito altíssimo, a fumaça se perdia lá em cima. Tentei falar italiano, ele se esquivou, parece que incomodava. Foi um belo almoço, com lagostas e Barolo, estávamos viciados. Cada vez que alguém se levantava da mesa, o garçom se aproximava, apanhava o guardanapo e dobrava de maneira inusitada, complicada e engraçada. Fazia isso rapidamente. Nunca nenhum de nós, que temos

FINE ITALIAN CUISINE

considerável quilometragem de restaurantes, tinha visto tal coisa; gostamos. De vez em quando um saía, só para ver o guardanapo ser dobrado. Eu ia ao banheiro e aproveitava para olhar se o carro continuava no estacionamento. Ao sair, esqueci minha pasta ao pé da cadeira. Tinha dólares, passaportes, tudo. Márcia veio com ela escondida, quase me matou de susto.

A viagem foi tranquila. Quando estávamos nos aproximando de Nova York, Márcia sacou o indicador obtido pela internet, dando todas as orientações. Elas correspondiam, com exatidão, às placas que surgiam. Minha inquietação desapareceu. "Entra aqui, vira ali, olhe a Triboro Bridge, segue pela *right lane*, fique no meio, agora estamos na Franklin Delano Roosevelt." Tudo em cima. Sensacionais as nossas duas mulheres.

Cidade-cenário igual à cidade verdadeira

Quando chego a Nova York, sou invadido pelo cheiro metálico, mistura de gasolina, respiradouros do metrô, do ar que atravessa os becos, da mistura de aromas que emana das lojas de departamentos, das frituras das lanchonetes que vendem *donuts*, das cafeterias que fazem ovos mexidos, do adocicado das delicatessen, do perfume das mulheres que passam, das castanhas assadas vendidas nas esquinas, do cheiro seco do pretzel envernizado e pontilhado por sal grosso.

Nova York me traz *Cidade nua* (*Naked city*), de Jules Dassin, 1948, um dos primeiros filmes "neorrealistas" americanos, com filmagens em locações naturais que nos surpreenderam, já que a Nova York fabricada nos estúdios era sempre igual, nunca mudava. Conhecíamos a Nova York cenário. E a verdadeira?

A cidade-cenário era igual à cidade verdadeira, mas "sentíamos" diferente (sentíamos mesmo, ou queríamos sentir?), porque sabíamos que aqueles ambientes eram reais. E quem não sabia como reagiria? Foi um dos primeiros questionamentos que fiz em relação à ficção e realidade, ao inventado e ao real, ao verdadeiro e ao falso.

Gostava de Nova York por causa dos filmes e, mais tarde, pela leitura de um livro extraordinário, *Manhattan transfer*, de John do Passos, autor hoje criticado e acusado de datado, mas que continuo a ler com o mesmo encanto. Na verdade, não devemos ficar lendo as críticas e os ensaístas, racionais demais, analistas demais, com visão intelectualizada de tudo.

Manhattan transfer foi um choque. Livro com uma estrutura nova, anárquica, livre. Tem uma época da vida que a gente assimila tudo isso com uma felicidade enorme. E tem época da vida em que abandonamos essa procura de caminhos não trilhados, para ceder ao convencional. Somos "forçados" a ceder ao convencional e quem não cede é o gênio, o marginal (no bom sentido), estes sim fortes o suficiente por acreditar no que fazem e no que querem. Van Gogh ou Erik Satie, por exemplo.

Nova York me lembra o artigo de Sartre, publicado na revista *Senhor*, primeira fase, a fase boa e verdadeira. Foi num encarte em papel diferenciado e Sartre falava sobre a verticalidade, ou algo semelhante. Foi a primeira visão diferenciada que tive da cidade, naquele emaranhado de raciocínios que Sartre costumava fazer para defender suas teses. Falando sempre sobre o outro, o olhar do outro etc.

O deslumbramento pela cidade sempre perdurou. Era um projeto, ainda que eu precisasse conhecer Paris primeiro. Nova York estava ligada à *Breakfast at Tiffany's*, de Truman Capote, o livro que ganhei de Yvonne Fellman, por quem fui apaixonado na redação do *Última Hora*, no meu aniversário em 1958. Mas ela namorava um homem alto, bonito, extrovertido, *bon-vivant*, o Flávio Porto (Fifuca), irmão do Sérgio Porto (Stanislaw Ponte Preta), e que fazia uma coluna sobre a noite, chamada *Dona Yayá*. Nova York estava ligada aos *beatniks* e às leituras de poesias em bares, ao som de jazz. Aos filmes de Frank Capra, como *O milagre da rua 42*, fábula ingênua e adorável, otimista. Aos policiais interpretados por Richard Widmark, o risadinha de *O beijo da morte*. A *Era uma vez na América*, de Sérgio Leone, um italiano que conseguiu ser tão americano quanto os americanos, porque os americanos também são italianos. Ou a série *O poderoso chefão*, de Coppola. Sem esquecer *West side story*, que assisti em tela larga, na época novidade, os americanos tentavam tudo para combater a crise no cinema, no Cine Regina (hoje é um hotel popular) em *avant-première*, e que nos assombrou pela linguagem nova que Robert Wise, Jerome Robbins e Leonard Bernstein imprimiram aos musicais.

No entanto, Nova York, para mim, também são os contos de O. Henry, que hoje parecem infantis, mas foram deliciosos, grande parte deles levado para o cinema. Traduziu-se pouco de O. Henry para o português. Havia uma edição na antiga Itatiaia, *A última folha*, com o clássico "O presente dos magos", em que marido e mulher para se presentearem no Natal acabam cometendo a comédia dos erros. Ele vende o relógio para comprar uma travessa para ela prender os longos cabelos (seu charme). Ela vende os cabelos para comprar uma corrente para o relógio dele (seu bem mais precioso). Foi um filme estrelado, acho eu, por Jean Peters, que adorávamos e que morreu em 2000.

A Nova York de O. Henry é a da gente simples, das caixeirinhas, dos escriturários, dos policiais que fazem rondas noturnas, dos malandros de sinuca, dos *gangsters* pé de chinelo, dos milionários que vivem em mansões, de funcionários de fábrica de sapatos. Um estilo que tento fazer em minhas crônicas para o *Estado de S. Paulo*. Restaurar figuras anônimas, simples, chapeiros, jornaleiros, quitandeiros, sapateiros, estudantes que dividem pão na chapa na padaria, mecânicos, vagabundos, sem-tetos, costureiras, frentistas, empregadas de telemarketing, funcionárias de lotéricas.

Todas essas imagens se misturam em minha cabeça cada vez que ando pelas ruas. Cada vez!

Mas cheguei a Nova York vinte anos depois de ter conhecido Paris e no fundo eu estava mais ligado a esta cidade, ainda que meu coração se relacionasse com a outra. Acho que sempre vivi em descompasso comigo mesmo e com a vida e o mundo e agora não sei mais – ou não tenho tempo de acertar o passo.

E me vejo falando na Universidade de Nova York, na aula de Wilson Martins. Ele me elogiou várias vezes, mas não gostava muito de minha literatura e minhas posições políticas no tempo da ditadura; no entanto sempre me levou às suas aulas, quando eu passava pela cidade. Era um homem gentil e educado. Certa vez, final dos anos 1970, ele me apanhou em um apartamento que a New York University tinha me destinado na Quinta avenida (quando deixei o apartamento, entrou Roman Jakobson) e caminhamos para a universidade; eu falaria aos alunos dele. Então, começou um vendaval furioso, as pessoas procurando se abrigar, e vi que Wilson, pequeno, frágil, começava a se curvar e a ser levado para trás. Agarrei-o antes que caísse, ele se agarrou a mim, fomos para um canto da parede, entramos numa loja, ele tremia. Disciplinado, disse: "Vamos embora, temos um horário!" Inflexível, saiu para a rua, segui a segurá-lo. Imaginem, eu, pequeno, magro, a segurar Wilson Martins. Devia ser cômico. Mas chegamos à aula. Nessa noite, ele e a mulher me levaram a uma cantina italiana do Village deliciosa, ele abriu um Rosso di Montalcino, o primeiro que tomei na vida.

Tempos depois, num primeiro do ano, me vejo andando junto com Rubem Fonseca, por ruas desertas, às 7 da manhã. Estávamos hospedados num hotelzinho da rua 23, administrado por freiras gentis que sempre nos perguntavam: "Já foram à missa hoje?".

Ou me lembro hospedado na casa de Thomas Colchie, que era meu agente e tradutor. Ele morava na ponta da ilha, perto da ponte George Washington, próximo ao Cloisters, que eu frequentava para ver as tapeçarias representando a Caça ao Unicórnio. Para chegar à casa dele eu descia na estação 193. Hoje Thomas e Elaine mudaram-se para o Brooklyn, onde ele e a mulher nasceram.

Me vejo em dezembro de 1983, andando de madrugada, a pé pela Broadway, junto com Ivan Ângelo, levando Eliane Gamal, então jornalista de *O Estado de S. Paulo*, para sua casa no Village. Os três com medo. Nada aconteceu e ainda voltamos no metrô, no vagão da frente, perto do condutor, claro! Ivan e eu participamos de um encontro promovido pelo Pen Club no The New York Cultural Center, no Columbus Circle. Os outros eram Lygia Fagundes Telles e João Ubaldo Ribeiro. Lembro-me da Lygia, mas o Ubaldo se apagou da memória. Fiz uma palestra em inglês, dolorosa para quem ouviu, em que me perdi, não encontrava as palavras, falava como se estivesse falando português, na mesma entonação, coisa ridícula, nunca mais aceitei nada em que tivesse de falar em inglês, já que falo precariamente. Sempre admirei o Darcy Ribeiro, que não falava língua nenhuma e participava de mil congressos internacionais.

Me surpreendo passeando pelo Harlem com Eliane Colchie, mulher de Thomas, figura maravilhosa. De origem libanesa, ela dava aulas aos negros e era conhecida, "protegida", podíamos andar com tranquilidade nos tempos em que o Harlem era turbulento, "perigoso" para os brancos. No metrô tínhamos receio quando o trem passava pelas estações sob o bairro e o vagão se enchia com uma gente que (nos parecia) agressiva, falava alto e num inglês incompreensível. Ou seria o nosso condicionamento?

Pensando bem, quando estive em Nova York pela primeira vez só pensava em uma coisa. Nada do MoMa, do Central Park, do Empire State, da biblioteca, das livrarias. Cheguei e saí direto em busca de ingressos para os musicais. Comprei o que podia. Passei três ou quatro noites dentro dos teatros. Direto. O primeiro que vi foi *Rua 42*, com Ann Miller, um clássico, em reedição. Um encantamento. Outro inesquecível foi *My fair lady* com Rex Harrison, pouco antes dele morrer. Inclusive ficou o maior suspense. Rex estava doente, faria ou não aquela noite? Fez. Quando entrou com aquela voz esganiçada, que no filme irrita, foi o maior aplauso, a plateia de pé.

Nova York eram as visitas ao Paulo Francis e à Sonia Nolasco. Certa vez hospedei-me na casa deles. Na verdade, fiquei dormindo no estúdio, alguns andares acima, que era também a sucursal da *Folha*. Era comum, no meio da noite, o teletipo ser acionado e ficar transmitindo. Uma barulheira. Passavam notícias brasileiras para o Paulo fazer colunas mais quentes. O jornal, mesmo indo de avião, chegaria com 24 horas de atraso. Paulo escrevia diretamente no teletipo, daí os erros que costumavam acontecer; idade da pedra. A morte do Paulo e a tragédia em que Pimenta Neves se envolveu ao matar a namorada me desorientaram, me confundiram a cabeça quanto aos rumos da vida, o destino, me trouxeram o medo dos sobressaltos, dos surtos, do que o nosso cérebro nos prepara. Éramos três amigos. Paulo e Pimenta conviviam, se visitavam, Pimenta orientava Paulo quanto aos investimentos, já que trabalhava no Banco Mundial; Paulo deixou 2 milhões de dólares, mas se dizia inseguro quanto ao futuro. Era uma pessoa gentil e afetuosa que me contava dos encontros noturnos, nas vielas da cidade, com o escritor Kurt Vonnegut, metido num grosso casaco xadrez.

No estúdio de Francis vi pela primeira vez um videocassete. Paulo tinha uma enorme videoteca e na hora de dormir escolhi *A canção de Bernardette*, o primeiro filme que assisti na minha vida, criança, no Cine Paratodos. Fiz uma crônica sobre isso.

Assim como fiz uma crônica sobre meu passeio matinal com Rubem Fonseca no primeiro de ano. E várias sobre Rubem, Otto Lara Resende e eu. Estivemos em Washington e seguimos juntos para Nova York em um encontro de professores americanos de língua e literatura portuguesa e brasileira. Certa noite, participamos de uma cerimônia no apartamento do Otto, no hotel. Ele se ajoelhou e jurou que iria escrever o romance que vinha sendo adiado há muito tempo, com a condição de Rubem e eu fornecermos o papel sulfite (início dos anos 1980, ainda não existiam os computadores pessoais). Nunca mandamos nada, ele também não escreveu.

Outra foi sobre a noite de réveillon no Times Square, quando bebemos tanta champanhe e cerveja que acabamos bêbedos e comendo hambúrguer numa lanchonete de quinta. Também tudo estava superlotado.

No entanto, a visão mais inesquecível, fantástica, indelével, dessa cidade que sempre me emociona e me deixa em um estado indefinível internamente, foi ao voltar de Toronto (*Encontro Internacional de Literatura de Harbourfront*) em outubro de 1981. No dia 22, apanhei um avião ao cair da tarde em Toronto e cheguei a Nova York com a noite começando. Fazia frio. A cidade estava fechada, coberta por nuvens azuis, escuras. O comandante chamou a atenção, todos olhamos. Foi incrível. Imensidão de nuvens até o infinito. No entanto, o topo do Empire State, rodeado por lâmpadas vermelhas, tinha furado as nuvens. E as luzes coloriam as nuvens azuladas à sua volta.

Imagem que permanece, não se apaga.

Foi um momento em que me senti feliz.

FINAL

4 A 7 DE OUTUBRO DE 2000.

QUARTA A SÁBADO. NOVA YORK

Se Bogart e James Cagney vissem o Gramercy hoje...

Em Nova York, trânsito pesado porém fluindo. Nenhum trânsito no mundo é pesado para paulistas. Entramos rumo à 23 East, caímos na Second avenue, precisávamos dobrar à esquerda num cruzamento. Motoristas ameaçavam não deixar, procuravam fechar. Marilda foi brava. Enfiou-se no meio do tumulto e saiu sobranceira. Perto do Gramercy Park, entre as ruas 20 e 2t, tudo parado. Circulamos lentamente. Ansioso, eu queria descer na esquina, levar as malas na mão. Cinco malas!

Marilda fez a volta pela Park avenue, entrou na 21, na Lexington, estacionou diante do hotel. Zezé e eu descemos, tiramos as malas, fomos fazer o *check in.* Marilda e Márcia foram levar o carro até a rua 11, onde se localiza a Avis. Na ficha do hotel, descobrimos que as reservas, por telefone, estavam confirmadas em nome de Matilda (com T) Brandão. Vagas lembranças de uma canção de Harry Belafonte. Subimos para o 1.409 e o 1.610. Amplos, mas com banheiros antigos e chuveiros cujas águas eram impossíveis de serem controladas. Frias ou muito quentes. A nossa televisão não tinha controle remoto, o frigobar deles não funcionava. Pedimos controle, não enviaram. Lembramos uma história que o Ziraldo contou de uma estada dele na cidade. Ao entrar no apartamento, viu que a tevê não funcionava e ligou para a recepção. Perguntaram a ele: "Are you a member?". Ele não entendeu, membro do quê? De um clube? De um cartão de crédito? Desligou. Passou um tempo, chamou de novo, repetiram a pergunta: "Are you a member?". Puto, Ziraldo desligou. Quando a mulher dele subiu, pouco tempo depois, ela ligou e ouviu o que Ziraldo não tinha entendido: "Room number, please!".

Nossa arrumadeira tinha o costume de chegar de manhã, abrir e ir entrando. Ou aparecia de surpresa no meio da tarde, pouco importava se você estivesse no banheiro de porta aberta, transando ou dormindo. O serviço é muito ruim.

O velho e tradicional Gramercy Park não era mais o hotel faustoso de outras épocas, quando a alta sociedade, os chiques, os célebres, os colunáveis ali se reuniam. Lugar predileto de James Cagney para comer bem. Nele se realizou o casamento de Humphrey Bogart com sua primeira mulher. Como são curiosos os momentos que ficam. Bogart não podia imaginar, no dia do casamento, que um ato de amor, puro e simples, seria congelado/citado em livros, folhetos, revistas, cinquenta anos mais tarde no mundo. Ali morou o mito Siobhan McKenna, há no *lobby* uma placa de bronze escurecida. Agora foi restaurado.

Márcia e Marilda demoraram. Não conseguiram táxi, voltaram de ônibus. Tomamos banho, vimos o canal do tempo na tevê, descansamos e saímos. Eram 18h30. Cada um de nós conhece a cidade à sua maneira, havia programas diferentes a serem gerenciados. Zezé e Marilda tinham tudo organizado. Márcia e eu vagamos ao deus-dará.

Estratégias precisas, planilhas organizadas

Marilda e Zezé chegaram a Nova York com planilhas organizadas, infraestrutura planejada, estratégias e cálculos precisos, escalas programadas, trajetos exatos. Um voo precisa ser bem conduzido. Márcia e eu chegamos na base do: "Vamos ver o que dá". Filosofia que reflete nosso espírito araraquarense. Já Marilda, com seu passaporte alemão, nos deixou nos chinelos. Nova York exige seriedade ou ela te devora. De nada adiantou levarmos o Guia da Kátia Zero, se nem o consultamos. A única discussão em torno do guia foi: serão da Kátia as pernas que ilustram a capa? Sequer compramos o *Time Out*. Eu achava que *Time Out* queria dizer o tempo lá fora e para verificar isso olhava pelas janelas sujas do Gramercy Park Hotel. Vidros imundos, pode? A displicência foi tanta que nem comprei o *The New York Times Books Review*. Um sacrilégio! Aqui, a narrativa se despedaça, deixa de ser cronológica, transforma-se em videoclipe, com instantes lembrados fragmentariamente, de acordo com a própria maneira de ser da cidade.

Nas escadas rolantes das Torres Gêmeas

Por muitos anos, não tivesse ocorrido a catástrofe do 11 de setembro, alguns nova-iorquinos poderiam se lembrar da cena, que muitos imaginaram ser filmagem do Woody Allen, ainda que ela não seja seu tipo de humor. Zezé nos brindou com um farto pastelão. Voltando das compras, as mãos cheias de sacolas, e coloquem cheias nisso, ele, no metrô, afobado, tentou subir uma escada. Em primeiro lugar, era a escada errada. Bem que a Marilda, *connaisseur* do *subway*, o advertiu. Ele viu a escada e quis subir. Talvez a escada não o quisesse subindo, soubesse que aquele não era o caminho dele. Porque era a escada para descer. De maneira que Zezé, ao subir, desceu. Seu corpo, 1,90 metros, desabou. Ele não soltou uma só sacola. Foi caindo e trocando os pés nos degraus. Caía, fazia uma barulheira, segurava as compras com rédeas firmes e subia outro degrau. Um orgulho para os consumidores. Se as grifes em que eles compraram soubessem, viriam agraciar Zezé com uma medalha. Aos trambolhões, ameaçando ter a cabeça rachada, sujeito ao ridículo, não cedeu. O sertanejo não se rende. Subiu dez ou quinze degraus caindo, uma façanha. O contrário de Conceição, a da música. Ele subiu e todo mundo soube, todo mundo viu. Fazendo um barulhão, porque as sacolas de papelão duro produziam um som oco, cavo, mas não se rompiam. Prova de resistência da embalagem americana. Um grupo de rapazes, espantados, olhava a *caideira*, sem saber se podia rir ou não. Só gargalharam a bandeiras despregadas (americano adora uma bandeira) quando viram Márcia e Marilda fazê--lo. Como bons americanos têm medo de um processo! A estação hoje não existe mais. Era em baixo das Torres Gêmeas que foram destruídas no 11 de setembro. Essa a lembrança que temos do World Trade Center nova-iorquino.

Executivo come macarrão com a mão

A narrativa sobre a viagem muda de tom em Nova York, cidade que todos conhecem. Ou não? Como o Gramercy Park não tinha café encontramos uma padaria na rua 20 que oferecia *croissant, espresso, cream cheese,* saladas e nos virávamos (depois, descobrimos que o restaurante do Gramercy ainda figura no topo da lista dos bons; no entanto, já estávamos em São Paulo). Entrávamos numa fila, fazíamos o pedido, no meio da americanada de terno que ia para os escritórios. Certa manhã, três pessoas, dois homens e uma mulher com jeito de executiva durona, discutiam asperamente problemas de trabalho. Que diferença dos ambientes bucólicos da Nova Inglaterra. Aqui é tensão, nervosismo, pressa, carreira, trabalho, pessoas levando café dentro de um saquinho de papel, comendo na rua. Como se come nas ruas! Uma tarde, Márcia e eu, perto do MoMa (ficamos virando em volta, sem encontrar o museu, demorou), vimos um executivo pegando o macarrão com a mão, de dentro de um saco plástico. Parecia um *homeless* brasileiro. Depois, deve ter ido mexer com milhões de dólares no computador.

Logo, achamos uma *delicatessen* na Terceira avenida, entre as ruas 20 e a 21, que fazia ovos mexidos, torradas, tinha Nesquik (o Nescau deles) e *croissants*. Na última manhã de Nova York, ao tomarmos nosso *breakfast*, vimos o local invadido por um bando de policiais. Eram policiais que estavam fazendo algum curso, participando de seminário, e tinham ido ali tomar café. Cada um agarrado na sua maleta azul *New York Police*. Todos de terno azul, sapato preto, gravata, cabelo raspadinho. Nem precisava dizer que eram policiais. Zezé foi buscar um *espresso*, um policial de cinco metros de altura (ao menos me pareceu) chegou, quis sentar no lugar. Ressabiado, disse: "esse lugar está ocupado". Ele me olhou, achei que fosse me prender, levantou-se, foi embora. Não posso dizer que não desafiei a polícia da cidade. Tive de falar firme com o sujeito...

A moralidade que não ameaça pode

A sensação que tive é de que a cidade estava em construção. Tapumes e obras por toda a parte. Mas nenhum caminhão de concreto derramando cimento pelas ruas. Aquela Nova York de bairros abandonados, quarteirões inteiros em ruínas (*West side story* ajudou a difundir um pouco esta imagem, que foi real) praticamente desapareceu. Nos anos 1970, políticos e administradores ficaram assustados com os rumos que as coisas tomavam e que ameaçavam tornar a cidade um terreno devastado. Mais do que isso, as finanças da cidade estavam no fundo do abismo. Recorreu-se ao presidente Gerald Ford que não quis saber, Nova York sempre foi vista como um caso à parte nos Estados Unidos. O Congresso se omitiu. Ford foi advertido de que a falência da cidade seria catastrófica para a economia americana e para o dólar. Curiosamente, foram dois estrangeiros que se sensibilizaram com o assunto, temendo pelo pior, em escala mundial: Giscard d'Estaing e Helmut Schmidt, que se propuseram a emprestar dinheiro. Diante disso, Gerald Ford cedeu.

Um banqueiro de nome Felix Rohatyn (depois embaixador dos EUA na França) foi o homem que idealizou o projeto de restauração da cidade, com um tratamento de choque que incluiu demissões em massa de funcionários públicos (mais tarde grande parte foi readmitida), congelamento de salários, negociação das dívidas, novos impostos. Logo, o desemprego começou a diminuir, o segmento de serviços aumentou e os imigrantes coreanos, chineses, judeus, russos, dominicanos se revelaram empreendedores, ativos e corajosos. Parceiros e não inimigos. Assustados com a devastação, os nova-iorquinos puseram na cabeça que não podiam esperar nada do poder público e que somente atos de solidariedade poderiam reverter a situação. Os vizinhos negros, porto-riquenhos ou chineses deixaram, lentamente, de serem vistos como agentes causadores de desvalorização imobiliária.

Vieram as políticas de tolerância zero para com a criminalidade, foram aumentados os efetivos policiais e, recentemente, um prefeito dedicou-se à "causa da moralidade" que tirou travestis e prostitutas das ruas e arrasou com o famoso império das drogas e dos *peep shows* da rua 42. Eu que adoro olhar a decadência, a degeneração, a esculhambação, vivia pelos *peep shows*, a observar a luxúria e o pecado. Lamentei a "limpeza". Fico tudo higienizado, asséptico, limoinho. Como se fosse possível mudar o ser humano! No meu livro *O verde violentou o muro*, sobre Berlim, há um segmento que provocou polêmicas quando traduzido na Alemanha. Aquele em que falo dos *peep shows* e dos alemães limpando porra de turco pelo chão das cabines. Ah, a velha rua 42 onde vi tanta sacanagem, tanto sexo explícito, filminhos, revistas, *sexy shops*, cruzava com malandros e traficantes. O império da porra e do pó, da perversão absoluta, do voyeurismo consentido, o bordel em pleno coração da cidade, tornou-se uma capela que pode abrigar freiras que se deliciam com as lojas Disney. Sim, porque uma das maiores lojas Disney da cidade está ali. Podemos deixar nossas filhas passearem tranquilas pelas calçadas, sem serem importunadas pelos "agentes do mal", os traficantes, os bandidos, os pervertidos. Quando a "imoralidade" ameaça o capitalismo, o capitalismo se transforma em puritanismo. O sexo livre é devastador...

Velhacos começam a se manifestar

Primeira noite, saímos juntos para um breve passeio. Fomos pela Broadway, entramos no ABC, imenso depósito de coisas orientais, arte e decoração chinesas, de épocas múltiplas e indefinidas, da antiguidade à atualidade: armários, sofás, tapetes, cortinas, tecidos, luminárias, vidros, objetos úteis e inúteis, coisas que a gente sabe para o quê são e outras que jamais adivinharemos. Chinatown sem Polanski e John Huston. Loja imensa, milhares de coisas. Para quem gosta, um regalo de vida! Dois funcionários subiam uma escada com uma caixa, caíram, a caixa se rompeu, as pernas de uma mesa saíram rolando pelos degraus.

Na hora de pagar, a velhaca de Nova York se manifestou. Ao ouvir nosso inglês, a caixa pareceu invocada com a nota de 100 dólares que entreguei. Olhou, reolhou, colocou contra a luz, passou os dedos, puxou, esticou e me deu o troco com má vontade. Em seguida, quando Marilda assinou o *traveler*, ela executou a mesma operação. Passou os dedos sobre o cheque – para sentir a impressão, decerto – conferiu a assinatura, olhou a foto do passaporte, olhou Marilda, olhou Zezé, me olhou e deu o troco, a filha da puta. Há sempre um olhar desconfiado diante de um estrangeiro.

Nessa primeira noite, entramos em um bar e restaurante, misto de tailandês e americano, para jantar. Do nosso lado, quatro secretárias bêbadas comemoravam o aniversário de uma delas. Enchiam a cara. Parecia filme do Mike Nichols com a Melanie Griffith. Falavam alto e riam. Como riam! Zezé e Ignácio beberam o único copo de cerveja de toda a viagem, uma *draft beer* (chope) amarga. Comida de média para baixo, apimentada. Para desespero da Marilda.

Os comeres foram diversificados. Encontramos um restaurante italiano pertinho do hotel, na rua 21, o *Novitá*, que nos salvou em uma noite de chuva. Tínhamos programado um bom jantar, mas quando saímos na Lexington, a chuva era forte. O hotel estava envolvido por tapumes, a fachada sendo renovada, por ordem da prefeitura. Fomos abrigados até a esquina, dali em diante seria o aguaceiro. Lembramo-nos, então, do *Novitá*. Todas as noites, ao voltarmos pela 21, olhávamos e o restaurante parecia acolhedor, simpático, boa frequência (somos exigentes). Corremos afobados, eram 50 metros. Dependíamos agora de encontrar mesa. Respingados, entramos. Tinha mesa, comida boa, um jantar digno e decente. E um Barolo de primeira categoria.

Paracelsus, fantasia e imaginação

Andando pelo Village (ou foi no Soho? As diferenças são sutis, somente o *connaisseur* distingue) entramos para almoçar no Barolo. Disse o Zezé – um *connaisseur* – que o restaurante é mantido pelo vinho do mesmo nome e que o Barolo ali é barato. Comemos e não tomamos Barolo. Sentamo-nos perto da varanda que se abria para um pátio e liberou-se o tabagismo. Menos para um alemão que insistia em fumar charuto, alegando que estávamos fumando também. Eu não estava.

Nessa tarde, circulamos juntos pelo Village e Soho. Na West Broadway, Soho, Marilda me deu uma folhinha com um desenho curioso, parecia coisa egípcia. "Folha de *Ginkgo biloba*", explicou. Para minha coleção. Decidi que ela me daria sorte. Circuito de lojas. Uma delas deslumbrante como a Paracelsus, até para mim que não sou aficionado. Todos os tipos de roupas estranhas e alegres, em seus desenhos e feitios e tecidos, revelando uma imaginação fértil e diferenciada, não usual. Nada do *fashion* massificado.

O que se revela é que existem no mundo pessoas criativas e alertas que não cedem às modas e continuam a exercitar a fantasia e o delírio. O que emana das pilhas desordenadas de roupas e panos é o prazer de quem faz por impulso, necessidade, diversão. Moda-arte. Gente que produziu uma única peça. Nada industrializado, em série.

O mundo que se desevenda ali é muito próximo ao que Marilda cria em cortinas, almofadas, bolsas, sempre com muita cor, muitos elementos, o uso inusitado de elementos que estão à nossa volta no cotidiano. Ali está o inesperado, da mesma maneira como o inesperado surge no que Marilda cria.

A Paracelsus é comandada por uma italiana gentil, de fala mansa, nome insólito, *Luxor*, que mantém resquícios dos tempos *hippies*. Marilda ainda comentou: "O curioso é como esta mulher descobre quem faz. Tem seus fornecedores. Como serão? Que tipo de gente? Será que todo mundo que circula por essa área de estilismo sabe e vem aqui?" Aquilo é um baú que, aberto, contém surpresas em cima de surpresas. Embaixo de um pano vem um vestido, e logo se descobre um xale (Márcia comprou um, lindíssimo, para a Carla, depois de discutirmos se era ou não a cara dela), um véu, uma blusa, um *sutian*, um *bustier*, um chapéu, um cinto, uma faixa, uma echarpe.

Sei lá porque (essas coisas me acontecem), lembrei-me de uma parente, Rita Xavier, que, a vida inteira, usou saias compridas até os pés. Na casa dela, o guarda-roupa era forrado de roupas estranhas, algumas muito coloridas que nunca a vi usar. Por que não? A Paracelsus me remeteu também ao capítulo do *Não verás país nenhum* em que Souza descobre o baú de roupas coloridas de Adelaide. Como descrever o cheiro da loja, mistura de aromas, fragrâncias de alcovas, mulheres, anos 1960?

Os cadernos incríveis de Peter Beard

Broomer street, no Lower East Side, vizinho à Little Italy. Na galeria *The Time Is Always Now*, uma curiosidade, a exposição de Peter Beard, fotógrafo que andou anos pelo mundo e pela África e produziu centenas de cadernos – encadernados, alguns formaram volumes que parecem a Bíblia do Gutemberg de tão grossos. Beard descobriu a África por meio de Karen Blixen (Isak Dinesen), a ótima escritora norueguesa, cuja vida foi interessantíssima, autora de *Out of Africa* (*Entre dois amores*), filmado com Robert Redford e Meryl Streep. Beard mudou-se para o Kenya, em 1961, para uma fazenda próxima à que foi de Karen Blixen, que ele tinha conhecido na Dinamarca (ela morreu em 1962) e cujos livros o impressionaram muito.

Os cadernos são uma viagem pessoal, codificada (desenhos, fotos, textos escritos a mão, em tintas preta, azul, vermelha, recortes), que raros chegam a decifrar, alcançar. Sua letra pequena é completamente ilegível, não se sabe o que ele escreveu, o porquê, se são pensamentos, reflexões, anotações, críticas. Questiono também a validade desse tipo de coisa apresentada como arte. De qualquer modo, cada um faz o que quer, e quando faz tem um sentido para ele, o problema é quando isso se torna "arte". Impressionantes são as fotos de imensos animais mortos pelos caçadores. A do elefante caindo, abatido pelos rifles, é de estarrecer. Ao menos nisso o mundo caminhou, as caçadas na África estão proibidas.

Pensamos que *Fosse* seria bom

No dia 5 de outubro, quinta-feira, deixando Zezé e Marilda no Village, Márcia e eu apanhamos o táxi, demos o endereço do teatro Broadhurst. Íamos tentar os ingressos na bilheteria, queríamos ver *Fosse*, o melhor musical de 1999. Decidimos todos que *Fosse* era uma boa ideia, pela admiração que temos pelo coreógrafo. Se não encontrássemos ingressos no teatro, poderíamos tentar o Hilton Hotel, onde eles existem, ainda que vendidos pelo preço de cambistas. Não queríamos sair sem ver um musical; ao menos, eu não queria.

No dia anterior, ao passar pelo Times Square, deparamos com filas imensas diante dos guichês TKTS que vendem com descontos de 50%. Não dava para pensar, seriam horas de espera. Vimos também uma ação policial, com carros de polícia cercando um homem deitado no chão, algemado. Não soubemos o que se passava, o homem foi acomodado em uma maca e colocado na ambulância. Não parecia ferido. Um marginal anônimo. Um mundo de gente olhando. Aquela visão deve estar na cabeça de viajantes como nós. Uns no Brasil, outros na Espanha, Tailândia, sabe-se lá a multiplicação. Sem que o homem tenha ideia, o seu rosto raivoso ficou gravado em muita gente que nada tem a ver com Nova York e os Estados Unidos.

Na quinta-feira, quando mandamos o táxi parar na esquina da rua 44 west, olhamos e demos com os TKTS vazios. Não era possível! Pelo sim, pelo não, fomos verificar. Ninguém. *Fosse* estava no quadro de ingressos disponíveis. Não se escolhe, pega-se o que tem. Pagamento *cash*, catei até o último dólar do bolso. Deu certinho: 180 dólares. Na bilheteria teriam custado pelo menos uns 400 dólares.

Chegamos em cima da hora, quase 8, sentamos, cinco minutos depois as luzes se apagaram. Lotado. Estávamos numa das últimas filas, R 22, 24, 26, 28, no canto. O espetáculo é uma antologia/colagem de algumas das boas coreografias que Bob Fosse criou na Broadway e no cinema. Trechos de *Bye, bye birdie*, *From the edge*, *Dancing*, *Sweet Charity*, *Kiss me Kate* (o filme), *Damn Yankees*, *Chicago*, *Pippin*, *All that jazz*, *Cabaret*. Infelizmente, no *The pajama game*, não escolheram o tango "Hernando's Hideaway", uma de minhas músicas prediletas. Para compensar, o "Mein Herr", do *Cabaret*, cantado pela estrela Stephanie Pope, não deixou saudades de Liza Minelli.

Os problemas com o musical foram a extensão, um ritmo pouco cadenciado e a falta de *crescendo*. Como no enredo, caminha-se através de uma sucessão de boas coreografias, sem ligação. Algumas muito boas, como as putas de *Sweet Charity*. Pensamos que ali era o momento de alçar voo, mas no número seguinte voltou-se à rotina. Faltou *punch* e o grande final que sempre emociona. Apesar de ter sido um dos maiores nomes da Broadway, Fosse nunca se distanciou muito do tradicional; apenas melhorou-o, tirou poeira, deu um ar moderno. Depois dele

Página do programa de musical

Stephanie Pope

Eugene Fleming

Dana Moore

Elizabeth Parkinson

Keith Roberts

Scott Wise

Ken Alan

Bill Burns

Lynne Calamia

Marc Calamia

J.P. Christensen

Angel Creeks

Tony May's

SANDOMENICO

Set the perfect stage for the performance of your choice
with Gourmet Italian Cuisine.
Open every day for dinner. Sunday too.

*** New York Times • 240 Central Park at 59th and Broadway • (212) 265-5959

Mesmo na Broadway, um toque de provincianismo

É divertido ler no Playbill o *who's who* do elenco. Ao final de cada biografia, todas muito boas, gente que participou de dezenas de grandes musicais, vem a nota: Stephanie Pope, a *star*, agradece a Clint & Bill pelo seu apoio e a Deus pelos favores que ela não merece. Eugene Fleming dedica "aos meus pais e a minha filha Samaria". Dana Moore dedica seu trabalho, "apaixonadamente aos ciganos de todas as idades". Lynne Calamia dedica à "família e ao maravilhoso marido Marc". Por sua vez, Marc Calamia responde: "para mamãe, família, amigos e minha maravilhosa esposa Lynne".

veio um vazio que percorreu ao menos duas décadas, de 1970 a 1990, com um oco enorme nos 1980. Aliás, o musical é complicado. Sua decadência está ligada um pouco à decadência da música no sentido de melodia e letras. Há um abismo entre Cole Porter, Gershwin, Sammy Cahn, Rodgers e Hammerstein e os Lloyd Webber atuais. De qualquer forma, os bailarinos da Broadway são excepcionais e é sempre um encanto vê-los.

Insuportáveis são os musicais que chegam atrasados ao Brasil. A nova safra, *Os miseráveis*, *O fantasma da ópera*, *Evita*, e outros cambalachos. Nada a ver com nada, são caça-níqueis do público, dos patrocinadores e das leis. Milhões do governo e os preços dos ingressos altíssimos.

Ao sairmos, lá estavam os ônibus esperando os grupos de turistas ou de gente que vem do interior. Hora de saída de todos os teatros. Uma multidão incrível enche as ruas, se acotovela. Passamos pelo Sardi's que é quase em frente, olhei lá dentro, nostalgicamente. Nunca entrei, só li sobre ele, seu mito. Será que o pessoal de teatro e cinema ainda o frequenta? Ou é apenas uma grife, assim como o hotel The Algonquin? As fotos lá estavam, emolduradas nas paredes vermelhas.

Tendo a informática e a eletrônica como parceiras, os luminosos da Broadway tornaram-se enlouquecedores, as luzes e cores brilham como jamais brilharam, deixam tonto. Mistura que deve deixar o cérebro confuso ao tentar selecionar imagens. Eram 22h30 e voltamos de metrô. Mais tarde (em São Paulo) li que Gwen Verdon, bailarina, coreógrafa e ex-mulher de Bob Fosse, tinha acabado de morrer, aos 75 anos. Ela morava em Woodstock, Vermont. Fiquei me perguntando: "Onde?" Numa daquelas casinhas lindas que víamos na cidade? Ou numa fazenda, numa casa no campo. E por que escolheu Woodstock?

James Dean, *Vidas amargas, A Leste do Éden*

Numa vitrine da Broadway, estatuetas de James Dean e Julie Harris em uma cena de *Vidas amargas (East of Eden)*, direção de Elia Kazan, baseado no romance de John Steinbeck. O livro foi publicado no Brasil em 1956, pela editora Mérito. Era uma edição capa dura, amarela, e uma sobrecapa com a foto do filme que eu via agora na vitrine de uma loja fechada. Eu tinha acabado de fazer 20 e me considerava tão rejeitado quanto James Dean, no filme. O pai não compreende o amor do filho. Ninguém nos entendia, amávamos e queríamos pertencer ao mundo e não conseguíamos. Era mesmo assim? Por que sofríamos tanto querendo ser aceitos, querendo ser alguém na vida? Eu (e todo nosso grupo) era apaixonado pela "feia" Julie Harris, porque também ela, feia, era recusada pelo amor e pela sociedade. Julie era uma atriz *cult*, depois interpretou outro filme *cult*, *A sócia do casamento* (*The member of the wedding*), baseado em romance de Carson McCullers, que o Zé Celso fez todos nós lermos quando morávamos na pensão de dona Nina, na alameda Santos, 93, endereço desaparecido. O que será feito de Julie Harris? Curioso como as pessoas desaparecem. Será normal? Cumprem um papel em um período e se dissolvem, deixando marcas perenes em nossas cabeças, corações. De qualquer modo, continuam nos filmes que fizeram e nos tocaram.

Lemos toda obra de McCullers, cuja vida angustiada nos comovia. Aleijada, mal-casada (o marido se suicidou), jogava o sofrimento em livros como *A balada do café triste* e *O coração é um caçador solitário*. Os livros nos chegavam em traduções portuguesas. Hoje, e escrevo em 2011, acho que todos os livros dela foram traduzidos no Brasil. Época em que ainda nos comovíamos. Até hoje não me esqueço de três cenas de *Vidas amargas*. James Dean, cheio de entusiasmo e alegria, deitado no chão de sua plan-

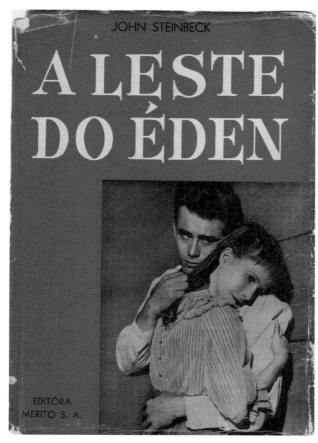

Capa da primeira edição brasileira de *A Leste do Éden*, de John Steinbeck, 1956, que deu origem ao filme *Vidas amargas*, de Elia Kazan. Ao morrer muito cedo, James Dean se tornaria o maior mito de cinema de todos os tempos. Julie Harris era ídolo dos que amavam cinema *cult*.

tação de feijões, olhando o brotinho verde que emerge da terra; o feijão que lhe daria o dinheiro para "conquistar" o pai. Depois, tentando convencer o pai a receber o dinheiro. Se o pai apanhasse, seria o reconhecimento pelo que ele fez por ele; o pai, intolerante, recusa. Vimos o filme como a crueldade da intolerância.

A outra é a cena em que Dean leva o irmão ao bordel para conhecer a mãe, que é puta. Putas e bordéis fizeram parte da educação de minha geração; têm uma conotação toda especial. Ir ao bordel, ao cabaré, ao inferninho, era uma aventura, era ter o coração aos pulos, era poder sair com uma bela mulher, comê-la, acreditar por vinte minutos que as gostosas estavam dando para nós. E estavam. Nunca pensamos na frieza do dinheiro, isso não interessava, fazia parte do jogo e o jogo era aceito. Na verdade, a maioria era tão escolada que nos faziam sentir únicos, amados, desejados. O melhor era pagar antes e até dar um pouquinho a mais, a mulher ficava doce e terna.

Tenho ainda a edição do livro que comprei naquela época. Folheando (ao voltar para São Paulo), bati na página 196, com o passeio de carroça de Samuel que vem pela noite enluarada. Steinbeck era bom nas descrições da paisagem de sua região (o vale de Salinas).

Samuel vem pensando na "tal *Weltschmerz* – a tristeza do mundo que se ergue da alma como um gás e dissemina tamanho desespero que a gente se põe a procurar a causa que nos molesta e não consegue descobri-la". O romance: 657 páginas, numa época em que os escritores americanos conseguiam ser bons, comover os leitores e fazer literatura de categoria. E vender. Carrego a *Weltschmerz* dentro de mim desde que nasci.

Kerouac e o purgatório dos escritores

Caminhando sozinho, na Virgin, encontrei os CDs de Nino Rota, *La Dolce Vita*, *8 ½*, *Prova d'Orchestra*, *Os palhaços*. E a *The godfather suite*, com orquestra regida por Carmine Coppola, pai do Francis Ford; Nino Rota entre os compositores. E Doris Day cantando sucessos de seus filmes.

Depois, uma incursão pela *Barnes & Noble*, em busca do segundo volume das cartas de Jack Kerouac, cobrindo 1957-1969, quando morreu, aos 47 anos. Muito cedo, muito novo. Já não produzia. Ao morrer, na cidade de Lowell, num dia de vento em outubro, vivia com a mãe inválida e com a mulher Stella Sampas, que tentava organizar sua vida. Morreu doente, alcoólatra, gordo, cheio de manias, solitário – não falava com os antigos amigos, nunca mais foi procurado. Tornara-se conservador. Estranha metamorfose. Ele que "personificara uma fantasia de juventude e liberdade, correndo atrás da promessa e da visão da América" sentava-se em um quarto da casa e ficava a datilografar a noite inteira, "pelo simples prazer de bater à máquina", diz sua biógrafa Ann Charters (num livro publicado nos Estados Unidos em 1973 e no Brasil em 1990; sempre estamos atrasados), organizadora também da correspondência. Uma exposição recente de fotos de Allen Ginsberg revela a decadência física de Kerouac, decrépito, fodido, acabado, balofo. Deu tristeza olhar. Aquele tinha sido o homem que mexera com o mundo e conosco, e dissera que tudo era uma merda, o *stablishment* fodia com tudo. Quando enterramos nossos sonhos? Quando desistimos do que fomos? Quando nos entregamos? Qual é a máquina de moer que nos tritura?

Hoje, Kerouac é de novo celebrado, apontado como um dos gigantes da moderna literatura americana. O purgatório dos escritores é dolorido. Dizem que todos têm de passar por ele. Ou ao menos por um limbo, onde nada acontece, tudo se esquece. Quando o futuro chega, o autor está morto, muitas vezes. A L&PM, do Rio Grande do Sul, que tem o Kerouac nas mãos, publicou em 2007 *On the road* – o manuscrito original, com quatro ensaios sobre o romance. Um sobre a escritura de Kerouac, outro sobre a "nação de monstros" que ele desvendou, o terceiro falando sobre Neal Cassady, figura emblemática e ícone, e a busca do autêntico, e o último sobre o manuscrito original e as teorias literárias, que têm um título instigante: *A linha reta só o levará à morte*. Na contracapa, a foto mítica de Kerouac segurando o famoso rolo de papel de teletipo em que teria escrito o livro sem parar. Segundo uma carta do autor a Cassady ele escreveu *On the road* entre 2 e 22 de abril de 1951, num total de 125 mil palavras.

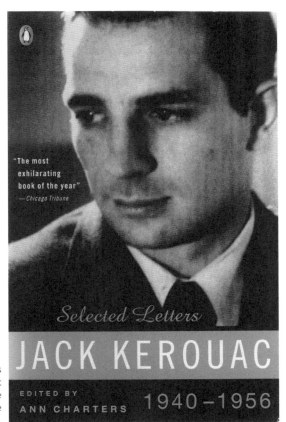

Capa do volume das cartas de Jack Kerouac 1940-1956. Longamente procurado, finalmente achei. Uma raridade.

Na Barnes fiquei quatro horas, percorrendo todos os departamentos. Na seção de biografias, uma de minhas favoritas, encontrei *Full of life*, a vida de John Fante, que me encantara com *Pergunte ao pó*. Fante, assim como Bukowski, está ganhando um *revival*. Bukowski declarou ter começado a escrever depois de ter lido Fante. Eu já tinha encontrado as cartas dele em Rutland, agora ia mergulhar na biografia. Fante foi roteirista em Hollywood durante muitos anos. Muito bem pago. No entanto, sofria por não poder se dedicar à sua ficção. Considerou sofríveis todos os filmes que escreveu. Segundo a introdução do livro de cartas, entre 1940 e o final dos anos 1960, sua obra literária foi regular, nada emocionante.

Apenas no final, depois que abandonou os filmes, é que escreveu um livro muito bom, que o recuperou para a literatura: *Full of life*. Exatamente o título de sua biografia por Stephen Cooper.

Outro daqueles autores que ganharam rios de dinheiro em Hollywood, mas consideraram que "venderam a alma". Mais ou menos o que acontece hoje com os publicitários talentosos, alguns deles geniais, mas que vão se entregando (ou são obrigados a) aos comerciais, às campanhas, aos textos reduzidos, até o momento em que aqueles romances, contos, novelas e poemas sonhados se dissolveram nos *outdoors*, nos anúncios, nos trinta segundos exigidos pela televisão. A publicidade tem sido para o escritor moderno o que Hollywood foi para os escritores dos anos 1920 aos 1950, quando o sistema de estúdios funcionou em regime de bater ponto, entregar histórias nos prazos e se conformar em ter os roteiros reescritos e dilacerados pelos companheiros que, por sua vez, tinham os seus igualmente devorados e deformados.

Os verdadeiros escritores de Hollywood em sua época áurea foram os... produtores. Curioso: milhares de filmes foram feitos; centenas de milhares, escritos por milhares de autores. No entanto, apenas vinte ou trinta acabaram se impondo pela obra, conseguiram se firmar, fazer nome, entrar na história. Como Ben Hecht, Dalton Trumbo, Donald Ogden Stewart, Anita Loos, Dorothy Parker, Charles Bracket, Albert Maltz, Ernest Lehman, Robert Towne, Julius Epstein, William Goldman, Budd Schulberg, Robert Rossen, John Howard Lawson, Ring Lardner Jr. Dudley Nichols. Está na história o desencontro entre o romance e o roteiro de cinema de escritores como William Faulkner, Scott Fitzgerald, Aldous Huxley ou Nathanael West (que morreu no mesmo dia em que Fitzgerald teve seu ataque cardíaco).

Curioso pensar que enquanto éramos fascinados, vivíamos encantados por aqueles filmes, eles eram escritos por escritores "funcionários", muitos deles desesperados. Gente que fazia isso para ganhar a vida, necessitava de dinheiro, pagava contas, tinha família, saía de casa e ia para o estúdio, dizendo para a mulher: "Temos grandes problemas hoje com umas cenas de *Casablanca*... Preciso resolver uma cena em *O Arco do Triunfo*... Não sei o que fazer com um personagem de... *E o vento levou*". Como se estivessem comentando: "Hoje o balanço do meu caixa no banco deu diferença, não consegui vender um só produto e olhe que andei, e etc., etc.". E os homens que produziam aqueles filmes pensavam nos lucros, nas bilheterias, sem imaginar que num país distante como o Brasil, numa cidade do interior, garotos como eu mergulhavam nas telas, hipnotizados.

Como queria o primeiro volume das cartas de Kerouac, comecei a andar de livraria em livraria, até bater na *Shakespeare & Co*, no Village. Terá alguma coisa a ver com a famosa livraria de Paris? Por sorte, lá estava também um único exemplar das cartas que vão de 1940 a 1956. É curioso comparar as fotos das capas. No primeiro, Kerouac parece um jovem que vai se diplomar, comportado, de terno e gravata. No segundo, muitíssimo bem conservado, tem a cara de quem viveu intensamente. Traz um leve ar angustiado, a expressão é forte, ainda que melancólica. O Kerouac maduro tem uma cara melhor do que o Kerouac jovem, que mais parece um garotão indo para seu emprego no banco. Banco, imagine só!

Outra alegria: o fac-símile do roteiro de *Farrapo humano* (*The lost weekend*) de Billy Wilder, com correções e anotações do próprio Billy. Eram tão simples os roteiros! Anotações breves do que seriam as cenas e os diálogos. O resto era com o diretor. Lendo roteiros se pode ver como é o diretor quem modela o filme, dá o ritmo, a atmosfera.

Curioso como os americanos editam tudo, traduzem tudo. Nas prateleiras está o mundo. Mas as livrarias, mesmo as grandes, importantes, não têm seção de livros estrangeiros, em outras línguas. Na Rizoli, no Village (ou seria Soho?) não encontrei um único exemplar em italiano. Fora da língua inglesa não há salvação?

O *mouse* abre arquivos inesperados da vida

À medida que a gente envelhece, a vida começa a se tornar uma série de reencontros? Ou será que retornamos propositalmente, tentando desfrutar, agora, o que deveríamos ter desfrutado antes? Poderíamos ter vivido melhor aqueles instantes? Como saber? Quem disse que a vida é um ensaio constante? Enquanto a representação verdadeira não acontece, vivemos os ensaios. Momentos reaparecem, provocados por fatos banais como o cheiro de uma flor, um perfume, um papel amarelado, uma fotografia, um livro, uma palavra, um trecho de uma cidade, uma casa, um edifício, uma lâmpada acesa, uma porta, um rosto, um sorriso, um som, um trecho de música.

Vivemos e acumulamos tanto que a vida vivida se desenrola ao nosso lado, como um filme. É como se clicássemos, acidentalmente, o *mouse* do computador, abrindo arquivos inesperados. A sessão de cinema na Barnes & Noble (385, Fifth avenue) fica no fundo, é a última sala da livraria. Fui percorrendo prateleiras e me deliciando com os títulos, abrindo livros, cheirando, olhando fotografias.

Apanhei *Film noir, The dark side of the screen*, de Foster Hirsch. Abri, na página 148, havia uma foto de Veronica Lake em *A dália azul* (*The blue dahlia*), com Alan Ladd, e um pôster de *Alma torturada* (*This gun for hire*). Não confundir com *A dália negra*, de James Ellroy, aquele em que ele fala do assassinato da mãe. Esta *Dália* foi realizada por George Marshall em 1946, com roteiro de Raymond Chandler.

Fiquei sabendo que Veronica foi escolhida para atuar ao lado de Ladd por causa da altura. Ele media 1m60 e ela 1m58. Seu cabelo caía de lado sobre os olhos e tinha uma forma especial de olhar, provocante e chamativa, como que exclamando: "Venha, estou pronta, ponha em mim, estou molhadinha". Veronica foi símbolo sexual na época. Tinha uma sexualidade ambígua que fez escola. Loiras gélidas que excitavam os americanos e os homens (e também as mulheres) do mundo, porque ela foi um sucesso brutal. Ao lançar Tippi Hedren (*Os pássaros* e *Marnie*) e usar Kim Novak (*Vertigo*), Hitchcock estava apenas retomando o tema das loiras polares que funcionam como fetiches. As mulheres copiavam o corte dos cabelos de Veronica Lake, o que levou o Departamento de Guerra a obrigá-la a cortá-los, porque muitas mulheres, trabalhando nas fábricas, no lugar dos homens no chamado "esforço de guerra", tiveram acidentes graves, uma vez que cabelos compridos pareciam atraídos pelas engrenagens das máquinas. Depois disso, sua carreira decaiu, ela nunca mais se recompôs. Como Sansão, cuja força estava nos cabelos.

De qualquer maneira, as imposições da indústria do cinema, onde tudo era medido, calculado e exato (e funcionava) acabaram formando uma das duplas mais excitantes do período de *filmes negros*. A expressão foi inventada pelos críticos franceses, inspirando-se na *Série Noire*, coleção de livros policiais da Gallimard, cujas capas eram pretas; era um termo desconhecido pelo grande público e pela indústria cinematográfica. "Mundo de trevas e violência, sombra sobre sombra, ruas escuras e molhadas na madrugada, um quarto intermitentemente iluminado pelos lampejos de um anúncio luminoso, um homem aguardado o momento de matar ou ser morto", segundo Higham e Greenberg, estudiosos do tema. Essa definição explica por que gosto desses filmes. É a atmosfera que está dentro de mim.

Os filmes que me foram proibidos

Eu era garoto e, num domingo, Ronaldo Bertoldi, meu melhor amigo, passou em casa para irmos à matinê. O programa anunciava *Alma torturada*, filme faladíssimo pela violência e "sexualidade" (a palavra não existia, apenas se comentava que era impróprio). Os filmes de quinta-feira eram exibidos na vesperal de domingo, para a garotada. Mas minha mãe tinha consultado a Orientação Moral dos Espetáculos, a censura exercida pela igreja católica, que dava classificações aos filmes. Um grupo de pessoas, em São Paulo, assistia a tudo e definia como Condenado, Bom, Aceitável para adultos, Recomendável. A lista ficava afixada na porta das igrejas e os bons católicos obedeciam. Foi meu primeiro contato com a censura. Minha mãe sabia que *Alma torturada* era Condenado (Assim como foi *Gilda*). Portanto, proibidérrimo. Não fui. Fiquei traumatizado. Passei anos atrás do filme e só fui assisti-lo no final dos anos 1980, em vídeo. Ou seja, quarenta anos mais tarde.

Agora, eu lia trechos de Foster Hirsch – porque a vantagem das livrarias americanas é que a gente pode ficar lendo até se decidir; ou não – sobre Ladd e Lake: "Seus músculos raramente se movem. Suas vozes secas e débeis, monótonas em ritmo e entonação, carecem de cor e musicalidade. Suas belezas emblemáticas são uma qualidade manufaturada; mostram a essência daquilo que era a ideia de uma estrela de cinema, na concepção dos *moguls* dos estúdios. A despeito disso, ambos eram muito bons, ícones perfeitos para o mundo do filme noir nos anos 1940. Personalidades fracas e vulneráveis, na vida real, nenhum dos dois conseguiu resistir ao estresse monumental da fama hollywoodiana".

Sem muito talento, ele se impunha pela voz, ela pelos cabelos (foi invenção dela? Um detalhe que bastou para montar um tipo; a realidade cinematográfica é estranha, imponderável). Talvez sabedores disso, frágeis, sempre pressionados pelo público, pelos produtores, de olho nas bilheterias, terminaram alcoólatras os dois. Ambos morreram cedo, ela com 54 anos, ele com 55, acho eu. A carreira dela terminou com a década. A dele durou mais, manteve-se em papéis sem muita importância, até interpretar *Shane*, no qual recuperou o *status* e o prestígio; no entanto, seus tormentos interiores devastaram sua aparência e Alan Ladd acabou se matando. Seu último papel foi em um filme de grande sucesso, *Os insaciáveis*, baseado em romances de Harold Robbins que, por sua vez, eram baseados no empresário excêntrico Howard Hughes (vivido por Leonardo DiCaprio em *O aviador*). Quando adolescente, eu devorava a revista *Cinelândia*, e achava estranho um ator famoso como Alan ser casado com uma mulher gorda e sem graça como Sue Carol. Eu não era capaz ainda de perceber as "necessidades" de cada um, acreditava em amor e romantismo. Sue era uma atriz frustrada, mas que, hábil e dominadora, tinha se transformado em uma agente capaz de conduzir bem a carreira, ao menos, do marido.

Como ser criativo para sobreviver

Outro livro que separei: *Sin in soft focus*: pre-code Hollywood, por Mark A. Vieira. Estudo sobre os códigos que regiam as produções, ou seja, a censura que existia para que os filmes não afastassem as famílias do cinema. Esse livro mostra de que maneira roteiristas e diretores manobravam/manipulavam para dizer ou mostrar, de modo diferente, camuflado, falas e cenas vetadas, empregando eufemismos, metáforas, imagens, ironias, analogias. O espectador inteligente acabava interpretando ou assimilando os significados duplos, ambíguos, paradoxais, que assumiam, às vezes, um sentido muito mais escabroso. Era, apesar de angustiante, um processo que divertia, porque obrigava a exercícios de alta criatividade: como dizer mais, e pior, de maneira que o censor não compreenda, deixe passar? Os escritores brasileiros, nos anos 1970, não acabaram produzindo textos que pareciam fantásticos, mas que retratavam a realidade no país? O que é *Cadeiras proibidas* senão uma enorme metáfora?

E com *The show starts on the sidewalk*, um estudo da arquitetura dos cinemas, por Maggie Valentine, e *The last remaining seats*, de Robert Berger e Anne Conser, eu estava me dando por satisfeito. Comprava os livros pela curiosidade, porque eles me evocam a epopeia das salas luxuriantes, do tempo em que o cinema era o considerado programão, portanto, as salas competiam em tamanho, serviço, atendimento, decoração. Barrocos, rococós, *art déco*, *art nouveau*, imitando palácios, castelos, templos, repletos de colunatas, lustres monumentais, muitos cristais, ferros rendilhados, balcões, *lounges*, camarotes, órgãos, luminárias de influência oriental, destacavam-se pelo estilo definido como *lavish*. Tudo pertence à arqueologia do cinema. Um dos maiores *designers* da era foi S. Charles Lee.

Quanto eu não daria para ter vivido nessa época. Às vezes, acho que vivi, tudo me parece familiar. Para mergulhar na fantasia que cada filme representava, era preciso estar dentro de um ambiente de sonho e fantasia, igualmente. Uma coisa completava a outra. Dentro daquela sala, assistindo o filme, você era arrancado da realidade, colocado no delírio. O cinema funcionava como uma droga alucinatória. Depois, os filmes começaram a retratar a vida real; a debater os problemas sociais; a ter uma função. Quando a arte passa a ter "função", começa a se desviar, perder o brilho, precisa estar ajustada a parâmetros, age dentro de uma camisa de força. Parece um pensamento reacionário. Não é. É uma constatação, basta analisar quando começa a decadência do cinema como indústria de massa.

Depois, no hotel, folheando o livro de Maggie Valentine, deparei com dois instantes que me provocaram "regressão". Lindo é um cinema que aparece na página 99, o *Tower*, em Compton, Califórnia. Lembrou-me a atmosfera do Cine Paratodos, em Araraquara, que poderia figurar nesse livro. Mas foi reformado, destruído, renovado, morto.

O cinema que aparece na página 101, o Bruin, reconheci como um no qual estive em 1967, quando fomos produzir a revista *Claudia* em Hollywood. Uma noite, a 20th Century Fox nos convidou para uma sessão surpresa. Uma daquelas que exibem, de repente, um filme novo e, depois, os diretores de *marketing* pesquisam entre espectadores para saber a opinião e mudar ou não certas cenas do filme. Acho que esse tipo de promoção se chamava algo como *snack preview*. Uma estreia que "escorregava" por baixo das cortinas. Ou não? Era uma comédia com Shirley MacLaine e Michael Caine, recém-terminada, o título em inglês era *Gambit*. A Fox exibiu no Brasil com um título péssimo, *Como possuir Lissu*. Filme ruinzinho, na saída, os produtores se mostravam preocupados. Tinham sentido as reações fracas da plateia durante a exibição.

Conta-se que na rua atrás do estúdio da Metro, nos anos 1930 ou 1940, passava um bonde que, certas noites, ficava lotado de executivos dos estúdios. Gente como Louis B. Mayer, o temido *mogul*, e Irving Thalberg, o mais legendário diretor artístico que já passou por Hollywood. Eles saíam secretamente e iam para um bairro distante, com as latas de filmes debaixo do braço. Ninguém podia imaginar que aqueles homens ricos e poderosos viajassem de bonde, entre trabalhadores e costureirinhas, secretárias e donas de casa. Promoviam uma *preview* surpresa, pesquisavam as reações (um boletim com perguntas era distribuído) e voltavam, reeditando o filme na mesma noite. Às vezes, alterando tudo. No dia seguinte, o diretor recebia um produto novo, e assim ficava, protestasse quanto protestasse.

Rosiclér e Marilyn, símbolos sexuais

Aqui eu reencontrava o Ignácio, que lia revistas de todos os tipos, de fofocas ou de ensaios e críticas. Tive a coleção completa de *Cinelândia* e ao me mudar para São Paulo doei tudo ao Clube de Cinema de Marília, que foi extinto há anos. Procurava livros de cinema. Peças de teatro. Pedia fotografias ao Roberto Afonso, dono do cinema de Araraquara. Escrevia para Maristela, Multifilmes, Vera Cruz, em nome do jornal, solicitando material de divulgação. Vinham *releases* e fotos, folhetos, programas. A xerox ainda não existia, as críticas eram mimeografadas.

Eu tinha duas preciosidades, o cartaz em tamanho gigante de *Torrentes de paixão* (Niagara), com Marilyn Monroe, dirigido por Henry Hathaway, em inglês, que me foi presenteado pelo Roberto Afonso. E um cartaz do Festival Internacional de Cinema de 1954, de São Paulo, desenhado por Alexandre Wollner. Um cartaz branco, gráfico duas cores, preto e vermelho. Havia outro, negro, assinado pelo Geraldo de Barros, já falecido. No acervo doado ao Clube de Marília, esse pôster, hoje valiosíssimo, pelo que Wollner e Barros representam, desapareceu. No início de 2011, fiz uma crônica para o Caderno 2 de O *Estado de S. Paulo*, em que falei dessa perda (palavra que na linguagem popular tornou-se perca). Passada uma semana, recebo em casa o pôster de Wollner, enquandrado, enviado por ele, como presente. Meus 18 anos retornaram naquele momento. Encontrei-me com Wollner, hoje com 83 anos e em atividade, na casa de uma amiga, agradeci e ele me contou que sabia quem desenhara o cartaz pela posição dos nomes. O primeiro era do autor. Coisas vão, coisas vêm, a gente acaba se reencontrando na vida, ou revivendo momentos devidos a acasos ou a quê?

Reencontrava o Ignácio que ia ao cinema todas as noites, bebia e comia cinema, dormia com os filmes e com atrizes como

Françoise Arnoul, Silvana Pampanini, Martine Carol, Ruth Roman, Jane Russell, Virginia Mayo, Anne Francis, Cyd Charisse, Maria Montez, Rita Gam, Sari Maritza.

O Ignácio que sonhava ser cineasta. Diretor. Roteirista. Ganhar o Oscar. Viver em Beverly Hills. Aos 18 anos, ambicionava comer Marilyn, queria ser Tom Ewell, que contracenou com ela em *O pecado mora ao lado*.

O vestido plissado, marfim, criação de Travilla, que Marilyn usou na célebre cena sobre o respiradouro do metrô, tornou-se o mais lembrado da história do cinema e foi leiloado no dia 20 de junho de 2011, em Hollywood, por 4,6 milhões de dólares. Nessa cena, Marilyn sorri feliz e comenta: "Não é delicioso?". No cinema, a felicidade. Uma das mais lindas cenas do cinema, cheia de sensualidade. As fotos de Marilyn sobre o respiradouro do metrô, em l954, correram mundo e marcaram uma época. Sabe-se que nessa noite, Joe DiMaggio, então marido dela, estava assistindo a filmagem de *O pecado mora ao lado* (*The seven year itch*), de Billy Wilder. O casamento tinha poucos meses e já estava em declínio, DiMaggio era possessivo demais. A cena foi a gota-d'água. Ele ficou emputecido. Marilyn estava no auge da forma física. E como conseguia sorrir tendo por dentro tanta angústia, neuras, inquietações e inseguranças que a dominavam?

O calor daquela noite nova-iorquina no filme voltava na memória. No calor das noites araraquarenses, insípidas, paradas, esperava que uma vizinha loira aparecesse, insinuante e sexy. A única loira nas proximidades era a Rosiclér, sensualíssima, com um irmão magro, cabelos glostorados, bigode fino, jeito de malandro, jogador de sinuca. Aquela que eu queria que me aparecesse quando fazia do muro o meu "terraço das viúvas".

Um amigo que vem daquela época, Sérgio Fenerich (meu primeiro *copy desk*, ele corrigia minhas críticas para o jornal, quando eu tinha 16 anos) lembra que Rosiclér sempre saía com uma amiga, a Rosemary. Era paquerada por um Silvio Amendola, que desapareceu no passado, acho que nunca conheci. Como as pessoas nos chegam por tabela? Rosiclér foi tema de um conto meu publicado em *Claudia*, quase vinte anos depois: *Vontade de Rosiclér*. Apareceu também numa crônica do *Shopping News* e, misteriosamente, recebi uma carta dela, sem endereço da remetente. Depois me telefonou, eu disse que gostaria de encontrá-la. Recusou. Nem pensar, nem pensar. Por quê? "Sou uma mulher envelhecida, gorda, você vai ficar decepcionado. Guarde aquela Rosiclér. Ela ainda te provoca desejos?" Seria verdade? Não quis me ver, disse que era impossível, tinha um marido ciumento, possessivo. Levava uma vida chata de dona de casa, o amor acabado. Achei que era uma carta falsa, mas ela me ligou, deu detalhes da nossa juventude, da rua em que morávamos, dos vizinhos, do barbeiro da esquina, o Lazinho, personagem de meu livro infantil *O menino que perguntava*. Era ela mesma. Tentei, tentei, não a encontrei. Foi melhor?

A crônica a tinha tornado feliz por momentos, levando-a de volta aos tempos em que era desejada. "Eu sabia e gostava de provocar, era tão bom entrar no cinema, ver todos os rapazes – ela empregou a palavra rapazes – me olhando, me devorando – usou a palavra devorando. Meu irmão me vigiava, me alertava contra os aproveitadores. O que era se aproveitar? Assim, não aproveitei, não fui aproveitada. Fosse hoje, eu seria manequim, estrela de televisão, apresentadora, era muito desinibida. Mas, o que era Araraquara? Nada. Não tinha nada, não se fazia nada, e eu tinha vontade de tanto. De que me adiantou ser bonita? De quê? Sabe o que eu sou? Penso às vezes nisso. Uma fotografia amarelada numa gaveta, um nome num conto". Há tanto de Tennessee Williams nessas vidas. Outro de Truman Capote.

Tempos depois, reciclei o sonho, tornei-o mais pé no chão, me contentava em trabalhar na Vera Cruz. Tinha um amigo, Camilo Sampaio, com a cara esburacada e dentes ruins, que era diretor de produção no estúdio; invejadíssimo como um astro. Irmão do diretor Osvaldo Sampaio, o de *Sinhá Moça*, Camilo hoje é plantador de cacau na Bahia. Quando me mudei para São Paulo, em 1957, a Vera Cruz tinha se acabado, alugava seus estúdios para independentes.

O resto de minha vida, a carreira como escritor, foi um acidente, fui entrando por desfastio, escrevendo porque era fácil, era eu e a máquina, eu e minha constante solidão, escrevi, publiquei, nem sei como aconteceu, como deu certo, se é que deu!

Aonde foi o sonho do cinema?

Desconforto, nunca mais haverá filmes de Fellini

Estava para ir embora, quando percebi um livro fino, de capa cinza, vagamente familiar. Era o que eu estava pensando?

Um frio na espinha. O que vinha procurando desde quando passamos por Veneza, na viagem que, em abril/maio do ano de 2000, fizemos Márcia e eu e os filhos Daniel, André, Maria Rita?

Daniel, certa tarde, voltou para o hotel com um livro que me deixou com água na boca. *Fellini 8 ½*, de Tazio Secchiaroli. Fotos do *making of* do filme. Secchiaroli, um ex-*paparazzo*, amigo de Fellini, fotógrafo pessoal de Sofia Loren, dedicara-se, nos últimos anos, menos a fofocas e mais a registrar o mundo do cinema como documentarista, historiador. Deixou um documento memorável.

Esse livro é um ensaio sobre Fellini dirigindo o filme que é o melhor que vi na vida. O filme cuja estrutura influenciou a narrativa de *Zero*, na sua fragmentação, descordenação coordenada, na sua liberdade absoluta, na modernidade. Pensar que foi feito no início dos anos 1960. Realizado há quarenta anos, é moderno,

8½. A famosa cena da revolta no harém de Guido (Marcello Mastroianni). As mulheres que envelhecem são depositadas no sótão. Feministas odiaram o episódio, massacraram Fellini. Ao fundo, a atriz Rossella Falk, uma de minhas paixões cinematográficas.

avançado. Corajoso. Somente recuando no tempo e se impregnando de como o mundo era, se pode avaliar a audácia de Fellini. Tenho quatro DVDs com extras diferentes e devo tê-los visto uma centena de vezes, fora o que assisti no cinema.

Há nostalgia também. Foi o primeiro filme que vi em Roma, em 1963, quando me mudei para lá. Fui a um cinema perto da Fontana de Trevi. Nunca mais localizei a sala. Terá fechado? Entrei, não sabia falar italiano, fiquei abismado, envolvido pelas cenas, pela música, pelo vertiginoso da narrativa, pelos atores. Aturdido, maravilhado, perplexo.

8 ½ é para mim filme mito, filme trauma, filme símbolo, filme paixão, filme modelo, filme padrão, filme embrião. Sei cada cena. A abertura no túnel, o homem que lê as mentes, a palavra mágica, Asa Nisi Masa, Sandra Milo descendo na estação, Marcello Mastroianni se curvando ante o produtor e exibindo o reloginho que ganhou, o pai descendo ao túmulo, as mulheres do harém subindo ao sotão, desoladas, aposentadas, o banho das crianças, o circo final, e assim por diante. Sem esquecer a rumba da Saraghina. Quem não teve uma Saraghina na infância, brega, gorda, coxuda, uma gostosona se exibindo para meninos ingênuos, loucos para descobrir o sexo? As minhas, além de Rosiclér, eram Jorgina, uma turca vizinha, insinuante; ou a Antonieta, que morava vizinha a um dentista, Nelson Gullo, que depois se tornou meu sogro; ou a Odete, professora de português do ginásio, que sempre usava sapatos vermelhos, que ficaram para mim como fetiches – estão no meu romance *O beijo não vem da boca* – ou a Cleia Honain, de olhos verdes e seios enormes. Fellini é universal nesses detalhes.

8 ½ impressiona como modelo, pela maneira como mostra o trabalho de criação, os bloqueios, os imponderáveis, o amor, a ansiedade, a angústia, a moral, a religião, a liberdade, as dúvidas. Fellini disse que "queria mostrar o caos, mas também a saída do

caos, senão não teria sentido" fazer um filme. Ele mostra a saída? É a grande questão? Há saída do caos? Naquele ano de 1963, Claudia Cardinale era a mais bela estrela do mundo. Doce e terna e com a sorte de cair nas mãos de diretores do porte de Visconti, Fellini, Bolognini. Havia Anouk Aimée, atriz *cult* para nós intelectuais, amadíssima. A impecabilidade de Marcello Mastroianni. A música de Nino Rota. O intelectualismo do crítico, sempre racional, acadêmico.

Na viagem com toda a família, no início de 2000, saí por Veneza, não encontrei o livro. Em Paris, outra vez, nada. Voltei. Fiquei com as imagens na cabeça, pensando que Fellini devia se divertir, devia ter um prazer enorme em dirigir, trabalhar cenas, comandar os atores. Fellini com o chicote na mão, na cena do harém. Parece feliz, está criando, inventando. Ou colocando na tela as próprias fantasias. Claro que nunca pensei na loucura/inferno que ele enfrentava para levantar o capital para o filme.

Sempre que penso em Fellini, me vem à cabeça a cidade de Rimini, o que é natural. Se ele tem Rimini, eu tenho Araraquara e a relação é quase igual. Uma presença constante na obra. As duas cidades passaram a existir muito mais em nossas memórias do que na realidade. A Araraquara de hoje nada tem a ver com a de minha adolescência. Quando Fellini voltou a Rimini, depois da guerra, encontrou-a em ruínas, arrasada pelas bombas. Ele costumava declarar: "Não consigo considerar Rimini com fato objetivo. É antes uma dimensão da memória. Quando estou em Rimini, sou sempre agredido por fantasmas já arquivados". Quando vi *Amarcord* pensei em fazer o mesmo com a minha cidade. Um *Araraquaracord*, em que Rosiclér seria a mesma personagem que Sandra Milo fez no cinema. Tentei com *A altura e a largura do nada*, um livro que passou despercebido. Araraquara e eu. Não é igual? Nossa relação com a cidade natal é complexa, difícil, inexplicável.

Agora, na manhã nova-iorquina, inesperadamente, o livro de Secchiaroli e o mundo que ele contém me caía nas mãos. Exemplar único, sem plástico. Que me importava? Agarrei-o, antes que outro o fizesse. Ora, eu estava sozinho naquela sala dos fundos da Barnes & Noble. Adoro ficar sozinho em bibliotecas e livrarias e igrejas e cinemas e parques e ruas e restaurantes.

A atriz Barbara Steele (magra, de roupa preta, olhos maquiados de negro) era amiga de Gloria Brown, estrelinha inglesa que morava em nosso apartamento na Circonvallazione Clodia, 165. Barbara tinha feito dezenas de filmes de terror, ostentava um rosto estranho e teria desaparecido da história do cinema caso não tivesse sido colocada em *8 ½*. Uma reportagem da revista *Oggi* disse que ela foi chamada para um papel em *Cleópatra*, mas ficou à espera de Fellini, recusou. Teve visão ou um bom agente? *Cleópatra* era uma confusão e Fellini um gênio. Os dois são históricos por razões diferentes. Realmente, depois disso, Barbara sumiu. Nós a víamos, acidentalmente, na Via Veneto, no Café de Paris, sempre acompanhada por gente do cinema, socialites, príncipes (Roma era cheia de nobres decadentes e falsos nobres), jornalistas que a colocavam na mídia. Estava lá na tarde em que encontrei Walter Wanger. Participou depois de filmes sem expressão na Inglaterra, Itália, Alemanha e se dissolveu. Estará viva? Tendo nascido em 1937, terá hoje uns 74 anos. Fazendo o quê? "Mistérios" do cinema que me intrigam, excitam.

Eu adorava também Rossella Falk, excelente atriz de teatro que teve poucas incursões no cinema, mas exibe uma postura e elegância incríveis. Há uma mulher interessantíssima no filme. Ela está na cena do harém. Não se sabe seu nome. Mesmo no livro, onde quase todo mundo vem identificado, ela surge como "uma das mulheres de Guido" (o personagem). Na foto coletiva, em que Rossella está sentada no colo de Fellini, ela é a última da fila, à direita, em pé. Há pessoas que fazem uma falta tremenda no mundo. A ausência delas provoca um vácuo. Fellini é um. O cinema nunca será cinema sem ele. Nossa vida ficou mais vazia. Não esperamos mais um filme do Federico. Nunca mais haverá um novo.

A amante de Fellini

Em 1982, a atriz Sandra Milo, chamada intimamente por Fellini de Sandrocchia, loira, voluptuosa, cafona, adorável, gostosona, boa comediante, presença forte, publicou o romance *Caro Federico*, em que a personagem principal, Selana, era dada como a amante do cineasta. Tais livros são chamados *romans à clef*. Os personagens fictícios escondem pessoas reais. Por toda Roma, cidade extremamente provinciana, se sabia da história, se comentava à boca pequena (na verdade à boca grande). Federico jamais tocou no assunto. Sandra ficou consagrada com um pequeno, porém importante papel, o de Carla, a amante de Marcello Mastroianni, em *8½*. Para sempre na história do cinema.

Naquela altura, o casamento de Fellini com Giulietta Masina já tinha 20 anos. Quem apresentou Sandra a Fellini foi Ennio Flaiano, roteirista, e um dos mais próximos colaboradores de Fellini. Ela contou: "Fiquei impressionada, encantada, com aquele homem enorme, 100 quilos, de voz sutil, suave, quase feminina, uma voz pequena para um homem tão grande, um cérebro tão grande". Durante as filmagens, eles se apaixonaram loucamente. O caso durou dezessete anos. Depois que Giulietta morreu, um dia Fellini enviou a Sandra cem rosas e uma carta, propondo casamento. Então, ela já estava casada com um homem ciumentíssimo e com três filhos. Ainda que amando Federico, ela recusou. Fellini tinha escrito para ela, com ternura, uma personagem linda, a de Gradisca, a mulher que vai se entregar ao *sheik* no filme

Amarcord, na suíte do hotel de luxo. Porém ela teve de recusar, estava casada. Confesso que adoro essas histórias paralelas, sejam do cinema, do teatro, da literatura.

Rumbeiras de coxas grossas

Curiosa viagem cheia de memórias afetivas. Outro momento de emoção foi proporcionado pelo Zezé. Uma tarde, ele chegou no Grammercy trazendo uma caixinha colorida.

— Um presente!

Era o *Cine mexicano: 40 collectible postcards*. Ele satisfazia minha paixão pelos postais e me trazia momentos da juventude, quando no Brasil não se passava semana sem ser exibido filme mexicano. Todos sucessos. O logotipo Pelmex nos era familiar, nos trouxe obras clássicas de Emilio Fernandez e Gabriel Figueroa, nos deu Maria Felix, Dolores Del Rio, Silvia Pinal, Cantinflas e Pedro Armendariz, Tin Tan, Jorge Negrete, Agustin Lara, Pedro Vargas, e uma atriz de nome muito estranho, Miroslava. E principalmente as rumbeiras como Ninón Sevilla, Maria Antonieta Pons, Amália Aguilar, Meche (Mercedes) Barba, mulheres coxudas e de rebolado sensual. Como esperávamos os filmes delas!

Sempre me pergunto: "O que foi feito dessa gente?". E Agustin Lara, compositor genial (*A Maria Bonita* e outras), magérrimo, rosto marcado por uma cicatriz, expressão soturna, mas que havia sido marido de Maria Felix? Foi quando compreendi que homens feios tinham vez, bastava terem talento, se mostrarem sedutores, esforçados. Cabeça podia ser mais importante do que o rosto se a mulher fosse inteligente.

Houve época, 1936-1957, considerada de ouro, quando os mexicanos conquistaram o mundo. Os postais do Zezé me traziam filmes desse período. Grande parte deles eu tinha assistido, como *Maclovia, Doña diabla, La malquerida, Amor perdido, Susana, Konga Roja, Camino del infierno*. Alguns de nós aguardavam os filmes mexicanos por causa das rumbas. Eram cinco ou dez números musicais em cada filme. Íamos ao balcão do Cine Paratodos bater punhetas.

O balcão era vazio durante a semana. Namorados usavam o território para dar amassos. Via-se muita mulher com a mão no pau do namorado ou noivo ou o que seja. Homens chupando peito de mulher. Meninas que, de repente, a gente via no recreio do ginásio e ficava surpreendido, mas não dava bandeira, na esperança de conseguir vir ali, uma noite. Mulheres solitárias entravam e sentavam-se, esperando. A gente se aproximava, elas avaliavam se deixavam ou não sentar ao lado para passar a mão nos peitos, nas coxas, acariciar a xoxota. Tudo era feito em silêncio, em geral não se dizia uma palavra, não se perguntava nada, principalmente o nome. Que idade terão essas mulheres hoje? Casadas, solteiras, viúvas, avós?

Escrevi há quase um ano uma cena para o meu romance *O anônimo*. O personagem entra no cinema, senta-se ao lado da mulher, acabam se bolinando, se amassam, se pegam, ele arranca a calcinha dela, enfia os dedos na xoxota. A mulher se entrega e não diz uma palavra, quieta, apenas geme baixinho. Na tela, no cinema que cheira a cera Parquetina, estão exibindo um dramalhão mexicano, *Mulheres sacrificadas*, com muitas danças. Direção de Alberto Gout (morreu em 1966, com 58 anos), que realizou a maioria dos filmes com Ninón Sevilla, a sua atriz favorita. O que passa na tela é importante para o personagem criar o clima interno. Ele quer que a mulher o masturbe quando a rumbeira começar a dançar. Somente ele fala, ela ouve e sorri. Ele não percebe a ironia do sorriso, ela se sabe objeto, mas é um jogo. A sala está vazia, o personagem é um caçador experiente, sabe que durante a semana, naquele cinema não há quase ninguém. A mulher também sabe. Ele a sente suada, de nervosismo e excitação. Ela goza. Então, ela abre a braguilha dele, pega no pau, massageia e pede que ele desça as calças para facilitar. Ele abaixa as calças e então ela se levanta e sai rápido do cinema. Até ele se recompor e tentar ir atrás, ela sumiu na noite. Uma anônima que ele nunca mais encontra, por mais que tente. Um dia, na rua, imagina que aquela mulher pode ser a do cinema, todavia não tem coragem de decifrar o mistério. E também prefere deixar assim.

Sexo oculto com mulheres anônimas que desapareceram no tempo. Algumas, antes do filme acabar, diziam que iam ao banheiro e desapareciam, para não serem identificadas à luz da rua. O que não se via era mulher chupando pau. Se faziam, era em quartos fechados. Uma perversão inominável.

No balcão, estava também, todas as noites, um velho de uma família tradicional e conceituada (adoro essa palavra brega quando ela pode ser desmoralizante), famoso. Um gay que nunca era visto durante o dia, em parte alguma, e ficava caçando homem no escuro do cinema.

Na hora dos filmes mexicanos, tínhamos um sistema para cronometrar as danças. Às vezes, um de nós via o filme antes. Depois numa segunda vez, todo o grupo reunido, ele dava o aviso: vai começar em um minuto. Era importante a cronometragem, para gozar com a rumbeira ainda dançando. Eu tinha o maior tesão em Ninón Sevilla. Acho que era a mais feia de todas, mas sensualíssima para mim, o rosto cheio de sensualidade. E agora, eu estava em Nova York e foi uma sensação curiosa olhar os postais, as noites vazias de Araraquara ressurgindo em um quarto de hotel cheio de fantasmas. Tais coisas podem entrar num romance, podem ser um conto. Uma parte entrou em *O beijo não vem da boca*, mas ainda não trabalhei o assunto com todo seu potencial.

Um dinossauro no Comune

Um lugar muito frequentado por nós era a Duane Reade, *drugstore* na esquina da Park Avenue. Sempre tínhamos alguma coisa para comprar ali. Certo dia, cheguei no quarto de Marilda e Zezé e encontrei-o com o pé sangrando. Deu uma topada na mala e cortou o dedo. Desci correndo para ver se encontrava um coagulador de sangue e *band-aids*. Fizemos uma medicação de emergência. Na Duane compramos *band-aid* da Barbie para a Helena, fungicidas para as unhas, antiácidos, aspirinas.

Na sexta-feira anterior ao nosso embarque de volta, Márcia, Marilda e Zezé descobriram numa lanchonete simpática na Broadway. Ali, cada um monta o seu próprio sanduíche. Chama-se Cosi. Brincamos: a lanchonete na verdade devia se chamar Gosí, como a Carla apelidava a Márcia na infância.

Começamos a fazer as malas na sexta-feira, tentando ver se cabia tudo. Na minha cabeça ia dar excesso de bagagem, a Continental ia cobrar, e sei lá mais o quê. Minha neura habitual com o peso. Decidimos que o último jantar seria para valer. Há dias nos sentíamos atraídos por um restaurante na rua 22, o Commune. *Clean*, moderno, cheio de gente bonita. Pareceu-nos um *point*. Tentamos chegar sem reservas e deu certo, nos deram mesa em um lugar de onde podíamos ver tudo. Os que entravam, a rua e o movimento do bar, que era onde se podia fumar. Ali as pessoas se amontoavam. A proibição do fumar tornou-se uma psicose de nossa época. Morre mais gente de bala perdida no Rio do que de câncer.

Na porta parou uma limusine de dezenas de metros, prateada, brilhante. De dentro dela gente descolada, jovem, quase todos bem-vestidos. As mulheres, com sandálias de saltos muito altos e finos, exibiam pernas sensuais. As americanas têm pernas lindas. Ginásticas, vitaminas? Eu parecia um dinossauro ali, fiz de conta que não era comigo. No dia seguinte ia embora, não mais me veriam. Jantamos bem, pedimos um Barolo para variar, mas estava picando um pouco, segundo a Marilda. Márcia e Zezé saíram da mesa para fumar e comecei a ouvir uma voz conhecida, em português, percebi que era Nara Leão cantando "Se alguém perguntar por mim, diz que fui por aí", e logo veio uma segunda, *Desafinado*, hinos de uma década, a de 1960.

Vieram então todas aquelas canções que Nara cantava, e como ela cantou e gravou, e como gastou a vida para morrer cedo, nos deixando desamparados. A Nara de *Camisa amarela*, *Água de beber*, *Marcha da Quarta-feira de Cinzas*, *Opinião*, *Berimbau*, *Manhã de Carnaval*, *Chega de saudade*. Nara, o violão e aqueles joelhos pelos quais babávamos. Cacá Diegues nem sabe como foi odiado quando se casou com Nara, destruindo nossos sonhos e fantasias.

O motorista que foi devagar para o aeroporto

No sábado de manhã, a melancolia de um final de viagem. O avião sairia às 22 horas. No Guia da Kátia Zero achei os serviços de alguns brasileiros que trabalham com "carros de aluguel", para usar expressão antiga. Tentei vários, estavam compromissados, até chegar em um mineiro de nome Jorge Bastani, que prometeu nos pegar às seis em ponto. Fui com Márcia ao Macy's, queria uma maleta, leve e barata, para transportar os livros na mão. Eram preciosos para que eu arriscasse.

Lembramos uma tarde em que, para descansar, sentamo-nos na pracinha diante da loja. Chegou um negro com um rádio enorme e ligou a todo volume. Em cinco minutos surgiu um policial que pediu a ele que abaixasse o volume, ouvisse sozinho. Em seguida, um homem bem-vestido, trazendo numa das mãos um saco plástico e na outra um pegador com mola recolheu todas as bitucas de cigarros que estavam no chão.

América, América, América

Esta é a Nova York brega, dos clichês e dos postais... Empire State, estátua da Liberdade, Rockfeller Center, Central Park, ponte de Brooklin, Waldorf Astoria, Brodway, Quinta Avenida, etc., etc., etc., etc.
A América de Kazen, do Chefão, do Taxi Driver, tudo se mistura. Nova York é presente, passado, futuro, mistura, fascínio, babel, babilônia, itália, brasil, porto rico, cuba, texas, vício.
Há quantos anos, em todos os filmes, a primeira imagem que os imigrantes contemplam, para o público chorar...

Bastani chegou um pouco antes do horário marcado. Pegamos um congestionamento. Eu, de olho no trânsito e no relógio, gosto de chegar cedo em aeroporto. Bastani, conversador, mineiro, contava sua história, cheia de detalhes. Tinha chegado falido aos Estados Unidos, quinze anos atrás, depois de ter tido restaurante em Belo Horizonte, e recomeçou a vida, aos 45 anos. Hoje tem uma frota de carros e trabalha com motoristas *freelances*, brasileiros.

A pista contrária era um congestionamento só. O pessoal de Nova Jersey que, aos sábados, vai jantar em Nova York. Assim como na ponte Niterói-Rio. Chegamos cedo no aeroporto, uma portuguesa nos atendeu, as malas passaram direto, para meu alívio. Nos deram lugares horríveis. Avião lotado, apertado. Márcia preocupada. Se tivesse de fazer xixi teria que passar por cima de um monte de gente. A mesma comida ruim, café da manhã pior. Única vantagem dessa Continental é o espaço um pouco maior entre as poltronas da econômica. E nem sabíamos ainda o perigo que é viajar de econômica, pode matar de trombose. O mundo é dos ricos. Vão de primeira. Até eles são os únicos sobreviventes em viagens.

Quanto às *Dancing lobsters*, jamais descobrimos o porquê, teremos de voltar.

O avião chegou no horário. Tempo em que tais coisas aconteciam, eram normalidade. E foram passados apenas dez anos para cairmos no suspense que cada viagem provoca: *overbookings*, atrasos, cancelamentos, filas gigantescas no *check-in*, filas gigantescas para passar pela Polícia Federal.

Aeroporto de Guarulhos tranquilo. *Duty Free* deserto, uma raridade. Compramos uísque, vinhos, chocolates, *Havana Club*, Roger & Gallet Farina. Terminava a odisseia. Parece que tínhamos ficado meses. Do estacionamento, Zezé mandou que esperássemos, voltou ao café no interior do aeroporto, ansioso para tomar um *espresso*, dessa vez brasileiro, forte, aromático. Brinquei: "Aposto que foi ver se tinha lagostas dançando no restaurante".

Seja o que for, a pior coisa da vida
é não viajar!
E há gente que jamais saiu da
quadra em que mora.

Na verdade, o "gerente da Via Veneto" foi um herói

Melhor final para o livro eu não poderia encontrar. Um abismo separa o texto da página 137 da realidade. O livro fechado, encontrei num armário uma caixa de fotos e ali estava, amarelecida, uma batida em 1963 na Fontana di Trevi, em Roma. Mostra, da esquerda para a direita, Charles Fawcett, o "gerente da Via Veneto"; Carlinhos Stefano; Alik Kostakis, colunista social da *Última Hora*; o ator americano Brett Halsey, que fez um papel na versão televisiva de *A caldeira do diabo*; e eu. Junto havia um papel com várias indicações. Fui à internet e descobri sobre o "gerente". Nem *bon-vivant*, nem cáften, nem gigolô, nem aproveitador, e sim um homem desprendido, lutador das boas causas. Aquilo que se chama pau para toda obra ou *jack-of-all-trades*. Foram necessários muitos anos para dar de frente com a verdade. Não podia imaginar.

Nascido na Virgínia, Estados Unidos, em 1915, de uma família tradicional que tinha ligações com Thomas Jefferson, Fawcett, um homem bonito, foi um grande atleta. Aos 22 anos mudou-se para Paris e começou uma vida de expatriado que durou décadas. Flanou pelo mundo. Estudou arte, aprendeu pintura e escultura e ganhou a vida como modelo. Durante a Segunda Grande Guerra fez parte do French Ambulance Corps e juntou-se a Varian Fry, um intelectual combatente que se dedicava a tirar judeus e antinazistas da França ocupada pelos alemães. Ajudou a salvar mais de 2 mil pessoas, entre as quais Marc Chagall, Max Ernst, Heinrich Mann (irmão de Thomas Mann), Alma Mahler, o romancista Franz Werfel, André Breton, Hannah Arendt e Leon Feuchtwanger. Ficaram célebres os seis casamentos de Charles com judias, para livrá-las da prisão, levando-as da França e da Alemanha. Um polígamo por uma boa causa. Foi combatente, piloto da RAF,

Arquivo pessoal

lutou na Legião Estrangeira, ganhou a Cruz de Ferro Francesa e a Medalha Americana Eisenhower, dadas aos heróis de guerra. Pistonista, compositor, letrista, sedutor, socialite, praticava hipismo, era bom conversador. Na década de 1950 foi para Roma e ali ficou famoso como o "gerente da Via Veneto", ou *Mayor of Via Veneto*. Popularíssimo, simpático, adorado pela mídia. Há poucos anos, foi homenageado no British Holocaust Commemoration. Em 1956 ajudou centenas de húngaros a fugir dos russos, quando a Hungria foi ocupada pelos comunistas. Em 1979 aderiu à causa afegã contra os invasores soviéticos. Trabalhou em mais de cem filmes, ao lado de celebridades como Robert Taylor, Errol Flynn e Alan Ladd, *superstars* hollywoodianos. Adorava esses pequenos papéis e costumava dizer do ato de representar: "For a short while you could be what you wanted to be" [Por um breve momento você pode ser o que gostaria de ser]. Viveu os últimos anos na Inglaterra, onde morreu em 2008, aos 92 anos, chamado pelos que o conheceram de um "homem renascentista". Portanto, diferente daquela visão que eu tive nos dias em que estive ao seu lado em Roma, há cinquenta anos, Charles jamais falava de seus feitos, cultivava a imagem do *bon-vivant*, divertia-se. Ricardo Amaral, que conviveu muito com ele em Roma, fala de Charles em sua recente autobiografia, sem ter levantado, contudo, esse perfil surpreendente. Que grande reportagem eu teria feito, ou belíssima entrevista. Um dia, por desfastio, tédio ou falta do que fazer, montarei o inventário das coisas que não fiz. Para me divertir. Será um longo livro a mostrar, sem lamentos, os sonhos e a realidade, apenas para provar como é pouco o nosso tempo de vida.

Fim/The End/Fine/Fin/Ende
Ou não?

Índice

... E o vento levou, 140, 239
    Ver também David Selznick; F. Scott Fitzgerald; Walter Wanger
1969
    evento que chocou o mundo, 115
    generais no poder, 10
    liberdade no mundo, 9
    permissividade, 9
    "podes crer, amizade", 10
    prisões, 10
    torturas, 10
    voltando a, 122
    Ver também amor; *Caldeira do diabo, A*; ditadura; Jack Kerouac; paz; Woodstock
28 contos de John Cheever, 150
    Ver também John Cheever
8½
    audácia de Fellini, 252
    castração acadêmica, 165
    cenas do, 254, 255
    como modelo, 252
    Guido, personagem, 165
    nostalgia, 252
    sátira do academicismo, 165
    trilha sonora, 235
    Ver também Anouk Aimée; Barbara Steele; Claudia Cardinale; Federico Fellini; *Fellini 8½*; Marcello Mastroianni

A

A. E. Hotchner, 165
Abandonada no campo de centeio, 161
    Ver também *At home in the world*; J. D. Salinger; Joyce Maynard
Abílio Pereira de Almeida, 119
Acerto de contas, 150
    Ver também John Cheever
Aconteceu em Woodstock, 107
    Ver também Elliot Tiber; Tom Monte
Actors Studio, 23, 181
    Ver também Elia Kazan; Oscar; *Sindicato de ladrões*
Adolfo Aizen, 62
    Ver também *Edição maravilhosa*; Editora Brasil América
    Adolfo Celi, 173
    Ver também *Angustiante paz do domingo, A*

Adolphe Menjou, 23
    Ver também Elia Kazan
Affonso Romano de Sant'Anna, 32
    Ver também Cafarnaum
African queen, The, 26
    Ver também *Aventura na África, Uma*
Água de beber, 260
    Ver também Nara Leão
Agustin Lara, 256
    Ver também *Maria Bonita, A*
AI-5, 9
    Ver também Ato Institucional; Costa e Silva [Arthur da]; liberdade
Al Capp [Alfred Gerald Chaplin], 67
    Ver também *Família Buscapé, A*; Ferdinando
Al Pacino, 23, 72
    Ver também *Perfume de mulher*; *Poderoso chefão III, O*
Alan Ladd, 202, 240, 243, 266
    Ver também *Blue dahlia, The*; Charles Fawcett; *Dália azul, A*; *Insaciáveis, Os*; *Shane*
Alberto Gout, 257
    Ver também *Mulheres sacrificadas*
Albert Maltz, 238
Aldous Huxley, 238
Alexandre Barbosa de Souza, 60, 132
    Ver também *Desencantados, Os*; *Disenchanted, The*; Moby Dick
Alexandre Dumas, 190
Alfred Hitchcock, 241
    Ver também *Marnie*; *Pássaros, Os*; *Vertigo*
Alfred Stieglitz, 143
    Ver também Georgia O' Keefe
Alik Kostakis, 264
    Ver também *Última Hora*
Alípio Correia de Franco Neto, 132
    Ver também *Desencantados, Os*; *Disenchanted, The*
All that jazz, 230
    Ver também Bob Fosse; Broadway
Allen Ginsberg, 236
    Ver também Jack Kerouac
Alma Mahler, 264
    Ver também Charles Fawcett
Alma torturada, 240, 242
    Ver também *This gun for hire*
Almas perversas, 138, 139
    Ver também Fritz Lang; Joan Bennett

Almeida Salles, 27
    Ver também *Estado de S. Paulo, O*
Altura e a largura do nada, A, 253
Alvah Bessie, 25
    Ver também caça às bruxas; macarthismo
Amarcord, 253, 256
    Ver também Federico Fellini
american way of life, 79, 146
amor
    acabado, 248
    ato de, 220
    crepuscular, 163
    do filho, 233
    gemidos de, 57
    história de, 109, 209
    juvenil, 131
    paz e, 7, 10, 99, 114, 121, 122
    romantismo e, 243
Amor perdido, 257
Anaïs Nin, 189
André Bazin, 27
André Breton, 264
    Ver também Charles Fawcett
André Sant'Anna, 33
Angeline, 121
    Ver também Joe Cocker
Angelitos negros, 53, 189
    Ver também Eartha Kitt
Angustiante paz do domingo, A, 173
    Ver também Adolfo Celi
Anita Loos, 238
Ann Charters, 236
    Ver também Jack Kerouac
Ann Miller, 217
    Ver também *Rua 42*
Anne Conser, 244
    Ver também *Last remaining seats, The*; Robert Berger
Anne Sexton, 150
    Ver também John Cheever
Anônimo, O, 164, 199, 210, 257
Anouk Aimée, 253
    Ver também *8½*
Anthony Perkins, 171
Antônio Marcos Pimenta Neves [Peru], 36, 73
Anuska, 117, 119
    Ver também *Anuska, manequim e mulher*; *Depois do sol*
Anuska, manequim e mulher, 119
    Ver também Anuska
APA Publications, 69
    Ver também guia *New England*

Apanhador no campo de centeio, O, 161, 163, 167, 168, 181
    Ver também *Catcher in the rye, The*; *Dream catcher*; J. D. Salinger
Apartment, The, 135
    Ver também Billy Wilder; *Se meu apartamento falasse*
Apolo, 119
    Ver também Elizabeth Hartmann
appetizers, 14, 160
April Stevens, 53
    Ver também *Divas*
Aquarius
    Ver Era de Aquarius
Araçary de Oliveira, 119
Araraquara
    adolescência, 36, 46
    Araraquaracord, 253
    bar do Pedro, 28
    cidade natal, 69
    cinema de, 245, 246
    crítico de cinema, 26
    de hoje, 253
    e o sul dos Estados Unidos, 96
    e Vera Cruz, 85
    família Lupo, 134
    infância, 84
    noites vazias de, 258
    nos anos 1950, 57
    rua 6, 82
    ruas desertas de, 173
    tardes de, 82
    viagem de fim de ano, 73
    voltar para, 71
    Ver também Cine Paratodos; Peyton Place; Zé Celso Martinez
Arcadia Publishing, 69
    Ver também Carol Walker Aten; *Images of America*: Exeter
Arco do Triunfo, O, 239
art déco
    culto do *fake*, 197
    decoração americana, 197
    Ver também *art nouveau*; lavish
art nouveau
    decoração americana, 197, 244
    Ver também *art déco*; lavish
Arthur Miller, 24, 49
    Ver também caça às bruxas; *Crucible, The*; *Feiticeiras de Salem, As*; macarthismo
Arthur Rimbaud, 165
Artie Shaw, 25
    Ver também caça às bruxas; macarthismo

Arx, 150
    Ver também *Acerto de contas*; *Crônica dos Wapshot*; *Escândalo dos Wapshot, O*
At home in the world, 161
    Ver também *Abandonada no campo de centeio*; J. D. Salinger
Até parece o paraíso, 150
    Ver também John Cheever
Atlantic Monthly, 80
    Ver também Thomas Aldrich
Ato Institucional, 9
    Ver também AI-5
autumn leaves
    Deerfield, 197
    folhas de outono, 197
Ava Gardner, 25
Aventura na África, Uma, 26
    Ver também *African queen, The*; James Agee; Salka Viertel
Aviador, O, 243
    Ver também Howard Hughes; Leonardo DiCaprio
Avril au Portugal, 53
    Ver também Eartha Kitt; *Miss Kitt to you*

B

Babbitt, 140, 141
    Ver também Sinclair Lewis
Babe I'm gonna leave you, 115
    Ver também Joan Baez
Balada do café triste, A, 233
    Ver também Carson McCullers
Barão von Trapp, 124
    Ver também *Noviça rebelde, A*
Bárbara Stanwyck, 23
    Ver também Robert Taylor
Barbara Steele, 139, 254
    Ver também *8½*
Barolo
    Piemonte, terra do, 211
    restaurante, 227
    vinho, 227
barroco
    arqueologia do cinema, 244
    decoração americana, 197
    Ver também *lavish*
bauhaus
    decoração americana, 197
beatniks
    americanos, 152
    burgueses, 29

de Nova York, 214
bed and breakfast, 97, 148
    Ver também *breakfast*
Beijo da morte, O, 214
    Ver também Richard Widmark
Beijo não vem da boca, O, 66, 252, 258
Berimbau, 260
    Ver também Nara Leão
Bernardo Bertolucci, 23
    Ver também *Novecento*
Bertold Brecht, 25
Betty Field, 181
    Ver também *Férias de amor*; *Picnic*
Bíblia, 61, 80, 228
    Ver também Johannes Gutemberg; *Story of a bad boy, The*
Big carnival, The, 135
    Ver também Billy Wilder; *Montanha dos sete abutres, A*
Bill Elliott, 178
    Ver também *far west*
Billy Wilder, 134, 135, 239, 247
    Ver também *Apartment, The*; *Big carnival, The*; *Crepúsculo dos deuses*; *Double indemnity*; *Entrevistas da Paris Review, As*; *Farrapo humano*; *Lost weekend, The*; *Montanha dos sete abutres, A*; *Pacto de sangue*; *Pecado mora ao lado, O*; *Quanto mais quente melhor*; *Se meu apartamento falasse*; *Seven year itch, The*; *Some like it hot*; *Sunset boulevard*; *Testemunha de acusação*; *Witness for the prosecution*
Bird on the wire, 121
    Ver também Joe Cocker
Bizu Bizu Bizu, 53
    Ver também Sophia Loren
Blaze of noon, 163
    Ver também William Holden
Blood, Sweat & Tears, 121
    Ver também *Spinning wheel*; *When I died*
Blowing in the wind, 121
    Ver também Joan Baez
Blue dahlia, The, 240
    Ver também *Dália azul, A*; George Marshall; Raymond Chandler
Boa noite e boa sorte, 24
    Ver também Edward Murrow; George Clooney; *Good night, and good luck*
Bob Fosse, 230, 232
    Ver também *All that jazz*; Broadway; *Bye, bye Birdie*; *Cabaret*; *Chicago*; *Damn Yankees*; *Dancing*; *From the edge*; Gwen Verdon; Hernando's Hideaway;

Kiss me Kate; Mein Herr; *Pajama game, The*; *Pippin*; *Sweet charity*
Bonanza, 181
    Ver também Lorne Greene
bon-vivant, 137, 213, 264, 266
    Ver também Charles Fawcett; Fifuca; Flávio Porto
Brasil América, 62
    Ver também Adolfo Aizen; *Edição maravilhosa*
breakfast
    hotéis sem o, 43
    tomar café, 223
    waffle, 205
    Ver também *bed and breakfast*; Marlboro; Nova York
Breakfast at Tiffany's, 213
    Ver também Nova York; Truman Capote; Yvonne Fellman
Brett Halsey, 264
    Ver também *Caldeira do diabo, A*
Brian De Palma, 204
    Ver também *Fogueira das vaidades, A*
Brigitte Bardot, 49, 53
    Ver também *Divas*; Mylène Demongeot
Broadway
    bailarinos da, 232
    lanchonete simpática na, 259
    luminosos da, 232
    maiores nomes da, 230
    peça na, 166
    testes da, 21
    vitrine da, 233
    West Broadway, 227
    Ver também Bob Fosse; *Mister Roberts*
Bruce Willis, 13
    Ver também *Meu vizinho mafioso*
Bruxas de Eastwick, As, 36
    Ver também Jack Nicholson
Bruxas de Warwick, As, 35
    Ver também *Bruxas de Eastwick, As*
Budd Schulberg, 130, 132, 133, 136, 140, 165, 238
    Ver também *Desencantados, Os*; *Disenchanted, The*; *Quatro estações do sucesso, As*; *Que faz Sammy correr, O*
Burt Lancaster, 149
    Ver também *Swimmer, The Bye, bye Birdie*, 230
    Ver também Bob Fosse; Broadway

C

Cabana do Pai Tomás, A, 206
    Ver também Harriet Beecher Stowe
Cabaret, 230
    Ver também Bob Fosse; Broadway
caça às bruxas
    destruindo carreiras brilhantes, 22
    encenação da, 51
    lista negra de Hollywood, 24
    poção contra bruxas, 52
    "purgatório" dos autores, 24
    Ver também *Caça às bruxas, A*; *Feiticeiras de Salem, As*; *Julia*; macarthismo; Walter Wanger
Caça às bruxas, A, 24
    Ver também Lillian Hellman; *Scoundrel time*
Cadeiras na calçada, 96, 183
    Ver também Araraquara; Zé Celso Martinez
Cadeiras proibidas, 244
Cafarnaum, 32
    Ver também Affonso Romano de Sant'Anna; Luis Fernando Verissimo; Rubem Fonseca
cafeteria(s)
    Cafe & Pasta, 103
    Café de Paris, 137, 254
    do campus, 43
    Me & Ollie, 72
    Mocha Café, 196
    que fazem ovos mexidos, 212
    supertransada, 22
    Ver também breakfast
Cahiers du Cinéma, 27, 75, 180
    Ver também Cannes [Festival de]
Caldeira do diabo, A, 178, 180, 207, 264
    Ver também Mark Robson; *Peyton Place*
Calvados, 15, 121
Camilo Cienfuegos, 10
    Ver também Revolução Cubana
Camino del infierno, 257
Camisa amarela, 260
    Ver também Nara Leão
Canção de Bernardette, A, 217
    Ver também Cine Paratodos
Cannes [Festival de], 75
    Ver também *Cahiers du Cinéma*
Cantinflas, 256
Carioca, A, 180
Carlinhos Stefano, 264
Carlos Heitor Cony, 11
Carmine Coppola, 235

Ver também *Godfather suite, The*
Caro Federico, 255
    Ver também *romans à clef*; Sandra Milo; Sandrocchia
Carol Walker Aten, 69
    Ver também Arcadia Publishing; Exeter; *Images of America*: Exeter
Carson McCullers, 233
    Ver também *Balada do café triste, A*; *Coração é um caçador solitário, O*; *Member of the wedding, The*; *Sócia do casamento, A*
Casa das Sete Torres, 48
    Ver também *House of seven gables*; Nathaniel Hawthorne
Casablanca, 25, 239
    Ver também Howard Koch
Cases that haunt us, The, 36
    Ver também John Douglas; Mark Olshaker; *Mentes criminosas & crimes assustadores*
Cássio Loredano, 161
    Ver também *Estado de S. Paulo, O*; J. D. Salinger
Catcher in the rye, The, 167
    Ver também *Apanhador no campo de centeio, O*; J. D. Salinger
Cena Muda, 180
Cesar Camargo Mariano, 234
Charles Bukowski, 237
    Ver também John Fante
Charles Chaplin, 25
    Ver também Eugene O'Neill; Oona O'Neill
Charles Fawcett, 136, 137, 139, 264
    Ver também *bon-vivant*; Thomas Jefferson; Varian Fry
Charlton Heston, 23
Che Guevara, 10
    Ver também Revolução Cubana
Chega de saudade, 260
    Ver também Nara Leão
Cheryl Crane, 206, 207
    Ver também Lana Turner
Chicago, 230
    Ver também Bob Fosse; Broadway
Chips, 144
chocolate
    hot, 153
    quente, 101
Cidade, A, 96
    Ver também *Town, The*; William Faulkner

Cidade das redes, A, 139
    Ver também Otto Friedrich
Cidade nua, 212
    Ver também Jules Dassin; *Naked city*
Cidadezinhas, 155
    Ver também John Updike
Cine mexicano, 256
Cine Paratodos, 55, 217, 245, 257
    Ver também *Canção de Bernadette, A*
Cine Regina, 214
    Ver também *West side story*
Cine República, 96
    Ver também *Mercador de almas, O*
Cine Revue, 27, 180
Cinelândia, 27, 180, 206, 243, 246
Clamor humano, 180
    Ver também Mark Robson
Claudia [revista], 114, 135, 180, 245, 248
Claudia Cardinale, 253
    Ver também *8½*
Clement Greenberg, 128
Cleópatra, 138, 254
    Ver também Roma; Walter Wanger
Clifford Odets, 24
    Ver também caça às bruxas; macarthismo; *Vida impressa em dólar, A*; Zé Celso Martinez
Clint Eastwood, 26
    Ver também *Coração de caçador*; *Pontes de Madison, As*; *White hunter, black heart*
Clube de Cinema de Marília, 246
Código dos Piratas, 64
Como possuir Lissu, 245
    Ver também *Gambit*; Michael Caine; Shirley MacLaine
Concert for George, 122
connaisseur
    do subway, 221
    Ver também Marilda; Zezé
Contos completos, 150
    Ver também John Cheever
Copacabana Palace, 50
    Ver também Fernando de Barros; Mylène Demongeot; Steno
Coração de caçador, 26
    Ver também Clint Eastwood; John Huston; Peter Viertel; *White hunter, black heart*
Coração é um caçador solitário, O, 233
    Ver também Carson McCullers
Corisco, 73
Costa e Silva [Arthur da], 9
    Ver também AI-5; Ato Institucional

Cravo sobre gim seco, 138
Crepúsculo dos deuses, 135
    Ver também Billy Wilder; *Sunset boulevard*
Critic, The, 59
Crônica dos Wapshot, 150
    Ver também John Cheever
Crossing Jordan, 22
Crucible, The, 49
    Ver também Arthur Miller; macarthismo
Cy Endfield, 25
    Ver também caça às bruxas; macarthismo

D

DAAD [bolsa da], 66
Dália azul, A, 240
    Ver também Alan Ladd; *Blue dahlia, The*; George Marshall; Raymond Chandler; Veronica Lake
Dália negra, A, 240
    Ver também James Ellroy
Dália Palma, 119
Dalton Trumbo, 238
Damn Yankees, 230
    Ver também Bob Fosse; Broadway
Dancing, 230
    Ver também Bob Fosse; Broadway
dancing lobsters
    lagostas dançantes, 27
    lagostas na manteiga, 28
    tabuleta indicando, 52
Dangerous friends, 26
    Ver também Peter Viertel
Daniel Day Lewis, 49
Daniel Galera, 33, 150
    Ver também *28 contos de John Cheever*
Danuza Leão, 136
Darcy Ribeiro, 216
Dashiell Hammett, 24
    Ver também caça às bruxas; Julia; Lillian Hellman; macarthismo
David Borgenicht, 114
    Ver também *Worst case scenario, survival handbook, The*
David Selznick, 140
    Ver também ... *E o vento levou*
Dear Ruth, 163
    Ver também J. D. Salinger
Deborah Kerr, 26
    Ver também Peter Viertel
Dennis Hopper, 154
    Ver também *Easy rider*

Depois do sol, 117, 208
    Ver também Anuska
Desafinado, 260
    Ver também Nara Leão
Desencantados, Os, 132
    Ver também Budd Schulberg; *Disenchanted, The*, 126
Desperate housewives, 182
Diane Varsi, 182
Discovery Channel, 69
    Ver também guia *New England*
Disenchanted, The, 132
    Ver também Budd Schulberg; *Desencantados, Os*
ditadura
    do magro, 118
    e os interesses, 15
    militar, 9, 24
    no tempo da, 215
    ódio à, 164
Divas, 53, 195
    Ver também April Stevens; Brigitte Bardot; Jayne Mansfield; Mamie Van Doren; Marlene Dietrich; Maya Angelou; Sophia Loren; Yma Sumac
Diz que fui por aí, 260
    Ver também Nara Leão
Dodsworth, 140
    Ver também Sinclair Lewis
Dolce vita, La, 235
    Ver também Nino Rota
Dolores Del Rio, 256
    Ver também *Cine mexicano*
Dom Quixote, 60
Doña Diabla, 257
Dona Yayá, 214
    Ver também Fifuca; Flávio Porto
Donald Ogden Stewart, 25, 238
    Ver também caça às bruxas; macarthismo
Doris Day, 195, 235
Dorothy Parker, 25, 238
Double indemnity, 135
    Ver também Billy Wilder; caça às bruxas; macarthismo; *Pacto de sangue*
Dr. Strangelove, 23
    Ver também Stanley Kubrick
Dream catcher, 167
    Ver também *Apanhador no campo de centeio, O*; *Catcher in the rye, The*; J. D. Salinger; Margaret Salinger; *Salinger, trahi par sa Fille*
droga, 2, 97, 99, 117, 174, 215, 235
    alucinatória, 244

império das, 224
não a, 123
Ver também *rock*; *Vale das bonecas, O*; *Valley of dolls, The*; Woodstock

E

Early sunday morning, 128
    Ver também Edward Hopper
Eartha Kitt, 53, 195
    Ver também *Angelitos negros*; *Miss Kitt to you*
East of Eden, 233
    Ver também *Vidas amargas*
Easy rider, 154
    Ver também Dennis Hopper; Peter Fonda
easy riders
    pé na estrada, 29
    tardios, 123
    Ver também *beatniks*
EBAL, 60
    Ver também *Moby Dick*
Edgar Allan Poe, 57
    Ver também *Narrativa de A.Gordon Pym, A*
Edição maravilhosa, 62
    Ver também Adolfo Aizen; Editora Brasil América
Ediouro, 36, 37
    Ver também *Cases that haunt us, The*; *Maldição dos Kennedy, A*; *Mentes criminosas & crimes assustadores*
Editora Brasil América, 62
    Ver também Adolfo Aizen; *Edição maravilhosa*
Edward G. Robinson, 202
Edward Hopper, 128, 151
    Ver também *Early sunday morning*; *Excursion into philosophy*; *Four Lane Road*; *Gas*; *Office in a small town*; *Portrait of Orleans*
Edward Klein, 37
    Ver também *Maldição dos Kennedy, A*
Edward Mãos de Tesoura, 70
    Ver também Exeter
Edward Murrow, 24
    Ver também *Boa noite e boa sorte*; George Clooney; *Good night, and good luck*
Edward Wagenknecht, 48
    Ver também *Panorama do romance americano*
Elia Kazan, 23, 233, 234
    Ver também Actors Studio; *East of Eden*; *Sindicato de ladrões*; *Vidas amargas*
Elias Davidovich, 56
Elizabeth Hartmann, 119
    Ver também Apolo
Elisabeth von Trapp, 124
    Ver também *Noviça rebelde, A*
Elliot Tiber, 107, 108
    Ver também *Aconteceu em Woodstock*
Elmer Gantry, 140
    Ver também *Entre Deus e o pecado*; Sinclair Lewis
Emilio Salgari, 64
Emily Dickinson, 11
Encontro de Professores de Português, 31
Encontro Internacional de Literatura de Harbourfront, 218
Enforcado do terno amarelo, O, 164
Entre Deus e o pecado, 140
    Ver também Elmer Gantry; Sinclair Lewis
Entre dois amores, 228
    Ver também Isak Dinesen; Karen Blixen; Meryl Streep; *Out of Africa*; Robert Redford
Entrevistas da Paris Review, As, 134
    Ver também Billy Wilder
Era de Aquarius
    comemoração da, 115
    festival da, 9, 117, 119
    Ver também Woodstock
Era uma vez na América, 214
    Ver também Sérgio Leone
Eric Hobsbawm, 195
Ernest Hemingway, 25, 26, 165, 190, 206
    Ver também A. E. Hotchner; *Sol também se levanta, O*; *Velho e o mar, O*
Ernest Lehman, 238
Errol Flynn, 266
    Ver também Charles Fawcett
Erskine Caldwell, 173
Escândalo dos Wapshot, O, 150
    Ver também Arx; John Cheever
espresso
    com o regular, 104
    forte, 201
    num copo grande, 103
    padaria dos, 84
    perfeito, 72
    tomar, 149, 263
    Ver também *breakfast*; cafeteria
Estado de S. Paulo, O
    Caderno 2, 246
    crônica, 42, 214
    Ver também Almeida Salles
Estrada de Ferro Araraquara [EFA], 61, 79, 127
Este lado do paraíso, 131

Ver também F. Scott Fitzgerald; *This side of paradise*
Eugene O'Neill, 25
   Ver também Charles Chaplin; Oona O'Neill
Evelyn Waugh, 72
   Ver também *Loved one, The*
Evita, 232
Excursion into philosophy, 129
   Ver também Edward Hopper
Exeter, 18, 21, 66, 67, 68, 70, 72, 73, 74, 84
   Ver também guia *New England*; *Images of America*: Exeter
Exorcista, O, 32
Expresso de von Ryan, O, 180
   Ver também Mark Robson

F

F. [Francis] Scott Fitzgerald, 73, 129, 130, 131, 133, 134, 139, 140, 164, 165, 199, 238
   Ver também *Desencantados, Os*; *Disenchanted, The*; *Este lado do paraíso*; *Last tycoon, The*; *Quatro estações do sucesso, As*; *Sheila Graham*; *This side of paradise*; *Último magnata, O*
fake
   culto do, 197
   decoração americana, 179, 197
   império absoluto do, 197
   real dentro do, 107
   Ver também Woodstock
Fall failure, 90
   Ver também Woodstock
Família Buscapé, A, 67
   Ver também Al Capp; *Ferdinando*
Fantasma da ópera, O, 232
far west
   filmes de, 125, 178
   tempos do, 92
   Ver também Bill Elliott; Gene Autry; Hopalong Cassidy; Joel McCrea; Ken Maynard; Randolph Scott; Roy Rogers
Farrapo humano, 135, 239
   Ver também Billy Wilder; *Lost weekend, The*
Fashion Week, 118
   Ver também Lívio Rangan
Federico Fellini, 50, 139, 165, 209, 210, 249, 251, 252, 253, 254, 255
   Ver também *8½*; *Amarcord*; *Caro Federico*; *Fellini 8½*; Giulietta Masina; Sandra Milo; Sandrocchia
Feiticeiras de Salem, As, 24
   Ver também Arthur Miller; caça às bruxas; macarthismo
Fellini 8½, 249
   Ver também *8½*; Federico Fellini; Tazio Secchiaroli
Ferdinando, 67
   Ver também Al Capp; *Família Buscapé, A*
Férias de amor, 181
   Ver também Betty Field; *Picnic*
Fernando de Barros, 119
   Ver também *Copacabana Palace*
festival
   bastidores do, 107
   cenas do, 9
   da Era de Aquarius, 9
   da libertação, 114
   da paz e amor, 99
   de balonismo, 125
   de *rock*, 97, 168
   na cidade, 107
   Ver também Woodstock
Festival
   de Águas Claras, 117
   de Aquarius, 117
   de Woodstock, 81
   Internacional de Cinema, 246
Fidel Castro, 10
   Ver também Revolução Cubana
Fifuca, 214
   Ver também Flávio Porto; Yvonne Fellman
Film noir, the dark side of the screen, 240
   Ver também Foster Hirsch
Filmelândia, 27, 180
Flávio Porto, 214
   Ver também *bon-vivant*; *Dona Yayá*; Fifuca; Sérgio Porto; Stanislaw Ponte Preta; Yvonne Fellman
Fogueira das vaidades, A, 204
   Ver também Brian De Palma
Folha de S.Paulo, 136, 217
Fosse, 229
   Ver também Bob Fosse
Foster Hirsch, 240
   Ver também *Film noir, the dark side of the screen*
Four Lane Road, 129
   Ver também Edward Hopper
Fox, 135, 138, 179, 245
Francis Ford Coppola, 23, 96, 121, 154, 214, 235

Ver também *Poderoso chefão, O*; *Poderoso chefão III, O*; *Rumble fish*; *Selvagem da motocicleta, O*
Francisco Luiz de Almeida Salles
　　Ver Ameida Salles
François Rabelais, 190
Franz Werfel, 264
　　Ver também Charles Fawcett
Fred Zinnemann, 24
　　Ver também *Julia*; Lillian Hellman
Friedrich Nietzsche, 56
　　Ver também *Nietzsche, vida como obra de arte*
Fritz Lang, 138
　　Ver também *Almas perversas*
From the edge, 230
　　Ver também Bob Fosse; Broadway
Full of life, 237
　　Ver também John Fante; *Pergunte ao pó*

G

Gale Sondergaard, 25
　　Ver também caça às bruxas; macarthismo
Gallimard, 241
　　Ver também *Série Noire*
Gambit, 231
　　Ver também *Como possuir Lissu*
Ganhador, O, 61
　　Ver também *Noite inclinada*
Garson Kanin, 25
　　Ver também caça às bruxas; macarthismo; Ruth Gordon
Gas, 128
　　Ver também Edward Hopper
Gene Autry, 178
　　Ver também *far west*
Gênio do sistema, O, 139
　　Ver também Thomas Schatz
George Clooney, 24
　　Ver também *Boa noite e boa sorte*; Edward Murrow; *Good night, and good luck*
George Marshall, 240
　　Ver também *Blue dahlia, The*; *Dália azul, A*
George Raft, 126, 202
George Sadoul, 27
George Simenon, 51
　　Ver também Mylène Demongeot
George Stevens, 53
　　Ver também *Lugar ao sol, Um*; *Place in the sun, A*
Georgia O' Keefe, 143
　　Ver também Alfred Stieglitz

geração
　　espelho de uma, 130
　　grito de uma, 118
　　mais velha, 59
　　nossa, 41
　　nova, 136
　　voz de uma, 150
Ghostly haunts, 198
Giedre Valeika, 119
Gilda, 242
Giulietta Masina, 255
　　Ver também Federico Fellini
Globo, O, 136
　　Ver também Ricardo Boechat
Gloria Swanson, 37
　　Ver também Joe Kennedy; *Maldição dos Kennedy, A*
Godfather suite, The, 235
　　Ver também Carmine Coppola
Good night, and good luck, 24
　　Ver também *Boa noite e boa sorte*; Edward Murrow; George Clooney
Grace Metalious, 179, 180
　　Ver também *Peyton Place*
Grant Wood, 47
　　Ver também *Midnight ride of Paul Revere, The*
Greta Garbo, 25, 138
　　Ver também *Rainha Cristina*
groceries
　　armazém de mantimentos, 77
　　vocabulário cotidiano, 123
guerra do Vietnã, 35
Guerra e paz, 25, 60
Guerra Fria, 24
　　Ver também Joseph McCarthy; macarthismo
Guia da Kátia Zero, 221, 260
　　Ver também Nova York
guia *New England*, 69
　　Ver também Discovery Channel; Exeter
Gwen Verdon, 232
　　Ver também Bob Fosse
Gypsy Rose Lee, 25
　　Ver também caça às bruxas; macarthismo

H

Hannah Arendt, 264
　　Ver também Charles Fawcett
Harold Robbins, 243
　　Ver também Howard Hughes; *Insaciáveis, Os*
Harriet Beecher Stowe, 206

Ver também *Cabana do Pai Tomás, A*
Harry Belafonte, 219
Haunted happenings, 198
Heinrich Mann, 264
    Ver também Charles Fawcett; Thomas Mann
Hélio Santos, 58
    Ver também *Trip*
Henry David Thoreau, 88
    Ver também *Walden*
Henry Miller, 56
Herbert Biberman, 22
    Ver também *Sal da terra, O*; *Salt of the earth*
Herman Melville, 11, 57, 58, 59, 60, 63, 87
    Ver também *Moby Dick*
Herman Melville [livro], 59
    Ver também Lewis Mumford
Hermann Hesse, 56
Hernando's Hideaway, 230
    Ver também Bob Fosse; Broadway
hippie(s)
    bando de, 117
    indiano e o, 81
    meca dos, 193
    retardatário, 116
    tempos, 227
Hollywood
    atores mais bonitos de, 23, 209
    dos estúdios, 138
    companheiros de trabalho em, 139
    escritores de, 238
    esplendor de, 137
    filme em, 166
    lista negra de, 24
    pânico em, 22
    perfume da espuma que remete a, 114
    poder de fogo em, 53
    produtores de, 137
    revista *Claudia* em, 180, 245
    rios de dinheiro em, 238
    roteiristas de, 177, 237
    tudo que li sobre, 135
    um dos tops de, 130
    velha, 137
    viagem a, 179
Homem invisível, O, 25
    Ver também Langston Hughes
Honoré de Balzac, 36, 190
    Ver também *Pai Goriot, O*
Hopalong Cassidy, 178
    Ver também *far west*
Hope Lange, 26, 181, 182

    Ver também Oscar; *Peyton Place*
hors d'oeuvres, 14
House of the seven gables, 48
    Ver também Casa das Sete Torres; Nathaniel Hawthorne
Howard Koch, 25
    Ver também caça às bruxas; *Casablanca*; macarthismo
Howard Hughes, 181, 243
    Ver *Aviador, O*; Terry Moore
Humphrey Bogart, 25, 220
    Ver também caça às bruxas; macarthismo

I

Ibrahim Sued, 136, 137
If, 190
    Ver também Rudyard Kipling; *Se*
Ignácio, 226, 246, 247
Images of America: Exeter, 69
    Ver também Carol Walker Aten; Exeter
Ingrid Bergman, 120
    Ver também Roberto Rossellini
Insaciáveis, Os, 243
    Ver também Harold Robbins
Intimate lies, 131
    Ver também *Mentiras íntimas*; Robert Westbrook; F. Scott Fitzgerald; Sheila Graham
Invencível, O, 180
    Ver também Mark Robson
Irene Hirsch, 60
    Ver também *Moby Dick*
Irina Greco, 119
    Ver também Fernando de Barros
Irwin Shaw, 25
Isak Dinesen, 228
    Ver também *Entre dois amores*; *Out of Africa*
István Szabó, 49
    Ver também *Mephisto*; *Sunshine*
Itatiaia, 48, 214
    Ver também *Panorana do romance americano*; *Última folha, A*
Ivan Ângelo, 191, 216
Ivo Kranzfelder, 128
    Ver também Edward Hopper

J

J. D. Salinger, 160, 161, 163, 164, 165, 166, 167, 168, 169, 181
    Ver também *Abandonada no campo de centeio*; *Apanhador no campo de*

centeio, O; *Catcher in the rye, The*;
Dream catcher; Joyce Maynard;
Margaret Salinger; *Nine stories*;
Salinger, trahi par sa Fille; *Salinger:
uma vida*
Jacinto de Thormes, 136
Jack Kerouac, 75, 114, 151, 152, 235, 236,
   237, 239
   Ver também *Jack Kerouac: Selected letters
      1940-1956*; *On the road*
Jack Kerouac: Selected letters 1940-1956, 114,
   235, 237
   Ver também Jack Kerouac
Jack Nicholson, 32
   Ver também *Bruxas de Eastwick, As*
Jacqueline Kennedy, 37
   Ver também John Kennedy
Jacques Lacan, 195
James Agee, 26
   Ver também *Aventura na África, Uma*
James Cagney, 202, 219, 220
James Dean, 208, 233, 234
   Ver também *East of Eden*; *Vidas amargas*
James Ellroy, 240
   Ver também *Dália negra, A*
Jason Robards, 24
   Ver também Dashiell Hammett; *Julia*
Jayne Mansfield, 53, 195
   Ver também *Divas*
jazz, 6, 214
   Ver também Cannonball Adderley; Miles
      Davis; Nova York; Stan Getz
Jean-Claude Guillebaud, 194
   Ver também *Tyrannie du plaisir, La*
Jean-Paul Sartre, 56, 213
   Ver também *Senhor*
Jim Jarmusch, 104
   Ver também *Mystery train, The*
Jim Landis, 73
   Ver também Exeter; *Longing*
Joan Baez, 115, 117, 120, 121, 122
   Ver também Babe I'm gonna leave you;
      Blowing in the wind; Lowlands, A;
      Never tear us apart; Stranger in my
      place
Joan Bennett, 139
   Ver também *Almas perversas*
Joan Caulfield, 161
Joan Steiner, 72
   Ver também *Look alikes Jr.*
Joe Kennedy, 37
   Ver também Gloria Swanson; *Maldição
      dos Kennedy, A*
João Antonio, 11

João Ubaldo Ribeiro, 216
Joe Cocker, 115
   Ver também Angeline; Bird on the wire;
      Never tear us apart
Joel McCrea, 125
   Ver também *far west*
Johannes Gutemberg, 228
   Ver também Bíblia
John Cheever, 147, 149, 150, 173
   Ver também *28 contos de John Cheever*;
      Acerto de contas; *Até parece o
      paraíso*; *Contos completos*; *Crônica
      dos Wapshot*; *Escândalo dos Wapshot,
      O*
John do Passos, 213
   Ver também *Manhattan transfer*
John E. Douglas, 36
   Ver também *Cases that haunt us,
      The*; *Mentes criminosas & crimes
      assustadores*
John Fante, 237
   Ver também *Full of life*; *Pergunte ao pó*
John Ford, 138
   Ver também *No tempo das diligências*;
      Stagecoach
John Howard Lawson, 238
John Huston, 25, 26, 61, 225
   Ver também *Coração de caçador*; *White
      hunter, black heart*
John Kennedy, 37
   Ver também Jacqueline Kennedy
John Steinbeck, 165, 233
   Ver também *East of Eden*; *Quatro estações
      do sucesso, As*; *Vidas amargas*
John Updike, 155, 173
   Ver também *Cidadezinhas*
John V. A. Weaver, 134
Jorge Negrete, 256
   Ver também *Cine mexicano*
José Saramago, 31
   Ver também *Memorial do convento*;
      RayGüde Mertin
Joseph McCarthy, 24
   Ver também macarthismo
Joshua Piven, 114
   Ver também *Worst case scenario, survival
      handbook, The*
Josué Montello, 192
Joyce Maynard, 161, 163, 168
   Ver também *Abandonada no campo de
      centeio*; *At home in the world*
Joyce Pascowitch, 136
Juan Rulfo, 165
Judy Holliday, 25

Ver também caça às bruxas; macarthismo
Jules Dassin, 212
    Ver também *Cidade nua*; *Naked city*
Julia, 24
    Ver também Dashiell Hammett; Fred Zinnemann; Jason Robards; Lillian Hellman
Julie Harris, 233, 234
    Ver também *East of Eden*; *Member of the wedding, The*; *Sócia do casamento, A*; *Vidas amargas*

K

Karen Blixen, 228
    Ver também *Entre dois amores*; *Out of Africa*
Karl Marx, 194
Kate Lyra, 31
Ken Maynard, 178
    Ver também *far west*
Kenneth Slawenski, 163, 168
    Ver também J. D. Salinger; *Salinger*: uma vida
Kim Novak, 181
    Ver também *Vertigo*
Kiss me Kate, 230
    Ver também Bob Fosse; Broadway
Konga Roja, 257
Kurt Vonnegut, 217

L

L&PM, 76, 236
    Ver também *Manuscrito original*; *On the road*
La vache qui rit, 15
Lana Turner, 181, 182, 183, 206, 207, 209
    Ver também Cheryl Crane; *Peyton Place*
Langston Hughes, 25
    Ver também caça às bruxas; macarthismo; *Homem invisível, O*
Last remaining seats, The, 244
    Ver também Anne Conser; Robert Berger
Last tycoon, The, 130
    Ver também F. Scott Fitzgerald; *Último magnata, O*
lavish, 244
    Ver também *art decó*; *art nouveau*; barroco
Lee Grant, 25
    Ver também caça às bruxas; macarthismo
Leito na escuridão, Um, 93

Ver também *Lie down in darkness*; William Styron
Lena Horne, 25
    Ver também caça às bruxas; macarthismo
Leon Feuchtwanger, 264
    Ver também Charles Fawcett
Leonardo DiCaprio, 243
    Ver também *Aviador, O*; Howard Hughes
Letra escarlate, A, 49
    Ver também Nathaniel Hawthorne; *Scarlat letter, The*
Lev Tolstói, 25, 190
Lewis Mumford, 59
    Ver também Herman Melville
Leya, 168
    Ver também *Salinger*: uma vida
liberdade(s)
    absoluta, 249
    de narrativa, 164
    espaço de, 9
    individuais, 23
    juventude e, 236
    no Brasil, 9
    no mundo, 9
Lie down in darkness, 93
    Ver também *Leito na escuridão, Um*; William Styron
Life, 201
Lillian Hellman, 24
    Ver também caça às bruxas; *Caça às bruxas, A*; *Julia*; macarthismo; *Scoundrel time*
Linha reta só o levará à morte, A, 236
    Ver também Jack Kerouac
Lire, 167
    Ver também *Salinger, trahi par sa Fille*
Lívio Rangan, 118
    Ver também Fashion Week
Livro da selva, O, 190
    Ver também Rudyard Kipling
Liz Taylor, 53, 138
    Ver também *Lugar ao sol, Um*; *Place in the sun, A*; Richard Burton
Lobo Antunes, 191
Long hot summer,The, 96
    Ver também Martin Ritt; *Mercador de almas, O*
Longing, 73
    Ver também Jim Landis
Look, 201
Look alikes Jr., 72
    Ver também Joan Steiner
Lorne Greene, 181
    Ver também *Bonanza*

Lost weekend, The, 239
  Ver também Billy Wilder; *Farrapo humano*
Louisa May Alcott, 11, 87
  Ver também *Mulherzinhas*
Love on ice, 133
Loved one, The, 72
  Ver também Evelyn Waugh; *Queridinho, O*
Lowlands, 121
  Ver também Joan Baez
Luchino Visconti, 253
Lugar ao sol, Um, 53
  Ver também George Stevens; Liz Taylor; Montgomery Clift; *Place in the sun, A*
Luis Fernando Verissimo, 32
  Ver também Cafarnaum
Luiz Roberto Salinas Fortes [Dedeto], 36
Lygia Fagundes Telles, 85, 216

M

Ma & Pa Kettle, 67
macarthismo
  dos anos 1950, 49
  no mundo do cinema, 22
  Ver também caça às bruxas; Joseph McCarthy
Maclovia, 257
Madame Bovary, 60
Maggie Valentine, 244
  Ver também *Show starts on the sidewalk, The*
Main street, 141, 193
  Ver também *Rua principal*; Sinclair Lewis
Maison d'Écrivains, 190
  Ver também Marguerite Duras; Rudyard Kipling
Malcolm Silverman, 31
Maldição dos Kennedy, A, 37
  Ver também Edward Klein
Malquerida, La, 257
Mamie Van Doren, 53
  Ver também *Divas*
Manhã de Carnaval, 260
  Ver também Nara Leão
Manhattan transfer, 213
  Ver também John dos Passos
Mansão, A, 93
  Ver também William Faulkner
Manuscrito original, O, 76
  Ver também *On the road*
Marc Chagall, 264
  Ver também Charles Fawcett
Marcello Mastroianni, 251, 252, 253, 255
  Ver também *8½*; Sandra Milo
Marcha da Quarta-feira de Cinzas, 260
  Ver também Nara Leão
Márcia, 13, 18, 19, 20, 22, 35, 48, 53, 54, 61, 67, 69, 72, 74, 75, 81, 84, 92, 101, 105, 112, 121, 123, 124, 126, 141, 144, 149, 156, 160, 164, 174, 176, 177, 178, 179, 185, 187, 201, 203, 204, 205, 211, 212, 219, 220, 221, 222, 223, 228, 229, 240, 259, 260, 262
Márcio de Souza, 191
Margaret Salinger, 167
  Ver também *Dream catcher*; J. D. Salinger; *Salinger, trahi par sa Fille*
Marguerite Duras, 190
  Ver também *Maison d'Écrivains*; Rudyard Kipling
Maria Bonita, A, 256
  Ver também Agustin Lara
Maria Della Costa, 119
  Ver também Fernando de Barros
Maria Felix, 256
  Ver também *Cine mexicano*
Marilda, 13, 17, 18, 19, 20, 34, 48, 53, 67, 68, 72, 74, 75, 76, 81, 83, 84, 88, 92, 94, 101, 103, 119, 121, 124, 141, 145, 146, 149,150, 153, 157, 159, 160, 171, 175, 177, 178, 179, 185, 187, 193, 197, 201, 203, 204, 205, 211, 219, 220, 221, 222, 226, 227, 229, 259, 260
Marilyn Monroe, 53, 181, 193, 194, 246, 247
  Ver também *Niagara*; *Torrentes de paixão*
Mark A. Vieira, 243
  Ver também *Sin in soft focus*: precode Hollywood
Mark Olshaker, 36
  Ver também *Cases that haunt us, The*; *Mentes criminosas & crimes assustadores*
Mark Robson, 180
  Ver também *Caldeira do diabo, A*; *Clamor humano*; *Expresso de von Ryan, O*; *Invencível, O*; *Morada da sexta felicidade, A*; *Peyton Place*
Mark Twain, 6, 190, 206
Marlboro, 184, 192, 205
  Ver também *breakfast*
Marlene Dietrich, 53
  Ver também *Divas*
Marlon Brando, 23, 26, 139, 154
  Ver também *Selvagem, O*; *Sindicato de ladrões*; *Wild one, The*; *Young lions, The*
Marnie, 241

Ver também Alfred Hitchcock; Tippi
    Hedren
Marquês de Sade, 57
Marsha Hunt, 25
    Ver também caça às bruxas; macarthismo
Martin Ritt, 96
    Ver também *Long hot summer, The*;
        Mercador de almas
Massachusetts
    Fall River, uma cidade de, 35
    fronteira para, 197
    Institute of Technology [MIT], 21
    lei seca em, 27
    Suprema Corte de, 35
    Ver também Herman Melville
Mauro Bolognini, 253
Max Ernst, 264
    Ver também Charles Fawcett
Maya Angelou, 53
    Ver também *Divas*
Meia-noite em Paris, 122
    Ver também Woody Allen
Mein Herr, 230
    Ver também Bob Fosse; Broadway
Melanie Griffith, 226
Member of the wedding, The, 233
    Ver também Carson McCullers; Julie
        Harris; *Sócia do casamento, A*
Memorial do convento, 31
    Ver também José Saramago
Menino que perguntava, O, 248
Mentes criminosas & crimes assustadores, 36
    Ver também *Cases that haunt us, The*;
        John Douglas; Mark Olshaker
Mentiras íntimas, 131
    Ver também F. Scott Fitzgerald; *Intimate*
        lies; Robert Westbrook; Sheila Graham
Mephisto, 49
    Ver também István Szabó
Mercador de almas, O, 96
    Ver também *Long hot summer, The*;
        Martin Ritt; William Faulkner
Mérito, 233
    Ver também *East of Eden*; *Vidas amargas*
Meryl Streep, 123, 228
    Ver também *Entre dois amores*; *Out of*
        Africa; *Pontes de Madison, As*
Metro, 130, 245
Meu vizinho mafioso, 13
    Ver também Bruce Willis
Michael Caine, 245
    Ver também *Como possuir Lissu*; *Gambit*
Michael Wilson, 22

Ver também *Sal da terra, O*; *Salt of the*
    earth
Midnight ride of Paul Revere, The, 46, 47
    Ver também Grant Wood
Mila Moreira, 118
Mildred Bailey, 53
minimalismo
    culto do *fake*, 197
    decoração americana, 197
Miseráveis, Os, 232
Miss Kitt to you, 53
    Ver também *Avril au Portugal*; Eartha Kitt
Mister Roberts, 166
    Ver também Thomas Heggen
Moacyr Scliar, 11
Moby Dick, 26, 58, 59, 60, 61, 65, 87
    Ver também Herman Melville
modernismo
    culto do *fake*, 197
    decoração americana, 197
Mônica Bergamo, 136
    Ver também *Folha de S.Paulo*
Montanha dos sete abutres, A, 135
    Ver *Big carnival, The*; Billy Wilder
Monteiro Lobato, 60
    Ver também *Moby Dick*
Montgomery Clift, 26, 53
    Ver também *Lugar ao sol, Um*; *Place in*
        the sun, A
Morada da sexta felicidade, A, 180
    Ver também Mark Robson
Movieland, 27
Mowgli, o menino lobo 190
    Ver também Rudyard Kipling
Mulheres sacrificadas, 257
    Ver também Alberto Gout
Mulherzinhas, 87
    Ver também Louisa May Alcott
Multifilmes, 246
Museu Norman Rockwell, 146, 152
    Ver também Norman Rockwell
música
    cubana, 195
    decadência da, 232
    para meditação, 200
    pautas de, 109
    paz e, 9, 116
    trecho de, 240
My fair lady, 217
    Ver também Rex Harrison
Mylène Demongeot, 49
    Ver também Brigitte Bardot; *Copacabana*
        Palace
Mystery train, The, 104
    Ver também Jim Jarmusch

N

Não verás país nenhum, 31, 164, 228
Nara Leão, 260
    Ver também *Água de beber*; *Berimbau*; *Camisa amarela*; *Chega de saudade*; *Desafinado*; *Diz que fui por aí*; *Manhã de Carnaval*; *Marcha da Quarta-feira de Cinzas*
Narrativa de A.Gordon Pym, A, 57
    Ver também Edgar Allan Poe
Nathanael West, 165, 238
    Ver também Budd Schulberg, *Quatro estações do sucesso, As*
Nathaniel Hawthorne, 48, 61, 87
    Ver também *Casa das Sete Torres*; *House of the seven gables*; *Letra escarlate, A*; *Scarlat letter, The*
Nathaniel Philbrick, 58
    Ver também *No coração do mar*
Neal Cassady, 236
    Ver também *On the road*
Nelson Algren, 93
    Ver também *Walk on the wild side, A*
Never tear us apart, 114
    Ver também Joan Baez
New York Herald Tribune, 169
New York Times Books Review, The, 221
Niagara, 246
    Ver também Marilyn Monroe; *Torrentes de paixão*
Nietzsche, vida como obra de arte, 56
    Ver também Rosa Dias
Nikolai Gógol, 190
Nine stories, 169
    Ver também J. D. Salinger
Ninón Sevilla, 256, 257, 258
    Ver também Alberto Gout
Nivea Parsons, 31
No coração do mar, 58
    Ver também Nathaniel Philbrick
No tempo das diligências, 138
    Ver também John Ford; *Stagecoach*; Walter Wanger
Nobel [Prêmio], 31, 34, 45, 140, 141, 191, 192, 193
Noite inclinada, 61
Norma Bengel, 119
Norman Mailer, 150
Norman Rockwell, 152, 201
    Ver também Museu Norman Rockwell
Notícias Populares, 58
Nova York, 13, 18, 25, 53, 78, 79, 101, 104, 107, 116, 121, 122, 129, 132, 134, 165, 168, 193, 201, 202, 203, 205, 210, 211, 212, 213, 214, 215, 216, 217, 218, 219, 221, 222, 224, 226, 230, 258, 261
Novecento, 23
    Ver também Bernardo Bertolucci
Noviça rebelde, A, 124, 157
    Ver também Barão von Trapp; Elisabeth von Trapp

O

O. Henry, 214
    Ver também *Última folha, A*
Odete Lara, 119
    Ver também Fernando de Barros
Office in a small town, 129
    Ver também Edward Hopper
Oggi, 254
Olido, 51
On the road, 75, 76, 236
    Ver também Jack Kerouac
Oona O'Neill, 25
    Ver também Charles Chaplin; Eugene O'Neill
Opinião, 260
Orientação Moral dos Espetáculos, 242
Orson Welles, 25
    Ver também caça às bruxas; macarthismo
Oscar, 23, 182, 247
Osvaldo França Júnior, 11
Osvaldo Sampaio, 249
    Ver também *Sinhá Moça*
Otto Friedrich, 139
    Ver também *Cidade das redes, A*
Otto Lara Resende, 218
Out of Africa, 228
    Ver também *Entre dois amores*; Isak Dinesen; Karen Blixen; Meryl Streep; Robert Redford

P

Pacto de sangue, 135
    Ver também Billy Wilder; *Double indemnity*
Pai Goriot, O, 36
    Ver também Honoré de Balzac
Pajama game, The, 230
    Ver também Bob Fosse; Broadway
Palhaços, Os, 235
    Ver também Nino Rota
Panair, 15, 119
Panorama do romance americano, 48
    Ver também Edward Wagenknecht

Paracelsus, 227, 228
Paramount, 53
Paratodos
    Ver Cine Paratodos
Pasquim, O, 78
Pássaros, Os, 113
    Ver também Alfred Hitchcock; Tippi Hedren
pastrami, 77
Paul Jarrico, 22
    Ver também Herbert Biberman; Michael Wilson; *Sal da terra, O*; *Salt of the earth*
Paula Parisot, 163
Paulo Coelho, 181
Paulo Francis, 217
    Ver também Nova York
paz
    com a humanidade, 187
    e amor, 7, 10, 99, 114, 121, 122
    e música, 9, 116
    enganadora, 35
Pecado mora ao lado, O, 135, 247
    Ver também Billy Wilder; *Seven year itch, The*
Pedro Armendariz, 256
    Ver também *Cine mexicano*
Pedro Bandeira, 34
Pedro Vargas, 256
    Ver também *Cine mexicano*
Perfume de mulher, 72
    Ver também Al Pacino
Pergunte ao pó, 237
    Ver também John Fante
Peter Falk, 177
Peter Fonda, 154
    Ver também *Easy rider*
Peter Viertel, 25, 26
    Ver também caça às bruxas; *Coração de caçador*; *Dangerous friends*; macarthismo; *White hunter, black heart*; *Young lions, The*
Peyton Place, 178, 179, 180, 181, 182, 183, 207
    Ver também *Caldeira do diabo, A*; Grace Metalious; Mark Robson
Photoplay, 27
Picnic, 181
    Ver também Betty Field; *Férias de amor*
Pier Paolo Pasolini, 57
Pippin, 230
    Ver também Bob Fosse; Broadway
Pitigrilli, 56
pizza
    delivery, 79, 126
    pedido interminável de, 126
    salgadinho de, 18
Place in the sun, A, 53
    Ver também George Stevens; Liz Taylor; *Lugar ao sol, Um*; Montgomery Clift
Playboy, 181
    Ver também Terry Moore
Plutarco, 190
Poderoso chefão, O, 214
    Ver também Francis Ford Coppola
Poderoso chefão III, O, 23
    Ver também Al Pacino; Francis Ford Coppola; Sterling Hayden
Poire, 15
Pontes de Madison, As, 123
    Ver também Clint Eastwood; Meryl Streep
Pop Art, 128
    Ver também Edward Hopper
Portrait of Orleans, 128
    Ver também Edward Hopper
Povoado, O, 93
    Ver também William Faulkner

Q

Quanto mais quente melhor, 135
    Ver também Billy Wilder; *Some like it hot*
Quatro estações do sucesso, As, 134, 165
    Ver também Budd Schulberg
Que faz Sammy correr, O, 133
    Ver também Budd Schulberg
Quechee Gorge, 105, 123
Queridinho, O, 72
    Ver também Evelyn Waugh; *Loved one, The*; Rod Steiger

R

Raduan Nassar, 163
Rainha Cristina, 138
    Ver também Greta Garbo; Walter Wanger
Randolph Scott, 125
    Ver também *far west*
Rap City Music, 195
Raymond Chandler, 240
    Ver também *Blue dahlia, The*; *Dália azul, A*
Raymond Radiguet, 165
RayGüde Mertin, 191
    Ver também José Saramago
Rede social, A 73
regular (café)
    americano, 18
    café, 196
    coffee, 153

espresso com o, 104
	tomar o, 104
réveillon, 56, 218
Revista do Rádio, 180
Revolução Cubana, 10
	Ver também Camilo Cienfuegos; Che Guevara; Fidel Castro
Rex Harrison, 217
	Ver também *My fair lady*
Ricardo Amaral, 266
	Ver também Charles Fawcett
Ricardo Boechat, 136
	Ver também *Globo, O*
Ricardo Ramos, 11
Richard Burton, 138
	Ver também Liz Taylor
Richard Widmark, 214
	Ver também *Beijo da morte, O*
Rita Hayworth, 26
Robert Berger, 244
	Ver também Anne Conser; *Last remaining seats, The*
Robert Crumb, 187
Robert Frost, 11
Robert Redford, 228
	Ver também *Entre dois amores*; *Out of Africa*
Robert Taylor, 23, 266
	Ver também Bárbara Stanwyck; Charles Fawcett; Hollywood
Robert Westbrook, 131
	Ver também *Intimate lies*; *Mentiras íntimas*; Sheila Graham
Roberto Drummond, 11
Roberto Rossellini, 120
	Ver também Ingrid Bergman
rock
	cantando, 9
	festival de, 168
	maior festival de, 97
	show de, 120
Rod Steiger, 72
	Ver também *Loved one, The*; *Queridinho, O*
Rodrigo Lacerda, 132
	Ver também *Desencantados, Os*; *Disenchanted, The*
Roger & Gallet, 14, 263
Roman Jakobson, 215
romans à clef, 255
	Ver também Caro Federico
Ronald Reagan, 23
	Ver também Bárbara Stanwyck
Root beer, 19, 178
Rosa Dias, 56

Ver também *Nietzsche, vida como obra de arte*
Rossella Falk, 251
Rosso di Montalcino, 215
Route 66, 41
Roy Rogers, 178
	Ver também *far west*
Rua 42, 217
	Ver também Ann Miller
Rua principal, 140, 141
	Ver também *Main street*; Sinclair Lewis
Rubem Fonseca, 31, 32, 33, 34, 163, 215, 218
	Ver também Cafarnaum
Rubens de Falco, 119
	Ver também Fernando de Barros
Rudyard Kipling, 190, 193, 195
	Ver também *If*; *Livro da selva, O*; *Maison d'Écrivains*; *Mowgli, o menino lobo*; *Se*
Rui Barbosa, 190
	Ver também *Ser homem*
Rumble fish, 154
	Ver também Francis Ford Coppola; *Selvagem da motocicleta, O*
Russ Tamblyn, 181
	Ver também *Peyton Place*
Ruth Gordon, 25
	Ver também caça às bruxas; Garson Kanin; macarthismo

S

St. J. [Saint-John] Perse, 190
Sal da terra, O, 22
	Ver também Herbert Biberman; Michael Wilson; Paul Jarrico; *Salt of the earth*
Salinger, trahi par sa Fille, 167
	Ver também *Dream catcher*; J. D. Salinger; *Lire*
Salinger: uma vida, 168
	Ver também J. D. Salinger; Kenneth Slawenski; Leya
Scarlat letter, The, 49
	Ver também *Letra escarlate, A*; Nathaniel Hawthorne
Salka Viertel, 26
	Ver também *Aventura na África, Uma*
Salomão Schvartzman, 24
	Ver também TV Bandeirantes
Salt of the earth, 22
	Ver também Herbert Biberman; Michael Wilson; Paul Jarrico; *Sal da terra, O*
Samuel Wainer, 58
Sandra Milo, 252, 253, 255
	Ver também *Caro Federico*; Sandrocchia

Sandrocchia, 255
    Ver também Sandra Milo
Sartoris, 93
    Ver também William Faulkner
Saturday Evening Post, The, 146, 201
Scoundrel time, 24
    Ver também *Caça às bruxas, A*; Lillian Hellman
Se, 190
    Ver também *If*; Rudyard Kipling
Se meu apartamento falasse, 135
    Ver também *Apartment, The*; Billy Wilder
Selvagem, O, 154
    Ver também Marlon Brando; *Wild one, The*
Selvagem da motocicleta, O, 154
    Ver também Francis Ford Coppola; *Rumble fish*
Senhor, 213
    Ver também Nova York
Ser homem, 190
    Ver também Rui Barbosa
Sérgio Leone, 214
    Ver também *Era uma vez na América*
Sérgio Porto, 214
    Ver também Fifuca; Flávio Porto; Stanislaw Ponte Preta
Série Noire, 241
    Ver também Gallimard
Seven year itch, The, 247
    Ver também Billy Wilder; *Pecado mora ao lado, O*
sexo
    descobrir o, 96, 252
    explícito, 225
    livre, 225
    oculto, 258
    total, 7
Sexta-feira 13, 159
Shane, 243
    Ver também Alan Ladd
Sheila Graham, 131
    Ver também Robert Westbrook; F. Scott Fitzgerald
Shelley Winters, 53
Shirley MacLaine, 245
    Ver também *Como possuir Lissu*; *Gambit*
Shopping News, 248
show
    -*woman*, 21
    bagaceira, 47
    de *rock*, 120
    para os americanos, 144

peep, 225
publicidade de, 196
Show starts on the sidewalk, The, 244
    Ver também Maggie Valentine
Sight and Sound, 180
Silvia Pinal, 256
    Ver também *Cine mexicano*
Sin in soft focus: precode Hollywood, 243
    Ver também Mark A. Vieira
Sinclair Lewis, 140, 141, 148, 155, 165, 169, 193
    Ver também *Babbitt*; *Dodsworth*; *Elmer Gantry*; *Entre Deus e o pecado*; *Main street*; *Rua principal*
Sindicato de ladrões, 23
    Ver também Elia Kazan; Marlon Brando
Sinhá Moça, 249
    Ver também Osvaldo Sampaio
Siobhan McKenna, 220
Sócia do casamento, A, 233
    Ver também Carson McCullers; Julie Harris; *Member of the wedding, The*;
Sociedade Unida dos Crentes na Primeira e na Segunda Aparição de Cristo, 88
Sol também se levanta, O, 26
    Ver também Ernest Hemingway
Some like it hot, 135
    Ver também Billy Wilder; *Quanto mais quente melhor*
Sonia Nolasco, 217
Sophia Loren, 53, 249
    Ver também Bizu Bizu Bizu; *Divas*
souvenir, 14, 199
Spinning wheel, 121
    Ver também Blood, Sweat & Tears
Stagecoach, 138
    Ver também John Ford; *No tempo das diligências*; Walter Wanger
Stanislaw Ponte Preta, 214
    Ver também Sérgio Porto
Stanley Kubrick, 23
    Ver também *Dr. Strangelove*
Stella Adler, 25
    Ver também caça às bruxas; macarthismo
Steno, 50
    Ver também *Copacabana Palace*
Sterling Hayden, 23
    Ver também *Poderoso chefão III, O*
Story of a bad boy, The, 80
    Ver também Bíblia; Thomas Aldrich
Stranger in my place, A, 121
    Ver também Joan Baez
Sue Carol, 243
Sunset boulevard, 135

Ver também Billy Wilder; *Crepúsculo dos deuses*
Sunshine, 49
    Ver também István Szabó
Susana, 257
Sweet charity, 230
    Ver também Bob Fosse; Broadway
Swimmer, The, 149
    Ver também Burt Lancaster

T

Taschen, 128
    Ver também Ivo Kranzfelder
Tazio Secchiaroli, 249
    Ver também Federico Fellini; *Fellini 8½*
Teatro Oficina, 25, 77, 181
Terceiro Reich, 25
    Ver também William Shirer
Terry Moore, 181
    Ver também Howard Hughes
Testemunha de acusação, 135
    Ver também Billy Wilder; *Witness for the prosecution*
This gun for hire, 240
    Ver também *Alma torturada*
This side of paradise, 73
    Ver também *Este lado do paraíso*; F. Scott Fitzgerald
Thomas Aldrich, 80
    Ver também *Atlantic Monthly*; *Story of a bad boy, The*
Thomas Colchie, 216
Thomas Heggen, 165
    Ver também *Mister Roberts*
Thomas Jefferson, 264
Thomas Mann, 25, 264
    Ver também caça às bruxas; Heinrich Mann; macarthismo
Thomas Schatz, 139
    Ver também *Gênio do sistema, O*
Time Out, 221
Tippi Hedren, 241
    Ver também *Marnie*; *Pássaros, Os*
Tom Monte, 107
    Ver também *Aconteceu em Woodstock*
Tônia Carrero, 119
    Ver também Fernando de Barros
Torrentes de paixão, 246
    Ver também Marilyn Monroe; *Niagara*
Town, The, 96
    Ver também *Cidade, A*; William Faulkner
tradicionalismo,
    decoração americana, 197

Trapalhões, Os, 96
traveler's check, 41, 48, 158
Trip, 58
    Ver também Hélio Santos
Truman Capote, 213
    Ver também *Breakfast at Tiffany's*
TV Bandeirantes, 24
    Ver também Salomão Schvartzman
Tyrannie du plaisir, La, 194
    Ver também Jean-Claude Guillebaud

U

uísque, 14, 263
Última folha, A, 214
    Ver também O. Henry
Última Hora, 50, 58, 119, 136, 140, 206
    Ver também Fernando de Barros; Hélio Santos
Último magnata, O, 130
    Ver também *Last tycoon, The*; F. Scott Fitzgerald
Urso, O, 50
    Ver também William Faulkner

V

Val Burton, 25
    Ver também caça às bruxas; macarthismo
Vale das bonecas, O, 180
    Ver também *Valley of dolls, The*
Varian Fry, 264
Velho e o mar, O, 26
    Ver também Ernest Hemingway
Veludo azul, 202
Vera Cruz, 50, 85, 141, 208, 246
Verde violentou o muro, O, 129, 194, 225
Vermelho e o negro, O, 60
Vermont ghost guide, The, 198
Veronica Lake, 240, 241
    Ver também *Blue dahlia, The*; *Dália azul, A*
Vertigo, 241
    Ver também Alfred Hitchcock; Kim Novak
Vida impressa em dólar, A, 25
    Ver também Clifford Odets; Zé Celso Martinez
Vidas amargas, 233, 234
    Ver também *East of Eden*
vinho
    branco do Vale do Napa, 47
    caro, 106
    com uvas Sangiovese, 81
    de maçã, 174

do Coppola, 96
excelente, 29
garrafa de, 28, 121
no feijão, 187
tinto californiano, 121
Ver também Barolo
vitoriano
culto do *fake*, 197
decoração americana, 197
Vogue, 41

W

Walden, 88
Ver também Henry David Thoreau
Walk on the wild side, A, 93
Ver também Nelson Algren
Walter Wanger, 130, 131, 132, 136, 137, 138, 139, 140, 254
Ver também ... *E o vento levou*; caça às bruxas; *Cleópatra*
Wander Piroli, 11
Weltschmerz, 235
West side story, 214
When I died, 121
Ver também Blood, Sweat & Tears
White hunter, black heart, 26
Ver também *Coração de caçador*; Peter Viertel
Wild one, The, 154
Ver também Marlon Brando; *Selvagem, O*
William Faulkner, 50, 93, 96, 127, 173, 190, 238
Ver também *Cidade, A*; *Mansão, A*; *Povoado, O*; *Sartoris*; *Town, The*; *Urso, O*
William Goldman, 238
William Holden, 161
Ver também *Blaze of noon*
William Saroyan, 165
Ver também *Quatro estações do sucesso, As*
William Shirer, 25
Ver também caça às bruxas; macarthismo; Terceiro Reich
William Styron, 93
Ver também *Leito na escuridão, Um*; *Lie down in darkness*

Wilson Martins, 214, 215
Ver também Nova York
Winona Ryder, 49
Winter carnival, 131, 133
Ver também Budd Schulberg; F. Scott Fitzgerald; Walter Wanger
Witness for the prosecution, 135
Ver também Billy Wilder; *Testemunha de acusação*
Woodstock, 1, 9, 10, 11, 40, 47, 52, 81, 87, 97, 98, 101, 103, 107, 108, 109, 112, 113, 114, 115, 116, 117, 119, 121, 144, 145, 149, 153, 155, 159, 168, 185, 232
Ver também amor; drogas; festival; música; paz; *rock*
Woody Allen, 122, 221
Ver também *Meia-noite em Paris*
Worst case scenario, survival handbook, The, 114
Ver também David Borgenicht; Joshua Piven

Y

Yma Sumac, 53
Ver também Divas
Young lions, The, 25
Ver também Peter Viertel
yuppie, 34, 154
Yves Montand, 49

Z

Zé Celso Martinez, 183
Ver também Araraquara; *Cadeiras na calçada*; *Vida impressa em dólar, A*
Zero, 164, 249
Zezé, 13, 17, 18, 20, 37, 40, 42, 48, 52, 53, 68, 69, 72, 74, 75, 77, 78, 81, 82, 84, 92, 94, 96, 101, 103, 104, 105, 106, 107, 116, 121, 124, 141, 145, 146, 148, 149, 150, 153, 171, 175, 176, 177, 178, 179, 185, 187, 189, 195, 196, 203, 204, 205, 206, 211, 219, 220, 221, 222, 223, 226, 227, 229, 256, 259, 260, 263
Ziraldo, 220
Zózimo Barroso do Amaral, 136

Obras do autor

Depois do sol, contos, 1965
Bebel que a cidade comeu, romance, 1968
Pega ele, Silêncio, contos, 1969
Zero, romance, 1975
Dentes ao sol, romance, 1976
Cadeiras proibidas, contos, 1976
Cães danados, infantil, 1977
Cuba de Fidel, viagem, 1978
Não verás país nenhum, romance, 1981
Cabeças de segunda-feira, contos, 1983
O verde violentou o muro, viagem, 1984
Manifesto verde, cartilha ecológica, 1985
O beijo não vem da boca, romance, 1986
Noite inclinada, romance, 1987 (novo título de *O ganhador*)
O homem do furo na mão e outras histórias, contos, 1987
A rua de nomes no ar, crônicas/contos, 1988
O homem que espalhou o deserto, infantil, 1989
O menino que não teve medo do medo, infantil, 1995
O anjo do adeus, romance, 1995
Strip-tease de Gilda, novela, 1995
Veia bailarina, narrativa pessoal, 1997
Sonhando com o demônio, crônicas, 1998
O homem que odiava a segunda-feira, contos, 1999
Melhores contos Ignácio de Loyola Brandão, seleção de Deonísio da Silva, 2001
O anônimo célebre, romance, 2002
Melhores crônicas Ignácio de Loyola Brandão, seleção de Cecilia Almeida Salles, 2004
Cartas, contos (edição bilíngue), 2005
A última viagem de Borges: uma evocação, teatro, 2005
O segredo da nuvem, infantil, 2006
A altura e a largura do nada, biografia, 2006
O menino que vendia palavras, infantil, 2007
Não verás país nenhum – edição comemorativa 25 anos, romance, 2007
Os escorpiões contra o círculo de fogo, infantojuvenil, 2009
Você é jovem, velho ou dinossauro?, almanaque, 2009
Zero – edição comemorativa 35 anos, romance, 2010
O primeiro emprego: uma breve visão, reportagem, 2011

Projetos especiais

Edison, o inventor da lâmpada, biografia, 1974
Onassis, biografia, 1975
Fleming, o descobridor da penicilina, biografia, 1975
Santo Ignácio de Loyola, biografia, 1976
É gol, 1982
Polo Brasil, documentário, 1992
Teatro Municipal de São Paulo, documentário, 1993
Olhos de banco, biografia de Avelino A. Vieira, 1993
A luz em êxtase: uma história dos vitrais, documentário, 1994
Itaú, 50 anos, documentário, 1995
Oficina de sonhos, biografia de Américo Emílio Romi, 1996
Addio Bel Campanile: a saga dos Lupo, biografia, 1998
Leite de rosas, 75 anos: uma história, documentário, 2004
Adams: sessenta anos de prazer, documentário, 2004
Romiseta: o pequeno notável, documentário, 2005
Desvirando a página: a vida de Olavo Setubal, biografia, 2008
Ruth Cardoso: fragmentos de uma vida, biografia, 2010

CTP • Impressão • Acabamento
Com arquivos fornecidos pelo Editor

EDITORA e GRÁFICA
VIDA & CONSCIÊNCIA

R. Agostinho Gomes, 2312 • Ipiranga • SP
Fone/fax: (11) 3577-3200 / 3577-3201
e-mail:grafica@vidaeconsciencia.com.br
site: www.vidaeconsciencia.com.br